Ernst Haeusserman

Das Wiener BURGTHEATER

MIT 13 FARBBILDERN
VON
ERICH LESSING
UND
192 SCHWARZWEISSBILDERN

VERLAG FRITZ MOLDEN · WIEN–MÜNCHEN–ZÜRICH

UMSCHLAGFOTOS: ERICH LESSING

Bild auf der Umschlag-Rückseite:
Blick auf den Zuschauerraum des Burgtheaters.
Gemälde von Gustav Klimt.
Historisches Museum der Stadt Wien

1. AUFLAGE

SCHUTZUMSCHLAG UND AUSSTATTUNG:
HANS SCHAUMBERGER, WIEN
LEKTOR: LEO MAZAKARINI
TECHNISCHER BETREUER: WILFRIED ERTL
SCHRIFT: ELF PUNKT GARAMOND-ANTIQUA
REPRODUKTIONEN: C. ANGERER & GÖSCHL, WIEN
SATZ: FILMSATZZENTRUM DEUTSCH-WAGRAM
DRUCK UND BINDEARBEIT: WELSERMÜHL, WELS
ISBN 3-217-00517-1
LEDERAUSGABE ISBN 3-217-00717-4

Inhalt

Vorwort

„Bewundert viel und viel gescholten“, könnte über dem Portal des Wiener Burgtheaters stehen, das seinen 200. Geburtstag feiert, obwohl das von Semper und Hasenauer errichtete Gebäude erst 88 Jahre alt ist. Das Burgtheater ist eben mehr als ein Theaterbau, es ist ein Inbegriff, der zumindest das königliche Theater nächst der Burg am Michaelerplatz miteinschließt. Mehr noch: die zweihundertjährige Geschichte umfaßt mannigfaltige Theaterunternehmungen innerhalb des Burgtheatergedankens. Das *alte* und das *neue* Burgtheater . . .

200 Jahre sind Anlaß genug, über Vergangenes und Gegenwärtiges nachzudenken, über die reine Historie hinaus. Das soll der Sinn unserer Arbeit sein.

Stellt man sich die Aufgabe, über dieses Haus etwas im engeren und weiteren Sinn auszusagen, hat man der Zeugenpflicht nach bestem Wissen zu entsprechen. Doch mit „nichts als der reinen Wahrheit“ wird man nicht immer weit kommen. Die eigene Erinnerung reicht kaum aus, auch nur ein Viertel des Gesamtkomplexes zu überblicken. Das Studium aller überlieferten Quellen, die obligaten Fehlerquellen miteingeschlossen, verwickelt einen bisweilen in Widersprüche. Man muß daher den eigenen Standort bestimmen, bevor man zur Feder greift. Ich werde versuchen, nicht nur die Geschichte, sondern die Story des Burgtheaters zu erzählen. Historiker werden zu Wort, aber gelegentlich zu kurz kommen. Und Theaterwissenschaftler werden zu Gnaden herhalten müssen.

An dieser Stelle möchte ich nicht versäumen, all jenen zu danken, die bewußt oder unbewußt zu dieser Burgtheaterzeichnung beigetragen haben: Besonders der unermüdlichen Scholarin der Burgtheatergeschichte, Dr. Elisabeth Russopulos, die, wie ich glaube, heute mehr über das Burgtheater weiß, als ich zugeben möchte, meinem langjährigen Mitarbeiter Gernot Friedel, der den Sekundärmaterialien für diese Arbeit nachgegangen und nachgelaufen ist, und dem Archiv des Burgtheaters.

Besonders danke ich auch meiner unermüdlichen Sekretärin Edith Khek.

Besonderer Dank gilt meinem unmittelbaren Nachfolger Paul Hoffmann, dessen selbstkritischer Beitrag über seine Direktionszeit, so wie er ihn geschrieben hat, im Büchl' steht, sowie last not least dem Publizisten und Kritiker Paul Blaha, der es übernommen hat, über die Dekade meiner Direktionstätigkeit kritisch zu berichten und mich damit sowohl der Subjektivität als auch einer falschen Objektivität enthoben hat.

Als Regisseur dieses Buches habe ich versucht, die Rollen nach bestem Wissen und Gewissen zu verteilen und der Idee des Stückes gerecht zu werden. Es ist ein langes Stück mit guten und schlechten Rollen. Wenn man diese Zeitspanne zu überblicken versucht, so hilft einem immer wieder die Zeitgeschichte. Es ist, ob man an Zufälle glaubt oder nicht, ein historischer „Aufhänger“, daß in dem Jahr, in dem Kaiser Joseph II., am 23. März 1776 in einem Handbillett an Fürst Khevenhüller das Burgtheater als deutsches Nationaltheater ins Leben gerufen hat, die Vereinigten Staaten von Amerika gegründet wurden.

Wir werden in diesem Buch die 200 Jahre mehr oder weniger chronologisch Revue passieren lassen und durch eingeschobene Auftritte der Schauspieler, die diesem Stück Gestalt gegeben haben, versuchen, den Ablauf der Handlung nicht zu hemmen, sondern zu ergänzen.

Die Verantwortung für den Anschlag der letzten fünfzig Jahre aber werde ich als Chronist persönlich übernehmen. Doch auch hier wird es ohne Komplizen nicht gehen. Die Untersuchung wird Subjektivität nicht vermeiden können.

Der Versuch, das Burgtheater darzustellen, muß von mehreren Seiten mit dem eigenen Instrumentarium erfolgen: Als Schauspieler, als Regisseur, als Direktor und nicht zuletzt als Zuschauer, der sich mit dem Leser zu identifizieren wünscht. Und es muß auch kritisch zugehen. Dennoch – um es gleich etwas pathetisch vorwegzunehmen –, zwischen den Zeilen werden Elemente einer Liebeserklärung nicht zu überlesen sein. In einer Zeit der Unsicherheit, der Krisen, der Abwertung der Persönlichkeit, in einer Welt der Kriege, des Terrors und der Aggression tut es gut, sich mit einer Konstanten – der des Theaters – auseinanderzusetzen. Diese Konstante, weit über den deutschsprechenden Raum hinaus, ist das Burgtheater. Die

Automatik des eigenen Protestes, der sich diesem Satz entgegenstellt, soll nicht unterdrückt werden. Das Burgtheater ist Zeitgeschichte, obwohl – oder vielleicht weil – es diese nie gemacht hat. „Die Theaterburg", wie Sonnenthal das Haus am Ring genannt hat, „die Publikumschmiere", wie Raoul Aslan einmal formuliert haben soll, wird auf Scherz, Satire, Ironie, vor allem aber auf tiefere Bedeutung hin analysiert werden. Das Burgtheater „auf der Couch" kann, tiefenpsychologisch gesehen, „Kraft durch Freud" erkennen lassen. Der rote Faden der Burgtheater-Story ist sein Ensemble. Anscheinend und scheinbar unabhängig voneinander bilden die Schauspieler eine Einheit, die älter ist als die Häuser, in denen sie aufgetreten sind. Diese Kräfte des Burgtheaters sind immer seine Kraft gewesen. Sie werden es weiter und wieder sein.

Daher liegt der Reiz des Unterfangens, ein Burgtheaterbuch zu schreiben, in besonderem Zusammenhang mit seiner 200-Jahr-Feier zu schreiben, darin, das farbenprächtige Kolossalgemälde in den sehr engen Rahmen eines Buches zu stellen, andererseits den historischen und heutigen Glanz und Abglanz auf ein sachliches Schwarzweiß des Druckes, unter dem das Burgtheater zu allen Zeiten stand, zu reduzieren.

Max Reinhardt, der nie Burgtheaterdirektor war, hat einmal festgestellt: „Das Heil kann nur vom Schauspieler kommen." Für kein Theater ist das so wahr wie für das Burgtheater.

Ich konnte noch nicht sehen und war schon indirekt ein Burgtheaterzuschauer: 1916 wurde ich „in es" hineingeboren. Mein Vater war damals im zweiten Jahr seines dreißigjährigen Burgschauspielerdaseins. Ich verwechselte so lange die Schule mit diesem Haus, bis es 1933 nichts mehr zu verwechseln gab. Als Schauspieler stand ich noch mit Georg Reimers, mit Hedwig Bleibtreu, mit Willy Thaller und Rosa Albach-Retty auf der Bühne. Mein Freund Fred Liewehr behauptet, ich hätte damals schon Burgtheaterdirektor werden wollen. Ich fürchte, er hat recht. Und als ich es 1958 wirklich wurde, stand ich vor einem Ensemble, das auf eine bestimmte Weise meine Familie war. Zu vielen der Großen hatte ich Onkel und Tante gesagt, viele hatten mich als kleinen Buben an der Hand durch das Haus geführt. Und die Albach-Retty, auf deren Schoß ich einst gesessen war, schrieb mir anläßlich meines Direktionsdebüts, ich möge ihr mein erstes Autogramm geben. Fred Hennings, mein verehrter Freund, sagte, Gott sei Dank, auch zu dem Direktor weiterhin „Burscherl". Nach einiger Zeit als Schauspieler, später einigen Jahren ausschließlicher Direktionstätigkeit, inszenierte ich erstmals am Burgtheater. Eines war in all den vielen Jahren konstant: ich war stets Publikum geblieben. Mehr oder weniger kritisch, wie ich hoffe und glaube, mehr mir selbst gegenüber. Der sehr erwachsene Zuschauer kann die Phasen, die Burgtheatermetamorphosen, die er selbst miterlebt hat, ebensowenig vergessen wie Freud und Leid eines echten Burgschauspielers, der mein Vater war. Ich glaube, ich wußte immer ein bißchen zuviel vom Burgtheater. Gerade das hat mich in dem Bestreben, zu verbessern, viele Fehler machen lassen. Heute weiß ich um diese Fehler. Vielleicht wußte ich auch damals um sie . . .

Das Burgtheater ist und war nie unabhängig von seinen Nachbarn am Ring zu sehen. Die Universität, das Rathaus, das Parlament, die Staatsoper und das Burgtheater hängen und hingen „an einem Ring". So war es für mich von großer Bedeutung, daß während meiner Direktionszeit Herbert von Karajan Direktor der Wiener Staatsoper war. Ich bin nicht nur ein bedingungsloser Anhänger des, wie ich glaube, größten lebenden Dirigenten, sondern auch des Direktors Karajan. Ich glaube, daß Karajan alles das – gerade für Wien und Salzburg – bedeutet, was wir unter Glanz verstehen. Nicht äußerlicher. Nicht das, was man so gerne und manchmal zu Recht als Talmi wertet, ich meine unverwechselbare Ausstrahlung, meine das Einmalige, das Unaussprechbare, das das Theater zu allen Zeiten gebraucht hat und immer brauchen wird. Die Persönlichkeit Karajan in freundschaftlich nachbarlicher Beziehung zu wissen, hat die Aufgabe nicht leichter, aber schöner gemacht.

Herbert von Karajan hat einmal gesagt: „Wenn man schwindlig wird, darf man nicht auf den Berg gehen." Das Burgtheater ist ein Berg. Ehe man hinaufsteigt, weiß man nicht, wie oben das Wetter sein wird. Die ersten Jahre des Anstieges

„ANSICHT VOM INNERN PROSPEGT DER
K. K. NATIONALTHEATERN NÄCHST DER BURG“

Kolorierter Stich von Jaresch

sind sonnig, und man hat den notwendigen Atem. Dann kommen Nebelfelder, und wenn man oben ist, ist die Aussicht nicht immer klar. Um den Absturz zu vermeiden, bereitet man sich am besten früh genug auf den Rückweg vor. Von dieser Gipfeltour wird auch die Rede sein.

Ich habe lange überlegt, ob es zulässig ist, über die Zeit, in der man selbst Burgtheaterbergsteiger war, zu berichten, ob es richtig ist, über die unmittelbaren Vorgänger und Nachfolger zu sprechen und ihre Markierungen festzuhalten. Wenn man sie subjektiv außer Streit stellen wird, darf man auch da nicht schwindlig werden. Ein Viertel der Burgtheatergeschichte miterlebt zu haben, ist keine ausreichende Legitimation. Die intensive Beschäftigung aber mit dem Haus am Ring und seinen Vorgängen kommt der Tat und der Sache schon näher. So möchte ich es denn doch wagen, die innere und äußere Bühne dieses großen Welttheaters zu drehen, mit Glaube, Liebe und Hoffnung, daß am Schluß dieses Reports über die Bretter, die die Welt bedeuten, wir Zuschauer dieses Theaterphänomens über diese Welt sagen können: „Und sie bewegt uns doch!"

Es beginnt mit einer Art Dementi. Das Wiener Burgtheater ist – nach der Comédie Française – das zweitälteste noch immer bestehende Sprechtheater der Welt. 1976 könnte es seinen 235. Geburtstag als Theater feiern. Es könnte seinen 165. Geburtstag als führende deutsche Sprechbühne begehen. Aber es feiert die 200. Wiederkehr jenes Tages, an dem ein seiner Zeit weit vorausdenkender Kaiser seinen Willen dekretierte, diese Bühne zu einem „Teutschen National Theater", zum Forum deutscher Dichtung zu machen.

Als Joseph II. seine Theaterreform entwarf, hatte es schon 35 Jahre vielfältiger Erfahrungen hinter und 35 Jahre schwieriger Lehrzeit vor sich, ehe es reif wurde, die kaiserlichen Vorstellungen zu verwirklichen. Zeitlich genau in der Mitte eines siebzigjährigen Entwicklungsprozesses erwuchs „die Idee Burgtheater": ihr gilt das Jubiläum.

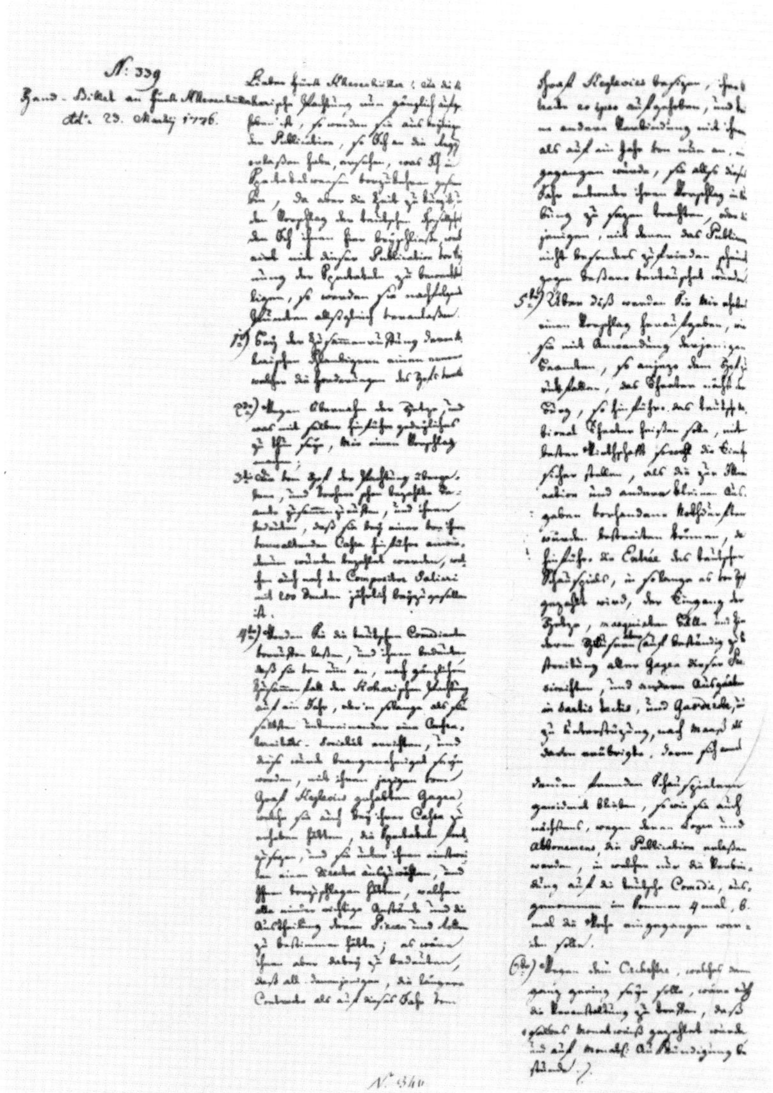

Die Gründung des Hof- und Nationaltheaters. Aus dem kaiserlichen Handbillet vom 23. März 1776 an Fürst Khevenhüller

Die Vorgeschichte

Wien war unter den Barockkaisern europäische Kunstmetropole. Hof und Adel waren durch künstlerisch höchstwertige Darbietungen verwöhnt. Leopold I., Joseph I. und Karl VI., selbst ausgezeichnete Musiker und Komponisten, hatten mit gewaltigen personellen und materiellen Mitteln einen Kunstalltag geformt, der auch von den berühmten Höfen in München und Dresden nicht überboten werden konnte. Zu besonderen Gelegenheiten aber inszenierte man am Wiener Hof Feste, die zu Höhepunkten barocker Gesamtkunst wurden, zu der Spanien und Burgund den großen Stil, Italien Sprache und Musik, Frankreich das klassische Drama beisteuerten. Jahrelang sprach man in Europa vom Glanz und Prunk dieser Feste; vom „Roßballett" etwa, das 1667 anläßlich der Vermählung Leopolds I. mit der spanischen Infantin Margareta Theresia gegeben wurde und in dem der Kaiser persönlich als siegreicher Ritter im Kampf um das Goldene Vlies auftrat. Mehr als tausend Mitwirkende hatten fünf Monate lang angestrengt dafür geprobt. Noch aufwendiger war 1666 die Aufführung von Antonio Cestis Oper „Il pomo d'oro": Ganze Naturpflanzengärten fanden sich da auf der Bühne. Im Hafen wiegten sich Schiffe. Auf offener, sturmgepeitschter See tanzte der Segler des Paris. Im Vordergrund strömte der Höllenfluß, und Charon trieb in seinem Nachen dahin. Ein Wunderwerk der Regie: tausend Schauspieler standen auf der Bühne; tausend Kräfte arbeiteten hinter den Kulissen. Fünftausend sahen zu. Hunderttausend Gulden kostete die Aufführung. „Ein Werk, wie es niemals vorher gesehen worden ist", schwärmte Lady Mary Worsley-Montague in ihren Reisenotizen.

Die lorbeerbekränzten Hofpoeten, der Venezianer Apostolo Zeno etwa oder der Römer Pietro Metastasio, und die Tondichter bei Hofe erfreuten sich europäischer Berühmtheit und außerordentlicher Gunstbeweise. Der letzte der Komponisten jener Zeit, zugleich der erste, der die italienische Musikerphalanx zu durchbrechen vermochte, Johann Josef Fux aus der Steiermark, erzählt sehr stolz, er wäre seines Podagra wegen „wie ein kranker Feldherr" in einer Sänfte von Wien nach Prag getragen worden, damit er dort an der Seite seines Kaisers der Festaufführung einer seiner Opern beiwohnen konnte. In der Sänfte zu reisen war damals eine Vergünstigung, die auch hohen Adeligen nur selten gewährt wurde. Kaiser Karl VI. dirigierte sein Orchester selbst. Nach einer besonders gelungenen „Vorstellung" rief Meister Fux begeistert aus: „Oh, es ist schade, daß Eure Majestät kein Virtuos geworden sind!" Doch Karl beruhigte ihn: „Hat nichts zu sagen. Hab's so besser."

Man spielte im großen Opernhaus am Äußeren Burgplatz, im Theater in der Burg oder, wenn Anlaß und Inszenierung diesen Rahmen sprengten, in eigens errichteten Holztheatern in den Parks der Schlösser Augarten, Favorita oder Schönbrunn. Publikum war die kaiserliche Familie, der Hochadel der Vielvölkermonarchie und die zahllosen ausländischen Diplomaten und Würdenträger, die Wien damals beherbergte. Man sprach spanisch, italienisch, französisch – auf und vor der Bühne. „Das Wiener Theater des Barocks war der künstlerische Triumph Europas. Keine der großen Städte Europas hat je in landesfremden Sprachen so lange und so hingebungsvoll alles aufgeboten, um das Gesamtkunstwerk einer ganzen Völkergemeinschaft zu errichten. Wenn Europa jemals war, dann im barocken Wien", schreibt Josef Nadler.

Auch dann, wenn man bei Hof „en famille" spielte und hochadelige Akteure auftraten, sprach man deutsch nur bei den „Pauernstücken", die seit Maximilian II. Tradition des höfischen Faschings waren. Dazu nur in Parenthese: wurde ein „Pauernstück" geplant, zog man nach einem Abendessen in der Burg aus einem Gefäß Zettel, und jeder fand darauf die Rolle verzeichnet, die ihm so zugefallen war.

1719 war der polnische Kron- und sächsische Kurprinz der Bauernbräutigam, Erzherzogin Elisabeth die Braut, Erzherzogin Magdalena die Kranzeljungfrau, Erzherzogin Amalia eine tschechische Bäuerin und Erzherzogin Maria die Vierte Dirn. Der gestrenge Feldmarschall Prinz Max von Hannover mußte sich mit dem Zweiten Knecht und Prinz Alexander von Württemberg mit der Rolle eines „tumben Tirolers" zufriedengeben. 1724 spielte das Kaiserpaar Wirt und Wirtin zum Schwarzen Adler, 1730 mimte Maria Theresia eine Bäuerin und Erzherzogin Magdalena ein Soldatenweib. Und 1729 spielte man eine Tragödie mit heiterem Ausgang: Die adeligen Akteure waren mit Juwelen im Wert von über einer Million Gulden geschmückt.

Ein Heer von Musikern, Solo- und Chorsängern, Kopisten, Tänzern, Ballettmeistern, Schauspielern, Musikinstruktoren, Architekten, Theatralingenieuren, Theatralinspektoren, Theatralsekretären, Theatraladjutanten, Ober- und Unterhofzeichnern und sogar ein Theatralsticker für die Garderoben standen auf der großzügigen Besoldungsliste (die Materialspesen allein beliefen sich etwa 1737 auf nahezu 60.000 Gulden), gelenkt und geleitet von einer ganzen Hierarchie von Hofbeamten.

Dieser höfischen Kunst stand das Volkstheater gegenüber: ein getreues Spiegelbild ungebändigter Sinnenlust, die zumal nach der Befreiung von Pest und Türkennot Hoch und Nieder erfaßt hatte. Kardinäle resignierten ob der „Diffikultäten mit dem tugendhaften Leben in Wien", Abraham a Sancta Clara donnerte seine Strafpredigten von der Kanzel, aber die Wiener liefen gern zu den Buden der deutschen und italienischen Wandertruppen, deren „Haupt- und Staatsaktionen" ganz nach ihrem Geschmack mit derben Zoten, pikanten Anspielungen und aktuellen Anzüglichkeiten gewürzt waren. Der Hanswurst auf der Stegreifbühne, respektloser Verwalter eines Erbes, das Spielmann, bäuerlicher Laienspieler und das Jesuitendrama hinterlassen hatten, sprach und spielte, nur ganz lose an ein Szenar gebunden, ohne Regie und Ausstattung aus der Eingebung des Augenblicks. Seine Ausdrucksfähigkeit, seine Bewegungskunst, sein Gespür für das, was jeweils an Thematischem in der Luft lag, entschieden über Erfolg und Mißerfolg. Er mimte, was das Volk dachte, verspottete und kritisierte alles, was „von oben" kam, und ließ – wenigstens hier – die „von unten" siegen. „Er war keine Kunstfigur, sondern eine Weltanschauung" sagt Nadler, er war ein soziales Regulativ.

In Wien liebte man ihn inniger und länger als anderswo. Hier hatte er auf primitiven Holzgerüsten am Graben, am Neuen und am Hohen Markt, am Judenplatz und auf der Freyung angefangen, sehr früh auch schon in den leerstehenden „Ballhäusern" Unterschlupf gefunden – bereits 1651 hatte Wien so sein „Erstes Comödi-Haus" in der Himmelpfortgasse (das erst niedergerissen wurde, als Prinz Eugen an dieser Stelle sein Winterpalais baute), am Franziskanerplatz (die heutige Ballgasse erinnert noch daran) und in der Teinfaltstraße; sehr zum Verdruß der Anrainer übrigens, die mit dem „zerlumpten Diebsgesindel" der Komödianten nichts zu tun haben wollten. Zwar belachten die braven Bürger und so manche Adelige schon damals gerne ihre Späße, doch vergaß man nie, daß die Komödianten zusammen mit den „Freifechtern, Glückshafnern, Gauklern, Seilfahrern, Trommelschlagern, Bären-, Affen- und Hundstanzmachern, Schwerterschluckern und Taschenspielern" auf der absolut untersten Sprosse der sozialen Stufenleiter standen; die Raufhändel unter den Zuschauern, die Exzesse wartender Lakaien und Kutscher nach den Vorstellungen brachten Nachbarn und Polizei gleichermaßen in Harnisch.

Allerdings, als sich die Stadt Wien 1708 entschloß – mehr aus Sicherheitsgründen denn aus Kunstsinn –, beim Kärntnertor einen richtigen Theaterbau für die Komödianten zu errichten, hatte in Wien schon der geniale Josef Anton Stranitzki das Szepter übernommen und aus dem wüsten Spiel seiner Vorgänger das „klassische" Stegreifspiel geformt, das freilich keineswegs vornehmen Anstandsregeln gehorchte. Der Steirer, der 1705 mit den lapidaren Worten: „In Wien will ich bleiben, laßt mich in Eure Banda schreiben" beim Wiener Magistrat um Spielerlaubnis angesucht hatte, hielt nicht nur in künstlerischer Hinsicht viel von Zucht und Ordnung. Sein bürgerlicher Sinn, sein patriarchalisches Familienleben, die saubere Kleidung seiner Truppe, vor allem aber seine berühmt gewordene Maxime „Die Bühne ist so heilig wie der Altar, die Probe wie die Sakristei", flößten selbst den mißtrauischen Behörden Vertrauen ein. So war schließlich er es, der mit seiner Truppe in das neue Kärntnertortheater einziehen durfte, das zu diesem Zeitpunkt allerdings schon wieder nicht mehr der Stadt Wien

Szene aus der barocken Prunkoper „Il pomo d'oro" von Cesti

gehörte, sondern durch Intrigen und mannigfaltige Kompetenzstreitigkeiten nahezu ausschließlich unter die Kontrolle höfischer Stellen geraten war. Der Hof hatte sich nicht zu beklagen; das Theater florierte. Als Stranitzki starb, trat sein Schüler Prehauser die Nachfolge auch in der Gunst des Publikums an; er und die Stützen seines Ensembles spielten der Direktion Jahr für Jahr erhebliche Gewinne ein.

Als Maria Theresia 1740 den Thron bestieg, galt wohl keiner ihrer Gedanken dem Theater. Die deutsche Kaiserwürde war an Karl Albrecht von Bayern – nun Karl VII. – gegangen. Friedrich von Preußen sah in den österreichischen Kronländern eine leichte Beute: unter dem Vorwand alter Erbansprüche eroberte er Schlesien. Bayern und Franzosen drangen in Böhmen ein. Die Staatskassen waren leer. Innenpolitisch lag vieles im argen, und Rechts- und Schulreform (in Österreich fanden noch Hexenprozesse statt, und nicht einmal jedes achte Kind besuchte die Schule) lagen ihr weit mehr am Herzen als die aufwendige „elitäre" Kunsttradition ihrer Ahnen oder die derbe, zotige, zuchtlose des Volkes. Als Maria Theresia nach dem Tode ihres Vaters Landestrauer und damit umfassende Theatersperre verhängte, gedachte sie nicht, diese aus freien Stücken bald aufzuheben.

Damit hatte sie allerdings die Rechnung ohne ihre Wiener gemacht. Wenige Monate später schon sah sie sich von allen Seiten bedrängt: Adel und Hof sehnten sich nach standesgemäßer Zerstreuung, der Stadtmagistrat sorgte sich um die arbeitslosen und hungernden Komödianten, die Polizei bekam den Pöbel nicht mehr in den Griff, der sich mangels anderer Ablenkung in kriminelle Delikte flüchtete. Es mußte Maria Theresia also recht gelegen gekommen sein, als ein Mann ihr den Vorschlag machte, Hoftheater und Volkstheater sozusagen unter einen Hut zu bringen und beide zwar ganz nach den Wünschen Ihrer Majestät, aber in eigener Regie und auf eigene Rechnung zu führen. Dieser Mann war Carl Joseph de Sellier.

Sellier: eine merkwürdige Erscheinung, ein früher Managertyp und vom Ehrgeiz beseelt, alles, was nur entfernt mit Theater zu tun hatte, unter seine Herrschaft zu bringen. Bei Hof erwarb er sich als geschätzter Tänzer und Ballettmeister hohes Ansehen und später als „Entrepreneur der Hofopern, Serenaden, Komödien, Oratorien und Heiligen Gräber" erheblichen Einfluß auf das höfische Theatergeschehen. Gleichzeitig brachte er aber auch nach und nach alle niederen

Etablissements unter seine Kontrolle – die Buden- und Ballhauskomödianten, die Tierhetzen und andere Vergnügungsstätten. 1720 übernahm er ganz selbstverständlich auch die Direktion des Kärntnertortheaters. Dem Intimus der geachteten Hofkünstler und Chef der verachteten Komödianten aller Sparten war die kleine Lücke in seinem Theaterimperium schon längst ein Dorn im Auge gewesen: das letzte noch leerstehende Ballhaus, jenes auf dem Michaelerplatz, das bislang wegen seiner Zugehörigkeit zur Hofburg absolut tabu war.

Jetzt sah er seine Stunde gekommen. Er versprach Maria Theresia, es zu einem „Opern- respective Komödienhaus innerlich zuzurichten", es mit allem Zugehör, Szenarium und Orchester, dem Auditorium, den Galerien und zwei königlichen Logen zu versehen und darin „zu mehrerer Divertierung des Publici und Ihre Majestät eigener allerhöchster Unterhaltung täglich entweder eine Opera oder eine Komödie, eine teutsche oder wälsche, wie es der Hof verlangen wird", zu produzieren.

So kam es, daß die „ganz wider das Theater überhaupt eingenommene" Maria Theresia am 14. März 1741 mit dem späterhin oft wiederholten Stoßseufzer „Spectacel müssen halt sein!" ihre Unterschrift unter einen Verwaltungsakt setzte: das „Königliche Theater nächst der Burg" war gegründet.

Ein historischer Augenblick ohne jegliches Pathos, der nicht der Ironie entbehrt: Mangel jeglicher künstlerischer Ambitionen legte den Grundstein für ein Institut, das später zum Inbegriff deutschen Theaters wurde; Sparsamkeit war das Motiv für eine Institution, die auch im Hinblick auf Kostspieligkeit sehr bald und für immer die einsame Spitze hielt; Degoût am Spektakel stand an der Wiege einer Bühne, die Generationen mit größter Schauspielkunst konfrontierte.

Am 5. Februar 1742 wurde das Königliche Theater mit der Oper „Amleto" von Carcano (einem Hamletstoff) in Anwesenheit Maria Theresias – damals Königin von Böhmen und Ungarn, Erzherzogin von Österreich – eröffnet. Erstmals saßen Adelige und Bürger – diese freilich auf den billigen Plätzen – gemeinsam in einem Hause.

Oben: „Spectacel müssen halt sein!" meinte Kaiserin Maria Theresia resignierend, als sie 1741 – vom Adel bedrängt – das Burgtheater gründete. Stich von Th. Hack nach einem Gemälde eines unbekannten Meisters

Rechte Seite: Das alte Kärntnertortheater stand an jener Stelle, an der später das Hotel Sacher errichtet wurde. Das Haus brannte am 3. November 1761 kurz vor Ende der Vorstellung der Burleske „Don Juan oder Der steinerne Gast" völlig ab. Pacassi erstellte einen Neubau, der 1763 eröffnet wurde

Von da ab hatten die höfischen Künstler die Bretter mit den „ordinären Banden" zu teilen. Die deutschen Komödianten hatten in unmittelbare Konkurrenz zu treten mit einer vollkommenen Regie, die nichts dem Zufall überließ, zeremoniellem, elegantem Spiel, mit der vornehmen französischen Sprache, gesellschaftsfähiger Literatur und prunkhafter Ausstattung. Sie selber hatten nichts weiter aufzubieten als gekonnte Improvisation, derb-deutliche Gestik, Witz und Erfindungsgabe, wienerische Mundart und die ganz persönliche Ausstrahlung der Schauspieler. Das Nebeneinander solcher Extreme schuf ein starkes Spannungsfeld. Viele Jahre vor einer deutschen Bühnenliteratur, und dann, als es schon eine gab, von ihr eher behindert denn gefördert, konnten sich die deutschen Schauspieler nur durch die Kultivierung ihrer Ausdrucksmittel und ihr bis in feinste Nuancen abgestimmtes Zusammenspiel gegen die übermächtige Konkurrenz behaupten. Die Prävalenz schauspielerischer Leistung und Ensemblekunst hat – wie manche andere Haustradition – ihre Wurzel in diesem, dem alleräłtesten Burgtheater.

Länger als ein Jahrhundert ist das Burgtheater im Haus des Kaisers, in der Wiener Hofburg, untergebracht. Diese Heimstätte prägt ihm den altertümlich vornehmen und für ein wienerisches Ohr so intimen Namen. Es gehört gleichsam mit zur Wohnung des Kaisers, der aus seinen Gemächern nur über einen Korridor zu gehen braucht, um in seine Loge zu treten. Wie die Hofburgkapelle, wie die Hofreitschule oder der Redoutensaal ist auch das Theater ein Raum der großen kaiserlichen Behausung. Hier versammelt sich Abend für Abend die gute Gesellschaft der Stadt, Adel und Bürgertum, die studierende Jugend.

An solch einem Abend kommt eine Estafette in die Wiener Hofburg geritten und bringt aus Florenz die Nachricht, dem Großherzog Leopold von Toskana, Maria Theresias zweitem Sohn, der dort regiert, sei von seiner Gemahlin ein Söhnchen geboren worden. Die Kaiserin ist ob dieser frohen Kunde in

Jubellaune. Ihr, der letzten Habsburgerin, die in einem verödeten Hause aufgewachsen ist, muß ja dies neue Aufblühen des alten Stammes, muß die Geburt erbberechtigter Nachkommen tief zu Herzen gehen. In ihrer ersten Regung stürmt sie aus ihren Zimmern hinüber in die Theaterloge. Dort tritt sie an die Brüstung, unterbricht das Spiel, indem sie, die Depesche schwingend, in den Saal jauchzt: „Der Poldl hat an Buam kriegt!" Der Bub ist der spätere Kaiser Franz von Österreich, der „Poldl" ist Leopold, Großherzog von Toskana.

Zu diesem oft zitierten „Ausbruch" der Kaiserin in bezug auf den Namenspatron des glücklichen Vaters an diesem Abend gibt es eine kleine Parallelgeschichte: Als ich seinerzeit einmal Bundeskanzler Ing. Julius Raab in seinem Büro am Ballhausplatz besuchte und ihm vorstellte, wie wichtig es für die Schauspieler wäre, wenn er sich persönlich etwas mehr um das Burgtheater kümmerte, war Raab sehr aufgeschlossen: „Sie wissen, wie schwer ich mich tu'", meinte er, „ich hab kaum eine freie Minute. Aber Sie haben schon recht, und ich mach' Ihnen einen Vorschlag. Nennen Sie mir einen besonderen Anlaß, zu dem ich ins Burgtheater gehen soll. Das kann ruhig auch länger dauern. Dafür habe ich Verständnis, wenn Sie dafür Verständnis haben, daß ich die Geschichte dann für lange Zeit wieder aus dem Kopf hab."

Ich schlug dem Kanzler einen Tag vor, an dem die gesamte „Wallenstein"-Trilogie auf dem Programm stand. „Von vier Uhr nachmittags bis elf Uhr nachts", fügte ich etwas beklommen hinzu. Raab war unerschüttert: „Des geht in Ordnung", sagte er. Er nahm seinen großen schwarzen Terminkalender zur Hand: „I' trag' mas gleich ein. Wann is des?" Ich nannte das Datum. Er schaute wieder ins Buch: „Na, na, lieber Mann, da is ja Leopoldi!" Und der Tag des heiligen Leopold ist bekanntlich in Niederösterreich so etwas wie ein Nationalfeiertag . . .

Immer wieder haben übrigens Politiker ihr großes Interesse am Burgtheater bekundet, und, so scheint es, von dort auch Impulse empfangen. Ich erinnere mich an viele Gespräche mit dem Bundespräsidenten Dr. Karl Renner, der das Burgtheater liebte. Er war ständiger Besucher des Hauses und ein großer Freund der Schauspieler, ähnlich wie vor ihm Karl Seitz, der das Burgtheater einmal als seine eigentliche geistige Heimat bezeichnete.

Ich erinnere mich an Gespräche mit Bundeskanzler Dr. Bruno Kreisky: Dieser hat eine sehr klare Einstellung von der geistigen Aufgabe des Theaters. Schnitzler gültig interpretiert, ist für ihn wichtig; das Theater soll modern, aber nicht modernistisch sein; das Theater als Kunst und nicht als Kunstgewerbe; das, so scheint mir, sind seine Maximen.

Auch Wissenschaftler haben immer eine wechselwirkende Beziehung zum Burgtheater gehabt. Sie haben sie weiter. Mein Freund Friedrich Hacker, als Psychiater und Psychoanalytiker ein großer Freudianer, hat mich auf Briefe von Sigmund Freud an Arthur Schnitzler aufmerksam gemacht, aus denen hervorgeht, daß Freud, von dem man annahm, daß er Theater kaum besucht hat, doch zum Theatergeschehen eine Beziehung gehabt haben muß. Er schrieb an Schnitzler, daß er ihn beneide, denn ihm gelinge das auf der Bühne so gültig umzusetzen, was er in jahrelanger wissenschaftlicher Arbeit versuchte.

Das älteste Burgtheater (1741-1814)

TURBULENTE JAHRZEHNTE

Sellier hatte in seinem neuen Theater gemischtes Repertoire zu bieten: französisches Schau- und italienisches Singspiel, Opern, Ballett und deutsche Komödie. Die Wahl lag jeweils beim Hof; das Kärntnertortheater brachte sozusagen ein Kontrastprogramm. Selbstredend bevorzugte der Hof die französische Truppe und die italienischen Musiker, also die kostspieligen Varianten, während die deutschen Komödianten, immer wieder auf die „Nebenbühne" verwiesen, dort mit ihren tollen Späßen jene 50.000 Gulden einspielten, die die Schwesterbühne als Defizit auswies. Sellier kam nicht auf seine Rechnung und gab schon fünf Jahre später das Burgtheater der indignierten Kaiserin zurück.

Die nächsten drei Jahrzehnte waren mehr als turbulent: Rochus Baron von Lopresti nahm es in Pacht; reich, theaterbesessen und ahnungslos, stürzte er sich zunächst in den Umbau des Hauses und tat das mit so viel Ambition, daß ihm schon bei diesem ersten Schritt das Geld ausging. Durchaus nicht entmutigt, gründete er kurzerhand mit adeligen Freunden und einem Kapital von 40.000 Gulden die „Société des cavaliers sous la conduite de Monsieur le Baron de Lopresti", eröffnete am 14. Mai 1748 mit Glucks Oper „Die erkannte Semiramis", brachte hauptsächlich italienische Opern, während die deutschen Komödien und das französische Schauspiel bei Sellier im Kärtnertortheater verblieben, übernahm 1751 auch dieses und begann schließlich, wie Sellier begonnen hatte: mit gemischtem Repertoire auf beiden Bühnen – um zu enden, wie Sellier geendet hatte: er kam bei der Kaiserin um Subvention ein und gab ein Theater ab – diesmal jenes beim Kärntnertor, das vorübergehend an die Stadt Wien zurückfiel.

Mit der Bewilligung der ersten kaiserlichen Subvention wurde 1752 der erste kaiserliche Oberhofdirektor ernannt – Franz Graf Eszterházy – (Lopresti wurde völlig ausgeschaltet) und die erste offizielle kaiserliche Theaterinstruktion erlassen. Auch diese Dreieinigkeit – Geld, Amt und Instruktion – war hinfort aus dem Geschehen rund um das Burgtheater nicht mehr wegzudenken.

Zuerst unter Eszterházy, übernahm Josef Graf Durazzo dann allein die Leitung der Bühne; unbelehrbar, widmete er sich ausschließlich dem französischen Drama, nannte das Theater sogar „Théâtre française près de la Cour" um; folgerichtig kam es, trotz der Subvention, zum überwältigenden Defizit. Aber diesmal ließ die Kaiserin die Adeligen zahlen, die sich bereits bei Weiskern und Kollegen im Kärntnertortheater weitaus besser amüsierten als beim standesgemäßeren Repertoire der Burg: ihre Verluste beim Pharao-Spiel – in dem kleinen Kasino, das Maria Theresia 1759 im Burgtheater hatte einrichten lassen, wurde von Standesherren in den Pausen eifrig dieses Glücksspiel betrieben – deckten nicht nur das Defizit des französischen Theaterbetriebes, sondern brachten sogar einen Teil der Subvention wieder herein; immerhin – es waren 100.000 Gulden jährlich, mit denen die Aufführungen von Voltaire, Racine, Corneille, Molière und allerhand leichter französischer Ware finanziert werden konnten. Erst 1761, als das Kärntnertortheater abbrannte, mußte den deutschen Komödianten wohl oder übel im Burgtheater wieder Unterschlupf gewährt werden; drei Wochentage gehörten ihnen.

Als Maria Theresia 1765 ihren über alles geliebten Gemahl verlor, wurde wieder einmal allgemeine Theatersperre verhängt. Die französische Truppe wurde entlassen, die deutsche bei halber Gage in Zwangsurlaub geschickt, bis sie endlich im wiederaufgebauten Kärntnertortheater Spielerlaubnis erhielt.

Das Burgtheater aber sollte auf kaiserlichen Wunsch für immer geschlossen werden. Wieder war es der Hochadel, der die Initiative ergriff. Er versuchte, durch Ausgabe von 100-Dukaten-Anteilscheinen eine Art aristokratische Burgtheater AG zu gründen. Unter den 69 Aktionären fand sich alles, was in den Kronländern Rang und Namen hatte: Lobkowitz, Herberstein, Colloredo, Windischgrätz, Schwarzenberg, Kaunitz, Zichy, Lodron, Eszterházy, Pálffy usw. Merkwürdig genug, daß die Kaiserin die Theaterpläne des Adels durchkreuzte, noch merkwürdiger, daß sie die Pacht dann doch wieder vergab – und das justament an einen undurchsichtigen Abenteurer namens Giuseppe d'Afflisio, der sich zuerst das Bankhaus Bender & Co., dann den damals schon weltberühm-

Das älteste Burgtheater am Michaelerplatz.
Zu diesem Zeitpunkt war die Fassade noch schmucklos.
Zeichnung von A. Steininger

ten Komponisten Christoph Willibald Gluck und schließlich Francesco Baron Lopresti (der aus dem Schicksal seines Vaters, Baron Rochus, nichts gelernt hatte) zum Kompagnon nahm, aller Kapital gründlich verwirtschaftete, bis er schließlich 1770 Wien heimlich verließ, um, wie zumindest Casanova in seinen Memoiren berichtet, als Galeerensträfling ein trauriges Ende zu nehmen.

Wenzel Fürst Kaunitz, dem das Theater näherstand, als seiner Kaiserin recht war, förderte die Bewerbung eines reichen ungarischen Magnaten, des Grafen Janos Kohary, vor allem mit dem Hintergedanken, dem französischen Theater erneut Vorrang vor dem inzwischen in der öffentlichen Wertschätzung stark gestiegenen deutschen zu verschaffen. Zu seinem Unglück hörte Kohary zu sehr auf den allmächtigen Staatskanzler und achtete zu spät auf die Zeichen der Zeit, die dem Nationalgedanken immer mehr zu huldigen begann. Als sein riesiges Vermögen erschöpft, alle seine Güter sequestriert waren, verfiel er auf die verzweifelte Idee, Maria Theresia um ein Kaffeemonopol zu bitten: er verfüge über günstige Einkaufsquellen, wo er das Kilo um 51 Kreuzer erstehen könne; aus der Differenz zum gültigen Marktpreis von 57 Kreuzern könne er bei dem Kaffeekonsum, der in Wien üblich geworden sei, leicht das Burgtheater finanzieren. Die Kaiserin wies ihn allerdings brüsk ab, und 1776 war Kohary mit seiner Bühne konkursreif. Das französische, das Opern- und das Ballettpersonal wurde entlassen. Rat- und hilflos erwartete das deutsche Ensemble gleichfalls sein Todesurteil.

Aber es kam anders. In diesen drei Jahrzehnten äußerster Turbulenz hatte sich im deutschen Schauspielwesen ein unglaublicher Wandel vollzogen: das extemporierte Stegreifspiel war zum „regelmäßigen" Stück gediehen, der gerade zur Not geduldete Schauspieler, dem noch der Geruch dessen anhaftete, was in dem Warnruf „Kinder, räumt's die Wäsch' weg, die Komödianten kommen!" beschlossen lag, war – zumindest was das Burgtheaterensemble betraf – sehr schnell die soziale Stufenleiter hinaufgeklettert und jetzt bereits dort angekommen, wo dreißig Jahre zuvor die italienischen und französischen Sänger und Akteure bei Hofe gestanden waren. Der Publikumsgeschmack war vom Fremdsprachenkult zur Muttersprache umgeschlagen. Und im Burgtheater waren – früher als anderswo – die vordem unüberwindlichen Schranken zwischen Adel und Bürgertum um ein Weniges niederer geworden. Maria Theresia schließlich hatte gelernt, sich mit dem Theater im allgemeinen, das sie als „le plus vil dans la monarchie" betrachtete, das Ordinärste schlechthin (so „gemein", daß sie ihrem Staatskanzler Kaunitz verbot, seinen würdigen Namen in Theaterdinge zu mengen), wenigstens insoweit abzufinden, als es Chancen zu bieten schien, sich in eine moralische Anstalt umwandeln zu lassen.

Das Burgtheater war noch gar nicht gegründet gewesen, als in Deutschland die große Literaturrevolution Gottscheds – der erbarmungslose Kampf gegen die Improvisation auf der Bühne und für das Kunstschauspiel nach französischem Vorbild – in dem Spektakel der feierlichen Hanswurst-Verbrennung durch die Neuberin (1737) kulminierte. Die Wiener bekamen erst 1747 mit „Vitichab und Dankwart, die alemannischen Brüder", von Benjamin Ephraim Krüger eine erste Probe der neuen, trockenen Elaborate vorgesetzt, und fanden es sterbenslangweilig.

Weiskern, Prehauser und Kurtz gingen indes flink daran, ihre Komödien aufzuschreiben und so den neuen Wind in ihre Segel einzufangen, ohne die Zotenreißerei und den handgreiflichen Witz dabei aufzugeben. Das regelmäßige „anständige" Drama faßte immer fester Fuß, und als die wichtigsten Mitglieder der Neuberschen Truppe zum Ensemble stießen – das Ehepaar Koch, Heydrich und Madame Lorenz debütierten 1743 in einer Übersetzung von Corneilles „Essex" –, lag das Hauptvergnügen des Publikums darin, seine urwüchsigen Lieblinge zu beobachten, wie sie sich mühsam mit fremden Formulierungen und steifen Texten herumschlugen und gleichsam auf Kothurnen über die Bühne stelzten. Am wohlsten fühlten die Schauspieler sich, wenn sie Übersetzungen von Goldoni und Gozzi spielten, die den bodenständigen Hanswurstiaden immerhin sehr verwandt waren. Nicht ohne Grund

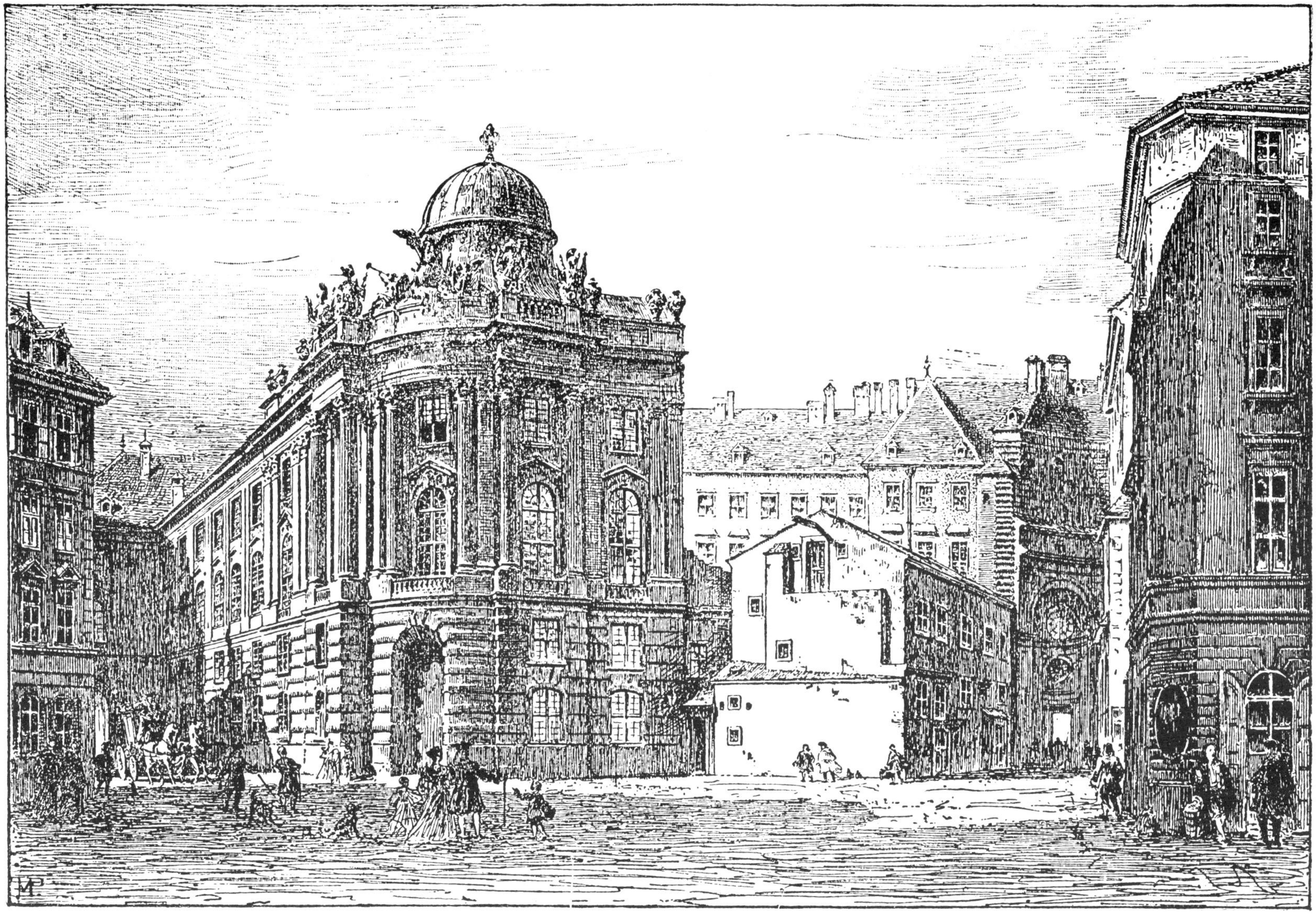

hatte man ja auch, übrigens vergeblich, versucht, Goldoni als Hofdichter an das Burgtheater zu bringen.

Immer wieder schmuggelten sie ihre ureigensten Schöpfungen, den Hanswurst Prehausers, den Bernardon Kurtz', in die Dramen der Weltliteratur ein und bearbeiteten höchstpersönlich und bis zur Unkenntlichkeit, was da gut und teuer war: spanische und italienische Lustspiele, französische Tragödien, und sie machten auch vor dem ersten großen deutschen Bühnendramatiker, Gotthold Ephraim Lessing, nicht halt. Lessing hat dem Burgtheater niemals verziehen, daß seine „Miß Sarah Sampson" (unter dem Titel „Miß Sarah und Sir Sampson"), seine „Minna von Barnhelm" so grausam verballhornt worden waren. Was Wien an „gehobener" Bühnenkunst beisteuerte, waren seltsamerweise Elaborate ausgedienter Militärs: Joseph Freiherr von Petrasch, früher Adjutant des Prinzen Eugen, und Cornelius Hermann von Ayrenhoff, Feldmarschalleutnant a. D., beglückten das Burgtheater mit ihren Werken, die zwar nicht dem Wiener Publikum, bezeichnenderweise aber Friedrich dem Großen gefielen: „Molière hätte es nicht besser machen können", sagte er über Ayrenhoffs alberne Posse „Der Postzug".

Wenn das Burgtheater die Weltliteratur vergewaltigte, wenn die österreichische Literatur andererseits dem Theater alles schuldig blieb, so lag dieses Versagen nicht nur beim Burgtheater oder bei der Literatur: 1752 war mit der Subvention und dem Hoftheateramt informal auch schon die Zensur da. „Jetzt hat der Hof fürnehmblich die Hand darin", notierte Obersthofmeister Fürst Khevenhüller maliziös. „Die Kaiserin läßt sich von allem, was Theater betrifft, minutissime referieren. Im Theater soll das Volk feinere Sitten lernen." Und die kaiserliche Instruktion folgte auf dem Fuß: „. . . die comödie solle keine andere compositionen spillen als die aus dem französischen oder wällischen oder spanischen theatri herkommen, alle hiesigen compositionen vom Bernardon und anderen völlig

Rechte Seite innen: Christiane Friederike Weidner, „die Weidnerin", war 46 Jahre lang Mitglied des Burgtheaters. Platinotypie von J. Löwy
Rechte Seite außen: Christiana Henriette Koch, die „Hosenrollen mit besonderem Anstand verkörperte"

aufzuheben, wann aber einige gutte doch wären von Weiskern, sollten selbe ehnder genau durchgelesen werden und keine equivoces noch schmutzige Worte darinnen gestattet werden, auch denen comoedianten ohne straff nicht erlaubt seyn, sich selbe (diese Worte) zu gebrauchen." Dem Verbot schmutziger Worte und überkommener Volkskunst folgten bald die Verbote bestimmter Inhalte.

Die ersten Vorkämpfer für ein deutsches Theater – der Journalist und Theatersekretär Klemm zum Beispiel oder der Zensor Joseph von Sonnenfels, den Kohary als Berater zuzog –, erreichten zwar, daß das deutsche Theater erstmals auch in den Salons der Gesellschaft ernsthaft diskutiert wurde, aber sie unterwarfen sich völlig den höfischen Maximen und wetterten gegen „den unschicklichen Witz", den Sonnenfels der gewachsenen Wiener Bühnenkunst ebenso wie Shakespeares Werken ankreidete: „Das Mißfallen der Großen des Adels ist allein imstande, die schändlichen Mißgeburten von der Schaubühne zu verdrängen; fordern Sie keine Geldbörsen, keine Brillantringe für ihre nationalen Dichter zur Belohnung, ein einziges Wort zum Lobe des Dichters aus dem Munde eines Kaunitz, ein Lächeln der Grazie Liechtenstein muß mehr Sporn, mehr Belohnung sein, als alles Gold der Welt."

Wie fundamental dieser Irrtum war, erkannte wenig später schon Goethe: „Das deutsche Theater hätte sich nach und nach zum Kräftigen und Rechten durchgearbeitet, wäre es im südlichen Deutschland, wo es eigentlich zu Hause war, zu einem ruhigen Fortschritt und zur Entwicklung gekommen; allein der erste Schritt, nicht zu seiner Besserung, sondern zu einer sogenannten Verbesserung, geschah im nördlichen Deutschland von schalen und aller Produktion unfähigen Menschen . . . Gute Köpfe mochten es doch wohl auch gerne sehen, wenn der Teufel manchmal auf dem Theater los war", während der „seichte Geschmack den deutschen Schauspieler zu zähmen und die privilegierten Spaßmacher von den Brettern zu verbannen suchte." Leider seien da auch die Freunde der Bühne genötigt worden, „diese eigentlich nur der höheren Sinnlichkeit gewidmete Anstalt für eine sittliche auszugeben. Sie behaupteten, das Theater könne lehren und bessern und also dem Staat und der Gesellschaft unmittelbar nutzen . . . und die Schriftsteller selbst, gute, wackere Männer aus dem bürgerlichen Stande, ließen sich's gefallen, ohne zu bemerken, daß sie die Gottschedsche Mittelmäßigkeit fortsetzten".

Die Schriftsteller ließen sich's gefallen, die Schauspieler nicht, wenigstens nicht in Wien. In welche Rolle immer sie schlüpften, welchen Gesetzen immer sie zu gehorchen hatten, überall lugte der Hanswurst, der Bernardon, der Bramarbas hervor.

Hier, am Wiener Burgtheater, vollzog sich, was nirgends in Deutschland gelungen war: im Nebeneinander der Stile der nahtlose Übergang der Darstellungskunst vom Stegreif- zum Kunstspiel. Selbst Prehauser, der unmittelbare Erbe Stranitzkis, hat sich aus linkischen Anfängen zum eleganten Väterspieler entwickelt. Seine Ensemblestützen waren nach wie vor Kurtz, Weiskern und Frau Nuth. Weiskern, ein Topograph von Rang, der auch als Architekt seinen Mann stellte und die Pläne zum Umbau vom Ballhaus zum Hoftheater geliefert haben soll, brillierte aber auch in Liebhaber-, dann in Väterrollen regelmäßiger Stücke. Seine stattliche, überaus gepflegte Erscheinung und sein dezentes Benehmen öffneten ihm den Zugang zu den vornehmsten Kreisen, die übrigens auch Joseph Kurtz offenstanden, dem genialsten Komödianten jener Zeit und Schöpfer des tölpelhaften Bedienten Bernardon. Anders als Weiskern eroberte Kurtz sich das Parkett mit seiner Unverfrorenheit. Als er einmal vor höchstem Auditorium einen Baron zu mimen hatte und Kaiser Franz Stephan ihn am nächsten Morgen leutselig mit „Guten Morgen, lieber Baron" begrüßte, dankte er sofort devotissime für die allergnädigste Erhebung in den Adelsstand, nannte sich fortan Freiherr von Kurtz und vererbte das Adelsprädikat unangefochten seinen Kindern. Kurtz schrieb Texte für Joseph Haydn, zu „Asmodeus" zum Beispiel. Als Haydn einen Seesturm komponieren wollte, zu dem ihm nichts einfiel, soll Kurtz drei durchwachte Nächte lang vor dem Komponisten herumgetanzt sein: „Ein Berg, ein Tal, verstehst du? Dann wieder ein Berg und ein Tal! Dann alles ineinander!

Dann wieder Gipfel und Abgründe, und Blitz und Donner fahren dazwischen, das ist doch ganz einfach, das wirst du doch können!“, bis Haydn erschöpft und verzweifelt mit beiden Händen wild über die Tasten fuhr und so das Sturmmotiv fand.

Erst als Kurtz Kaiserin Maria Theresia auf eine herablassende Frage – sie mochte ihn am wenigsten leiden, weil er die kecksten Figuren auf die Bühne stellte – eine freche Antwort gab, wurde ihm der Wiener Boden zu heiß; er verreiste nach Deutschland und gewann nach seiner Rückkehr weder auf der Bühne noch im Leben wieder festen Boden. Er starb ein Jahr nach Prehauser, 1769.

Anna Maria Nuth, die Columbine des Stegreifs, reifte in fünfundzwanzigjähriger Bühnenlaufbahn zur gefeierten Darstellerin einer Elisabeth im Corneilleschen „Essex“ und einer Klythemnestra heran. Sie war so beliebt, daß das Publikum stürmisch das Eintrittsgeld an den Kassen zurückforderte, wenn sie einmal nicht auftrat. Auf dem besten Weg, eine großartige Heldenmutter zu werden, starb sie 1752. Auch Johann Leinhas stammte wie sie aus dem Italienischen. Er schuf den Charakter des Pantalone und war im Ensemble gefürchtet, weil er gerne Ohrfeigen austeilte, wenn die Proben nicht klappen wollten. Schon sehr früh waren auch Josef Karl Huber und Andreas Schröter in das Ensemble eingetreten; der eine kreierte den harmlos-lustigen Leopoldl, der andere den Bramarbas. 1748 kamen noch Koch, seine Ehefrau Henriette, Heydrich und Mme. Lorenz in das Ensemble. An Henriette Koch wurde gerühmt, sie habe viel Feuer und verkörpere Hosenrollen mit besonderem Anstand. Ihr Mann hingegen machte das Publikum lachen mit seinen übertriebenen Gesten und seiner sehr pathetischen Deklamation. Beide gingen ein Jahr später verdrossen nach Leipzig zurück, wo sie sich besser gewürdigt fühlten. Heydrich und die Lorenz hingegen verliebten sich in die Bühne und in das Publikum, arrangierten sich mit dem Wiener Bühnenstil und lernten, wie viele noch nach ihnen, abwechselnd Stegreif und Kunstdrama zu spielen. Die Lorenz wurde mit den Jahren eine großartige Komödiantin und erlebte größte Triumphe. 1788 feierte sie als Mme. Weidner ihr vierzigjähriges Bühnenjubiläum, und Joseph II. überließ ihr die Einnahmen der Benefizvorstellung von „Emilia Galotti“. Es war ein großartiger Erfolg für sie; der Kaiser sandte ihr die Große goldene Ehrenmedaille auf die Bühne – die erste Auszeichnung dieser Art, die ein Burgtheatermitglied erhielt.

Nach 46 Bühnenjahren zog sie sich hochbetagt zurück. Zum letztenmal war sie in der Titelrolle von Voltaires „Jeanette oder Nur keine Konsequenzen" aufgetreten.

Die Neuberin, in Deutschland schon längst abgeschrieben, kam 1753 nach Wien: Steif, manieriert, herrschsüchtig und arrogant, wie sie sich hier gab, fiel sie glatt durch und endete auf einer Schmierenbühne in Gießhübel.

1755 wurde Anton Brenner engagiert, ein Jahr danach die beiden Stephanies, 1761 Preinfalk, dann das Ehepaar Jacquet, 1763 kamen Johann Christian Gottlieb, Josef Lange und schließlich Johann Heinrich Friedrich Müller zur Truppe: damit war im wesentlichen jenes Ensemble geformt, das erstmals als das führende im deutschen Raum anerkannt wurde. Es war bereits eine große Ehre, ihm anzugehören. Die Stephanies – sie hatten eigentlich Stephan geheißen, mußten aber ihrem Namen eine Endung anhängen, damit der gestrenge Breslauer Magistrat die gutbürgerlich Erzogenen an die Wiener Bühne entließ – hatten sich zwar vertraglich ausbedungen, nur in regelmäßigen Stücken beschäftigt zu werden. Aber ebenso wie Johann Heinrich Friedrich Müller, der aus Linz gekommen war und von dorther Stegreiftheater gar nicht mehr kannte, wurden sie nicht nur zu großartigen Tragöden, sondern auch zu gewandten Stegreifspielern. „Denn das Extemporieren", gestand Müller, „versteht man nirgends so trefflich wie in Wien. Ihr (der Extemporierer) Vortrag verdiente, nachgeschrieben zu werden. Diese Kunst fordert rastlose Mühe, Übung und Studium und trägt ungemein viel zum natürlichen Gebärdenspiel bei, verlangt Aufmerksamkeit und Geistesgegenwart und bewirkt einen wahren, nicht deklamatorischen, sondern aus der Natur gehobenen Vortrag", der auch dem regelmäßigen Drama erst zum Leben verhelfe.

Von Müllers Leistungen wurden besonders seine Chargen gerühmt, sein komischer Bedienter, Schwätzer und Pedant. Zum Bedauern des Ensembles legte er indes besonderen Wert darauf, elegante Chevaliers und Hofmänner zu spielen, die ihm durchaus nicht lagen. Den Chevalier spielte er auch im Privatleben mit Vorliebe. Durch ein gutgehendes Galanterie-

JOSEF LANGE (1751–1831)

Von ihm berichtete Ignatz Franz Castelli, er habe ein besonders ausdrucksvolles Gesicht gehabt, sehr scharfe, hervortretende Züge und „Tränensäcke an den Augen, wie ich in meinem Leben keine so herabhängenden bei einem Menschen gesehen habe". Er besaß eine starke, sonore Stimme, deutlichen Vortrag, wenngleich er immer Schwierigkeiten hatte, Verse zu sprechen und seine Deklamation für kritische Ohren immer unrichtig gewesen war. Die Kraft und das Feuer seiner Rede und vor allem seine „Geschicklichkeit, sich in edlen malerischen Stellungen zu präsentieren, welche er durch Drapierung seiner Gewänder in Kostümrollen noch auffallender zu machen verstand", machten ihn zum Abgott der Wiener. Er war übrigens aus Würzburg nach Wien gekommen, spielte 51 Jahre lang an der Burg (1770 bis 1821) und starb 1831.

Lange konnte sein bühnenbewährtes Pathos auch im Privatleben nicht aufgeben – es war zu seiner zweiten Natur geworden. Castelli begegnete ihm einst auf der Straße. „Mit wichtiger Miene faßte er mich am Arm, zog mich in ein Haustor und sagte salbungsreich: ‚Stellen Sie sich vor, liebster Castelli, ich komme soeben vom Grafen Pálffy . . . (auf wichtige Neuigkeiten gefaßt, lauschte ich atemlos) . . . und er war nicht zu Hause!'"

warengeschäft, das er nebenbei betrieb, äußerst wohlhabend geworden, hielt er zumal im Sommer in der Vorstadt offenes Haus und empfing toute Vienne an seiner Tafel. Boshafte Zungen behaupteten, seine Theaterstücke, die er wie alle seine Kollegen für die Burg schrieb, seien lange nicht so ausgezeichnet gewesen wie seine Galanteriewaren.

Dieses Ensemble war es, das 1776, nach Zusammenbruch der Koharyschen Pacht, seine mühsam aufgebaute Welt einstürzen sah; bangen Herzens fanden sich die Schauspieler am 17. Februar 1776 beim Obersthofmeister Graf Khevenhüller ein. Sie ahnten noch nicht, daß Kaiser Joseph II. (der allmählich alle Agenden übernommen hatte, die seiner Mutter nicht so wichtig erschienen), des ewigen Ärgers mit den Pächtern überdrüssig, beschlossen hatte, das Theater zu reorganisieren. Reorganisieren – das konnte bei Joseph nicht nur heißen: Finanzen und Verwaltung in Ordnung zu bringen. Der Zug zum Großen, der Kaiser Joseph eigen war, konnte eine Veränderung nur im Zusammenhang mit einer bedeutenden Idee sehen. Und diese große Idee wurde den sprachlosen Schauspielern jetzt mit aller gebührenden Feierlichkeit aus dem kaiserlichen Handbillett vorgetragen: „Seine Majestät der Kaiser haben geruht, das Theater nächst der Burg zum Hof- und Nationaltheater zu erheben." Daher dürften von nun an nichts als gute regelmäßige Originale und wohlgeratene Übersetzungen aufgeführt werden, wobei nicht auf die Menge, sondern auf die Qualität zu achten sei. Da man sehr wohl wisse, daß das Auswendiglernen seine Zeit brauche, sollten die Schauspieler selbst sagen, wie oft sie wöchentlich spielen könnten.

Die alte Christiane Friederike Weidner – wie alle anderen überwältigt von der glücklichen Wendung der Dinge – ermannte sich als erste und versprach emphatisch, man werde selbstverständlich sechsmal die Woche spielen: „Jetzt, da uns unser allergnädigster Monarch in Seinen Schutz nimmt, sollten wir da weniger arbeiten als bisher?"

Daß der Kaiser dem Ensemble auch noch die künstlerische Selbstverwaltung anbot, vermochten sie im Überschwang der Gefühle kaum mehr zu fassen.

Die Idee des Nationaltheaters war nicht neu. Klopstock und Wieland hatten sie schon – in den größeren Zusammenhang einer künstlerisch-wissenschaftlichen Gesamtkonzeption einbezogen – vorgetragen und insbesondere dem Wiener Hofe ans Herz gelegt. Sie war aber auch schon ein Jahrhundert früher auf Wiener Boden gewachsen. Der damalige Eigentümer des Ballhauses in der Himmelpfortgasse, der Reichshofkanzlist Peter Hüttler, hatte ein Nationaltheater „als einen Spiegel des Guten und Bösen, worin man sehen solle, wie das Gute belohnt und das Böse bestrafet werde", propagiert, zusätzlich mit dem praktischen Nebengedanken, dadurch die fremden Schauspieler zu eliminieren, die „ohnehin alles Geld nur außer Landes bringen". In Hamburg war schon 1767 ein Nationaltheater gegründet worden, das sich freilich nicht lange hatte behaupten können.

Lessing, der große Vorkämpfer der Idee, bewunderte und verehrte Joseph allein für den Versuch, sie in Wirklichkeit umzusetzen: „Wie sehr hat er sich dadurch über den König in Berlin erhoben, der das vaterländische Theater gerade eben nur duldet." Aber Lessing wußte auch besser als der Kaiser, daß der Zeitpunkt dafür noch nicht gekommen war. „Über den gutherzigen Einfall, den Deutschen ein Nationaltheater zu verschaffen, da wir Deutsche noch keine Nation sind! Ich rede nicht von der politischen Verfassung, sondern bloß vom sittlichen Charakter, fast sollte man sagen, dieser sei: keinen eigenen zu haben! Wir sind noch immer die geschworenen Nachahmer alles Ausländischen, besonders noch immer die unterthänigen Bewunderer der nie genug bewunderten Franzosen!"

Dem Nationaltheater fehlte es vor allem an der adäquaten Literatur, die, soweit es sie gab – die Stürmer und Dränger etwa –, dem Wiener Hof aus politischen, sittlichen, religiösen Erwägungen nicht spielbar schien. Lessing selbst lehnte eine enge Bindung an das Wiener Theater ab. Er hatte schon Afflisio abgesagt, der ihn für die horrende Summe von 3000 Gulden für zwei Stücke jährlich als Burgtheaterdichter engagieren wollte, und er änderte seine Meinung nicht, als er 1755 nach Wien kam, um hier seine Braut Eva König, die Witwe eines Seidenfabri-

JOHANNA SACCO (1754–1802)

Johanna Richard-Sacco wurde vom Kaiser selbst an sein Theater geholt. „Ihr düsteres, schwärmerisches Auge, der schwelgende Flötenklang ihrer äußerst modulationsfähigen Stimme", wurde ebenso gerühmt wie die Ausdrucksfähigkeit und „die edle Wahrheit" ihres Spiels. „Selbst ihr unsicher wankender Schritt gab ihrer Darstellung gedrückter, leidender Unschuld einen Ausdruck von Wahrheit und eine so hinreißende Rührung, daß ihr niemand zu widerstehen vermochte, wenn sie die Maria Stuart, die Minna von Barnhelm, die Emilia Galotti gab. Sie war die erste echte tragische Heldin des Burgtheaters. Von ihrem ersten Auftritt an war sie nicht nur die bestbezahlte, vom Kaiser und Publikum meistverwöhnte Schauspielerin; sie setzte alles durch, was sie wollte; auf kaiserlichen Wunsch wurde der Spielplan jahrelang allein auf sie ausgerichtet. Sie führte das Rollenmonopol ein. Von ihr bezaubert, fand sogar der alte Kaunitz plötzlich, die Wiener Schauspieler „träfen es gleich gut wie die Franzosen, edlen und feinen Anstand, Grazie und Leichtigkeit mit Wahrheit zu verbinden" – ein Lob, das aus diesem Mund für die Akteure damals nicht überboten werden konnte. Kaunitz öffnete der Sacco seinen Salon und damit alle tonangebenden Salons in Wien. Und Kaiser Joseph schrieb an seinen Bruder, den Großherzog von Toscana: „Die deutsche Komödie mit Mme. Sacco entzückt fortwährend die Wiener, und ich genieße die Früchte davon, da die Theaterkassa, die man bankrott hielt, nunmehr nur Gewinn ausweist." Die Sacco trat auch in Lustspielen auf, die sie besonders liebte. Sie war klug genug, von der Bühne abzugehen, als sie sich den „schönen Rollen" nicht mehr gewachsen fühlte. Ihr Erbe trat Frau Roose an.

kanten, zu treffen. Wien empfing den Dichter mit offenen Armen.

Staatsrat Tobias Philipp Freiherr von Gebler führte Lessing in die wichtigsten Kreise ein. Er wurde zu Fürst Liechtenstein, zu Staatskanzler Kaunitz, später auch zu Kaiser Joseph II. und zu Kaiserin Maria Theresia eingeladen.

Am 17. 4. 1775 wurde das Theater nächst der Burg in Anwesenheit Lessings wiedereröffnet, und zwar mit Gotters „Merope", einer Tragödie nach Voltaire und Maffei. Am 19. April gab man zu Ehren des Dichters „Emilia Galotti", in der ihn die Darstellerin der Titelfigur begeisterte: Mme. Sacco. Nach der Vorstellung war der Jubel so groß, daß er sich dem Publikum zeigen mußte, das ihm eine Viertelstunde lang immer wieder mit dem Ausruf „Vivat Lessing!" zujubelte. Am nächsten Tag wurde er zu Kaiser Joseph II. eingeladen, dem er bei dieser Gelegenheit aus seinem später verlorengegangenen Trauerspiel „Faust" vorlas. Kaiser Joseph machte ihm damals ebenfalls das Angebot, nach Wien zu übersiedeln.

Am 21. April fuhr Lessing nach Preßburg, kehrte aber am selben Tag nach Wien zurück, da Maria Theresia nach ihm geschickt hatte. Sie fragte ihn, wie er mit den Verdiensten der Wiener Gelehrten um die deutsche Literatur zufrieden sei. Lessing soll sehr höflich geantwortet haben, aber ohne die „allgemeine Schmeichelei". Die Kaiserin glaubte nun, in seiner Antwort leichten Tadel erkannt zu haben: „Ich weiß wohl, daß es mit dem guten Geschmacke nicht recht fort will. Sage er mir doch, woran die Schuld liegt? Ich habe alles getan, was meine Einsichten und Kräfte erlaubten. Aber oft denke ich, ich sei nur ein Frauenzimmer; und eine Frau kann in solchen Dingen nicht viel ausrichten."

Lessing, der in Wien mit seiner Meinung über das Theater zurückhielt, gab sich kurz darauf in Berlin weitaus offener: er hätte in Wien vortrefflicheres Theater vorgefunden als vermutet und sei beschämt, daß er das Theater nächst der Burg mit einem Vorurteil besucht habe. Nur eine Einschränkung müsse er machen, nämlich jene um die Harmonie der Aufführungen, da jeder Darsteller seine besondere Spielart habe, wodurch das Ganze leide.

16. Juli 1782: Theaterzettel der Uraufführung von Mozarts „Die Entführung aus dem Serail". Diese Oper, schrieb Cramers „Magazin" damals, „ist voll von Schönheit. Sie übertraf die Erwartung des Publikums." Das Libretto wurde „nach Bretznern frey bearbeitet"; der eigentliche Verfasser wurde diskret verschwiegen: Stephanie d. J.

Was den Nationaltheater-Gedanken betrifft, hatte auch Josephs Initiative keine andere unmittelbare Folge als die Namensänderung. In der nächsten Zukunft gelang es nicht einmal, das Burgtheater als reine Sprechbühne zu erhalten. Schon ein Jahr später standen wieder Singspiel und Oper neben dem Schauspiel auf dem Programm. Die junge Nationalbühne erlebt zwar drei Uraufführungen von Werken, die bis heute Weltruhm genießen, aber – welche Ironie des Schicksals – aus dem Gebiet der Musik: drei Opern von Mozart.

„Meine einzige Unterhaltung hier besteht im Theater. Ich wollte Dir wünschen, hier ein Trauerspiel zu sehen! Überhaupt kenne ich kein Theater, wo man alle Arten Schauspiele trefflich aufführt, aber hier ist es. Jede Rolle, die mindeste, schlechteste, ist gut und doppelt besetzt", schrieb Mozart 1781 an Nannerl.

Mozart saß hier gewissermaßen im Wartezimmer. Er hoffte, von dem großen Schröder ein Textbuch zu bekommen; dann schrieb aber Stephanie der Jüngere den Text zur „Entführung aus dem Serail", die 1782 am Burgtheater uraufgeführt wurde. Die Hofkasse zahlte ihm dafür 426 Gulden 41 Kreuzer, Stephanie erhielt 100 Gulden. Langsamer als die Wiener, die die Premiere stürmisch bejubelten, erwärmte sich Kaiser Joseph für die Musik. „Zu schön für unsere Ohren, lieber Mozart, und gewaltig viel Noten." „Gerade soviel, als nötig sind", replizierte Mozart recht keck.

Zur „Hochzeit des Figaro" und zu „Cosi fan tutte", die Kaiser Joseph persönlich bei Mozart in Auftrag gegeben haben soll, schrieb schon Lorenzo da Ponte den Text. Die Uraufführungen fanden 1786 und 1790 am Burgtheater statt. Zum Figaro liegt auch ein deutsches Textbuch jener Tage vor, das wahrhaftig begreiflich macht, warum man rasch zu italienischen Texten zurückkehrte. Das reizende „Will der Herr Graf ein Tänzlein nun wagen" von heute lautete damals: „Will mein Herr Graf tanzen, so will ich ihm auf der Zither aufspielen."

Kaiser Joseph erkannte den Genius in Mozart, dennoch erschien ihm seine Musik zu schwierig, er fand sie „unsingbar", den „Don Giovanni" göttlich, aber „keine Speise für die Zähne meiner Wiener". „Lassen wir ihnen Zeit zu kauen", kommentierte Mozart das Kaiserwort.

DIE SCHAUSPIELERREPUBLIK

Wie seinerzeit die Gründung des Burgtheaters ging am 8. April 1776 auch die Eröffnung als Nationaltheater ohne jeglichen Pomp und mit zwei dem Anlaß kaum angemessenen Stücken, dem Lustspiel „Die Schwiegermutter“ von Franz Fuß und dem Einakter „Die indianische Witwe“ des Franzosen Framéry, vor sich. Auch die folgenden Wochen und Monate waren nicht eben ermutigend; just zu dieser Zeit brillierte das Noverresche Ballett im Kärntnertortheater, und das Burgtheater war halb leer. Aber Joseph blieb gelassen: „Sie werden schon kommen. Ein Kaiser kann warten.“

Und sie kamen.

Sie kamen, weil Josephs Grundsatz: „Erstklassige Leistung durch das bestmögliche Personal und straffe Organisation“ für das Theater hieß: die besten Schauspieler zu engagieren. Zum alten Ensemble, dem schon Konrad Steigentesch, Johann Baptist Bergopzoom und Marie Antonie Teutscher angehörten, war noch Josef Weidmann gestoßen. Weidmann war eine Zeitlang in der Burg Statist gewesen: mit anderen hatte er eines Abends Diener spielen müssen. Auf die Frage: „Warum antwortet ihr nicht?“ sollte er stumm bleiben; dafür erhielt er „einen Siebener“ (sieben Kreuzer) pro Abend Gage. Bei der Premiere indes wurde die rhetorisch gedachte Frage dreist von Weidmann beantwortet: „Für einen Siebener redet man nicht viel!“ Er erntete damit stürmischen Lacherfolg, wurde prompt engagiert und entwickelte sich zum beliebtesten Komiker des Ensembles.

Johann Heinrich Friedrich Müller wurde von Joseph II. 1776 – im Jahr, als das Burgtheater zum Nationaltheater erhoben wurde – auf „Einkaufsreise“ geschickt und gewann für sein Haus eine Reihe erstrangiger Darsteller.

Um die Schauspielergarde aufzufüllen, wurde eine ihrer ältesten Stützen, Johann Heinrich Friedrich Müller, auf „Einkaufsreise“ nach Deutschland gesandt. Der Kaiser gab ihm tausend Gulden und die Ermahnung mit, ja keine unnötigen Spesen zu machen; Fürst Kaunitz versah ihn mit der Privatinstruktion, bei der Wahl des Liebhabers vorzüglich auf Jugend, Wuchs, edlen Anstand und reine Mundart zu sehen: „Er muß

JOHANN BAPTIST BERGOPZOOM (1742–1804)

Er hatte seine ganz speziellen Qualitäten. Karl Rispek schreibt in seinen „Briefen eines reisenden Franzosen“ über ihn: „Mordtat ist seine besondere Stärke. Ich sah ihn den tollen Richard von England machen, und ich muß gestehen, in der Henkersarbeit tut es ihm keiner nach . . . Er setzt sich falsche Haare in die Frisur, die er sich in der Wut ausrauft und handvollweise auf den Boden wirft . . . Er weiß, welche Gewalt ein Deklamateur mit den Gradationen der Stimme haben kann. In der *Emilia Galotti* macht er als Camillo Rota ohne Bewegung der Arme oder Faltung des Gesichts, bloß mit fünf oder sechs Worten, das ganze Parkett schauern . . .“

Neues Lustspiel

Im Nationaltheater nächst der Burg
wird Montags den 8ten April aufgeführt:
Zum Erstenmal
Ein neues Lustspiel in drey Aufzügen,
genannt

Die Schwiegermutter.

Personen:

Baron.	Hr. Jaquet.
Baronin.	Mad Weidnerin geweste Huberin.
Louise, ihre Tochter.	Mlle Jaquet die ältere.
Ein Obrister Bruder der Baronin.	Hr. Stephanie der Jüngere.
Baron Lindenreich, Vater.	Hr. Bergobzoom.
Baron Lindenreich, Sohn, Louisens Bräutigam.	Hr. Lange.
Baronin von Löwenthal, eine junge Wittwe, Lindenreichs Tochter.	Mlle. Jaquet die jüngere.
Herr von Rittersheim, ein Landedelmann aus der Nachbarschaft des Barons.	Hr Müller.
Ein Advokat.	Hr Heydrich.
Julchen, ein Kammermädchen.	Mlle Defraine.
Frize, ein Bedienter.	Hr. Weidmann.

Nach diesem das Lustspiel in einem Aufzuge,
Die indianische Wittwe, oder der Scheiterhaufen.

Beyde Stücke sind beym Logenmeister gedruckt zu haben, jedes für 17. Kreuzer.

Die Eintrittspreise sind dermalen folgendermassen herabgesetzet.

Im ersten Porterre	1 fl.	— kr.
Im zweyten detto	—	20
Im dritten Stocke auf beeden Seiten	—	30
Im vierten Stock	—	7
Die Logen am Parterre, im ersten und zweyten Stock bezahlen	3	—

Der Anfang ist um 7. Uhr.

Mit zwei dem Anlaß nicht adäquaten Stücken wurde am 8. April 1776 das „Nationaltheater nächst der Burg" eröffnet: Mit den Lustspielen „Die Schwiegermutter" von Franz Fuß und „Die indianische Witwe" von Etienne Framéry

nicht gar zu groß sein, keinen hervorragenden Bauch haben, und seine Augen müssen sprechend, groß, rund und nicht gespalten sein, und sein Gang fest und nicht schleppend." Müller reiste also gewissenhaft vier Monate lang durch alle namhaften deutschen Theaterstädte, drehte jeden Gulden dreimal um, ehe er ihn ausgab, prüfte mehr als 300 Schauspieler auf ihre schauspielerischen und äußeren Qualitäten, engagierte mit Bedacht und legte in Wien mit seinen Akquisitionen schließlich größte Ehre ein; gewann er doch Franz Karl Brockmann, Friedrich Ludwig Schröder, das Ehepaar Franz Ludwig und Maria Henriette Stierle und Johann Josef und Rosalia Nouseuil, die für das Burgtheater von damals von richtunggebender Bedeutung waren.

Brockmann, ein Grazer, zuvor in Wien übersehen und in Hamburg arriviert, war am Burgtheater sofort ein Ereignis. Seine Hamlet-Darstellung machte Theatergeschichte. Ungemein vielseitig, spielte er nicht nur Helden und Liebhaber, sondern auch Charakterrollen. In Wien war das Fach der edlen, guten oder auch komischen Väter sein eigentliches Feld. Man rühmte seinen besonderen Charme, seine gemütvolle Stimme und seine hinreißende, seelenvolle Beredsamkeit.

Rosalia Nouseuil glänzte als Heroine und als Salondame, Maria Henriette Stierle begeisterte vor allem als Minna von Barnhelm. Friedrich Ludwig Schröder, der in Hamburg als „Vater des deutschen Schauspiels" galt, ausgezeichnete Shakespeare-Bearbeitungen lieferte und dort als erster den Götz auf die Bühne zu bringen wagte, faszinierte sogar Maria Theresia, die ihn kurz vor ihrem Tod in Audienz empfing und ihm mit einem kostbaren Ring „für die Freude, die er mir und den Wienern bereitet", dankte. Solange Schröder an der Burg war, hatte die Bühne mit ihm, mit Lange und Brockmann drei Lear-Darsteller. Heute kann man sich einen solchen Luxus kaum mehr vorstellen. Alles in allem galt Josephs Ensemble als das beste in Deutschland, Wien galt als die einzige Stadt, die mit Paris und London wetteifern konnte. Das Burgtheater war jedenfalls zum Kassenmagnet geworden – der Adel zahlte gutes Geld für seine Logenabonnements, und die Bürger drängten sich im Parterre und auf den Galerien.

FRIEDRICH LUDWIG SCHRÖDER
(1744–1816)

Er war für die Burg von einzigartiger Bedeutung, obwohl er nur drei Jahre dort verblieb. „Er ist ein Schauspieler, der fühlt und denkt. Seine Seele ist immer beschäftigt, und sein Blick voll Geist. Er spricht immer natürlich, die Worte passen zu seinen Gebärden und die Gebärden zu seinen Worten. Sein Organ ist nicht das angenehmste, und seiner Stimme fehlt es an Wohlklang und Umfang, doch weiß er diese Mängel klug zu verstecken. Seine Aussprache ist richtig und verständlich. Er gefällt allen, weil er natürlich spielt", heißt es in der „Galerie von teutschen Schauspielern und Schauspielerinnen".

Er riß das Publikum durch seine von allem Pathos freie Spielweise hin, das sonst in der Burg als Erbe der französischen Schule üblich war. Alles, was es damals an tragenden Rollen gab, spielte er. Und er bezog die damals höchste Gage: 4000 Gulden. Achtzehn Stücke aus seiner Feder wurden in der Burg aufgeführt, er wurde vom Kaiser verwöhnt, aber Eifersüchteleien und Intrigen der beiden Stephanies, die sich mit seinem Geltungsdrang nicht abfinden wollten, verärgerten ihn so, daß er, mehr um seine feste Position zu beweisen, als aus dem wirklichen Wunsch, wegzugehen, um seine Demission einkam. Der Kaiser, gerade im Feldlager, empörte sich über die „Impertinenz" und ließ ihn ziehen. „Der Einfluß, den Schröder auf die Wiener Schauspielkunst geäußert, hat sich in den nachhaltigsten Folgen bewährt", schrieb Eduard Devrient in seiner „Geschichte der Deutschen Schauspielkunst". „Er brachte auf dem Burgtheater den Maßstab der Natur zur dauernden Herrschaft und paralysierte den Einfluß der französischen Schule vollständig . . . Er legte den festen Grund dazu, daß die ganze Kunstgattung, welche an Nachahmung der Wirklichkeit gebunden ist, das bürgerliche Drama, das Konversationsstück, sich in Wien zu so ungezwungener Wahrheit der Darstellung, zu einem so reinen und einfachen Stil ausbildete, und dieser eine so außerordentliche Dauer gab, wie kein anderes deutsches Theater sich dessen rühmen kann."

Schröder hat aber auch durch die sprachliche Zucht, die er dem ganzen Ensemble aufzwang, den Grundstein für das bis heute vorbildliche „Burgtheaterdeutsch" gelegt.

Was hinter den Kulissen vorging, war weniger erfreulich. Mit der Selbstverwaltung wollte es durchaus nicht klappen. Die Schauspieler versammelten sich zunächst regelmäßig, um die Stücke für das Repertoire auszuwählen und die Rollen zu besetzen. Jede Woche führte ein anderes Ensemblemitglied den Vorsitz, hatte die Verantwortung zu übernehmen und dem Obersthofmeister zu referieren; aus diesem Grund wurde der Betreffende originellerweise „Wöchner" genannt. Abgestimmt wurde mit schwarzen und weißen Bohnen. Mit diesem Reglement hatte sich Joseph an den Statuten der Comédie Française orientiert und dabei übersehen, daß in Paris, übrigens auch in Hamburg, das „Parlament" vor allem deshalb so gut funktionierte, weil die Schauspieler dort ausschließlich auf die Kasseneingänge angewiesen waren. In Wien hingegen waren sie außerordentlich gut und vor allem fix besoldet; es blieb ihnen daher zuviel Zeit für Intrigen, Eifersüchteleien und Klatsch. Zunächst machte man die Damen dafür verantwortlich und verwies sie aus dem Schauspieler-Parlament; doch nichts hatte sich dadurch geändert. Joseph versuchte dem Parlament seiner Schauspielerrepublik mit einem Statut zu helfen, das jeden einzelnen verpflichtete, jede Rolle zu akzeptieren, sie auch ohne Murren wieder abzugeben und Hauptrollen innerhalb dreier Wochen auswendig zu lernen.

Schließlich wurde die allgemeine Mitbestimmung durch ein Inspizienten-Kollegium regieführender Schauspieler ersetzt. Dieser „Fünferausschuß" hat sich im übrigen als „Regiekollegium" fast bis zum Jahre 1900 gehalten und manchem Direktor schlaflose Nächte bereitet. Für Joseph war es einfacher, denn sehr bald verstand er sich als der eigentliche Direktor seines Theaters; er griff in Repertoiregestaltung und Besetzung ein, persönlich oder mittels Handbilletts, die er sogar von Feldlagern aus übersandte. Nicht nur die kaiserlichen, auch die Stückvorschläge von Kaunitz etwa, die dieser zuweilen mit kompletten Besetzungslisten überreichen ließ, galten dem Ausschuß als sakrosankt. Über diese Einbuße an Eigenständigkeit und Verantwortung trösteten sich die „Regieführenden" um so leichter hinweg, als sie mit ihrem Monopol auf „Bearbeitun-

Rechts: Franz Karl Brockmann war der berühmteste Hamletdarsteller seiner Zeit. Stich von D. Chodowiecky
Unten: Das erste „Regiekollegium" des Burgtheaters, der sogenannte „Fünferausschuß", bestehend aus den Schauspielern Konrad Steigentesch, Gottlieb Stephanie dem Jüngeren, Franz Karl Brockmann und Christian Gottlieb Stephanie dem Älteren

gen" alter und neuer Stücke im Sinne der immer häufiger erlassenen Zensurbestimmungen fette Nebenpfründe und mehr als genug Arbeit hatten.

Diese berüchtigten Bearbeitungen machten freilich erst möglich, daß das Repertoire neben Lessing, den französischen Klassikern, den Italienern Goldoni und Gozzi auch den jungen Goethe, Shakespeare und Schillers „Fiesco" (der vom Kaiser selbst mitredigiert wurde) enthielt; viel gespielt wurden auch Iffland und die einheimischen, sehr beliebten Soldatenstücke, Cornelius von Ayrenhoff nicht zu vergessen, der schon deshalb besonders gefördert wurde, weil er Honorare prinzipiell zugunsten der Schauspieler ablehnte. Das literarische Niveau wurde durch die Modifikationen freilich ungemein gedrückt. Geistige Impulse gingen von Josephs Nationaltheater durchaus nicht aus. Die deutschen Literaten mokierten sich darüber; den Wienern hingegen kam es darauf so sehr nicht an: Für sie war die Dichtung nur das Rohmaterial, aus dem der Schauspieler erst das eigentliche Kunstwerk zu formen hatte, und Joseph hatte ihnen dafür das exzellenteste Instrument der Zeit geschenkt.

Schwer erkrankt, legte Joseph II. sein Nationaltheater, das er 1776 – zwei Wochen vor der amerikanischen Unabhängigkeitserklärung – ins Leben gerufen hatte, im Jahre 1789, wenige Wochen vor Ausbruch der Französischen Revolution, in die Hände des verdienten Schauspielers Franz Karl Brockmann, der auch von Leopold II. bestätigt wurde. Als Kaiser Franz II. (ab 1804 Franz I. von Österreich) die Herrschaft übernahm, war das politische Klima von josephinischer Aufklärung zu reaktionärem Absolutismus umgeschlagen.

Franz brachte dem Theater zunächst nur ein „wohlwollendes Desinteresse" entgegen. Die Furcht seiner Minister, die Hofbühne könnte zum Nährboden aufwieglerischer Tendenzen werden, und die Aufregung der Wiener über Gerüchte, die von einer Verpachtung des Burgtheaters an allerlei fremde Personen

Links: Kaiser Franz I. und Kaiserin Caroline Augusta in der Hoftheaterloge. Lithographie von Kriehuber nach einem Gemälde von Johann Ender
Rechte Seite innen: Betty Roose, Tochter des Schauspielers Siegfried Gotthelf Koch (Eckardt), wurde 1798 von Kotzebue ans Burgtheater berufen und setzte sich in Wien – besonders als Heroine – rasch durch
Rechte Seite außen: Antonie Adamberger als Rosine in dem Stück „Der Jurist und der Bauer" von Johann Rautenstrauch. Gemälde von Josef Hickel

wissen wollten, bewogen ihn, einen Hofmann an die Spitze zu stellen, der als k. k. Truchseß das Vertrauen der Regierenden, im Volk den durchaus ehrenden Ruf eines echten Theaternarren und zudem als Bankier, Großindustrieller der Seiden- und Baumwollbranche und Großviehzüchter auch das nötige Kleingeld besaß: Baron Peter von Braun. Angesichts des 1792 ausgebrochenen Krieges mit Frankreich, der mit nur geringen Unterbrechungen bis zum Sieg über Napoleon 1813 währen sollte, war sein Geld dem Hof ebenso wichtig wie die Gewißheit, daß er die Direktiven befolgen würde, „Menschen von allen Ständen auf honette Art zu amüsieren und von anderen gefährlichen und ernsten Zerstreuungen abzuhalten". Da andererseits die Presse immer stürmischer auch literarisches Niveau forderte, berief er den Kritiker und Journalisten Johann Baptist Alxinger zum Theatersekretär. Alxingers Konzept genügte in der Praxis allerdings weder den literarischen noch den unterhaltenden Zielsetzungen; es verebbte in maßloser Langeweile patriotischer Ritterstücke und sentimentaler bürgerlicher Dramen. „Wenn ich eine Predigt hören will, geh ich in die Kirche!" schimpfte der Eipeldauer in einem seiner „Briefe an meinen Vetter in Kagran".

Der bedenkliche Besucherschwund führte zur Berufung August von Kotzebues, der zwar nach Wien gekommen war, um hier eine Theaterzeitung zu redigieren, sich aber mehr und mehr in die Leitung des Burgtheaters eingemengt hatte. Kotzebue besaß das, was man allgemein eine „Theaterpranke" nennt, und konzentrierte den Spielplan vor allem auf die beliebten Ifflandschen und seine eigenen Stücke. „Wenn die auf dem Zettel stehen", berichtete Eipeldauer, „schmier'n sich die Wiener schon z'Haus die Händ'."

Kotzebue hatte nur leider gar keinen Sinn für die ausgeprägten menschlichen Schwächen der eingesessenen Schauspieler und scheiterte an seinem Unvermögen, die Phalanx der Regisseure zu überwinden. Braun mußte ihn entlassen, engagierte ihn aber sofort wieder als Theaterdichter. Kotzebue zog halb beleidigt, halb zufrieden über die Entwicklung der Dinge von Wien fort, nicht ohne den Wienern mit seinem Stück „Die beiden Klingsberg" 1799 einen überaus amüsanten Denkzettel zu hinterlassen. „Mich hat's nur gewundert", kommentiert der Eipeldauer süffisant, „daß der Herr Verfasser d' Wiener gar so gut kennt, und ist doch nicht lange hier gewesen?" Franz Karl Brockmann als der alte und Friedrich Roose als der junge Klingsberg entzückten das Publikum über alle Maßen. Kotzebue, vorher so vehement angegriffen, wurde stürmisch akklamiert, als er sich als soeben Entlassener in der Loge zeigte.

Weidmann, Brockmann und der alte Müller übernahmen

wieder einmal die künstlerische Leitung. Sie regierten mehr oder weniger auch, als Braun sich vom Theater zurückzog und, wie schon sechs Jahrzehnte vorher, eine Cavaliersgesellschaft das Regiment übernahm. Die Sozietäre Eszterházy, Schwarzenberg, Lodron, Zichy und Lobkowitz zogen sich bald wieder zurück. Graf Ferdinand Pálffy übernahm zweimal allein die Amtsgeschäfte. Beide Male setzte er entscheidende Akzente: erst brachte er Joseph Schreyvogel als Dramaturgen an die Burg und verbannte endgültig Ballette, Singspiele und Opern von der Bühne. Später, als allgemeine Geldentwertung und Staatsbankrott das Theater in höchste Gefahr brachten, opferte er sein gesamtes bedeutendes Vermögen und überzeugte schließlich Kaiser Franz und Finanzminister Graf Stadion von der Notwendigkeit, das Burgtheater ein für allemal in die ausschließliche Obhut des Hofes zu nehmen. Die Zukunft war wieder gesichert.

Unter Brauns Herrschaft hatte sich im Ensemble eine Ablöse vollzogen. Die Stephanies und die alte Weidner starben, Müller und die ungeheuer populäre Primadonna Johanna Sacco gingen in Pension, Lange, Brockmann und der unverwüstliche Weidmann hielten das Publikum noch immer in ihrem Bann, wenn auch boshafte Kritiker zu fragen begannen, „wie lange man sich noch die Invaliden ansehen sollte".

Schon damals haben sich die Zuschauer nur schwer von ihren Lieblingen getrennt, und sogar die Rollenübergänge vom jungen ins alte Fach wurden mitgelitten: Als Maria Anna Jacquet-Adamberger von Kotzebue behutsam in ältere Rollen gelenkt wurde, gab sie eine regelrechte Abschiedsvorstellung als Jugendliche, wurde unzählige Male vor den Vorhang gerufen und sagte nur ein einziges Wort: „Gewesen". Das Publikum war erschüttert. Ihre erste ältere Rolle spielte sie kurz danach – 1798 – in einem Iffland-Stück, das just „Die Selbstbeherrschung" hieß, und faszinierte auch die strengsten Kritiker. Für den Hervorruf bedankte sie sich mit den Worten „Aller Anfang ist schwer". Das Publikum raste. Braun übersandte ihr ein Geschenk und einen Brief: „Aller Anfang ist schwer? Wohl dem, der so endet, wie Sie anfingen!" Als die Adamberger 1803 von der Bühne abging, wurde sie vor Kummer krank; ihre Abschiedsrolle mußte für ihren Benefizabend umbesetzt werden; während der Vorstellung weinte nicht nur das Publikum, sondern auch das Ensemble.

„Ersatz" drängte sich genug ans Burgtheater; viele kamen, wenige sind angekommen. Goethe übersandte aus Weimar Heinrich Schmidt und Beck, beide wurden als zu hölzern mit den besten Empfehlungen zurückgesandt. Die schöne, berühmte Karoline Jagemann, die in Weimar so einflußreich war, daß sie sogar Goethe aus seiner Theaterdirektion drängen konnte, war den Wienern zu schlecht. Als sie in einer Rolle zu sagen hatte: „Wirf deine Maske weg, die Rolle wird dir zu schwer", klatschte man sie höhnisch-zustimmend regelrecht aus dem Haus.

Nicht einmal der berühmte August Wilhelm Iffland (1759–1814), erfolgreicher und auch in der Burg vielgespielter Bühnenautor und später Direktor des Berliner Theaters, der in Deutschland Furore machte und für seine Darstellungen von Goethe den legendären eisernen Ring erhalten haben soll, reussierte ganz nach seinem Geschmack. Sein „Geiziger" etwa war ein Triumph sondergleichen, in den Rollen seiner eigenen Stücke wurde er viel bewundert. Aber in Wien wollte man nicht nur „Kunst und Richtigkeit", wie ein Zeitgenosse sagte, „man forderte auch Temperament, und er konnte nicht alle Hindernisse der Natur überwinden". In tragischen Rollen vermochte er dem Vergleich mit Lange, Brockmann oder Schröder nicht standzuhalten. Trotz großartiger, sehr verlockender Angebote (man versprach ihm, der gleichzeitig auch eine leitende Stellung in der Direktion annehmen sollte, 18.000 Gulden Gage, jährlich eine Benefizvorstellung, freies Quartier, Equipage, 4000 Gulden Reisekosten, 15.000 Taler Vorschuß zur Begleichung seiner Schulden und Steuerfreiheit für seinen Weinkeller) war er klug und vorsichtig genug, mehr auf die Resonanz im Publikum zu hören und es bei seinem langen Gastspiel bewenden zu lassen.

Emanuel Schikaneder, der zwei Jahre (1785/86) am Burgtheater engagiert war, hatte immer wieder, vor allem in tragischen Rollen, zum Beispiel in „Essex" („Die Gunst der Fürsten"), stürmische Durchfälle erlebt, war gekränkt nach Regensburg gegangen und hat dann das Freihaustheater auf der Wieden übernommen.

Friedrich Roose freilich wußte den Zuschauern mit seinem Othello sofort kalte Schauer über den Rücken zu jagen. Seine Frau Betty war in Kotzebues „Octavia" so großartig, daß man das Stück ansetzte, um sie 1805 dem Dichter vorzuführen. Braun belohnte sie für diese Vorstellung mit einem kostbaren Diadem. Als sie starb, war Grillparzer, der immer für ein ganz bestimmtes Ensemble schrieb, verzweifelt: „Mme. Roose ist tot, und mit ihr meine schönsten Hoffnungen. Blanka von Kastilien kann nicht aufgeführt werden!" vertraut er seinem Tagebuch an.

Frau Jacquet-Adambergers Tochter Antonie, die als „Burgtheaterkind" von klein auf vom gesamten Ensemble gehätschelt worden war, setzte sich bei den Wienern sofort durch; mit ihr hatte das Theater wieder die lang vermißte Naive. Als sie ihren Bräutigam – den Dichter Theodor Körner – im Jahre 1813 verlor, trauerte das ganze Theater-Wien mit ihr.

Mit dem Engagement von Friedrich Gotthelf Koch war ohne Bruch ein Generationswechsel im Ensemble vollzogen. Koch, ein Berliner (mit richtigem Namen Eckardt), kam schon bühnenerfahren und gewandt aus der Schule Ifflands und hatte, wie viele Burggrößen nach ihm, zunächst mit der Kälte des Publikums zu kämpfen, spielte sich aber dann ein und wurde am Höhepunkt seiner Laufbahn geliebt und umjubelt.

Eine der prägnantesten Erscheinungen jener Zeit war Ferdinand Ochsenheimer. Er war ein bedeutender Insekten- und Schmetterlingskundler, der seine Zeit zwischen Wissenschaft und Theater teilte. 1807 debütierte er an der Burg und galt von Stund an als ihr größter Komiker. Eine alte Anekdote weiß zu berichten, daß ein eher unbegabter Schauspieler in seiner Begeisterung für Ochsenheimers Kunst einmal emphatisch ausrief: „Oh, wäre ich doch nur die Hälfte von diesem großen Künstler!" und sich dafür die boshafte Replik des alten Weidmann einhandelte: „Sein 'S doch ruhig, die erste Silb' von ihm sind 'S ja schon!". Aber auch Ferdinand Raimund, der Ochsenheimer erstmals als Wurm in „Kabale und Liebe" sah, bewunderte ihn so maßlos, daß er bei seinen eigenen ersten schauspielerischen Versuchen die Grimassen seines Idols nachzuahmen versuchte und damit, schmählich ausgelacht, durchfiel. So glänzend seine Laufbahn an der Burg war, so traurig übrigens sein Ende: Nach mehr als fünfzehn Jahren ungetrübten Erfolgs erkrankte Ochsenheimer plötzlich schwer, und der sparwütige oberste Hoftheaterbeamte Graf Dietrichstein

SOPHIE SCHRÖDER ALS MEDEA

Aquarell von Gauermann

SOPHIE SCHRÖDER (1781–1868)

Schreyvogel engagierte sie 1805 an die Burg, und es weiß kaum jemand, daß sie Kotzebue schon 1798 – als 17jährige – von Reval weg hierher engagiert hatte und daß sie damals die Naivenrollen von Frau Adamberger übernahm. Ernst Moritz Arndt schrieb über sie: „Ein kleines dralles Ding ohne Wuchs und Bildung, und weiß sie zu gefallen." Nach Kotzebues Abgang hat man sie abgeschoben, und als große Tragödin kam sie nach Wien zurück.

„Ihre Sappho", schreibt der Dichter August Klingemann, „spiegelt alle Seligkeit und alle Qualen der Liebe von ihrem Entstehen an bis zur wildesten Höhe in der Eifersucht und der endlichen Selbstverklärung." Grillparzer sagt, sie sei „von abschreckender Häßlichkeit". Aber sie ist die Elisabeth in *Maria Stuart*, die Jungfrau von Orleans, die Eboli und die Medea. Mit Vierzehn war sie zum zweitenmal verheiratet, mit Neunzehn schon wieder geschieden, und dann heiratete sie noch zweimal. Nach unzähligen Liebesaffären verliebt sie sich mit 44 in den 26jährigen Heldendarsteller Wilhelm Kunst. Sie will ihn ans Burgtheater bringen, geht sogar zu Kaiser Franz. „Schröder, sei'n S' g'scheit", sagt der Kaiser, „lassen S' die dummen Heiratsgeschichten. Schaun S', ein altes Weiberl und so ein jung's Manderl!" Die Schröder ist empört, sie droht, die Burg zu verlassen, und Kaiser Franz reagiert wie weiland Joseph II. bei Friedrich Ludwig Schröder: „Da hat die Frau recht. Wo der Mann ist, g'hörts Weib auch hin." Sie ist in Ungnade entlassen. Die Ehe dauert nur wenige Wochen. Die Schröder geht nach München, hält es aber dort nicht lange aus. Ludwig I. von Bayern entläßt sie nicht, er pensioniert sie: „Eine Schröder wird von mir nicht entlassen". „Na weil S' halt die Schröder ist!", sagt der gute Kaiser Franz, und sie ist wieder am Burgtheater. „Ich las meine Rollen so lange durch, bis ich mich ausgeweint hatte, und erst dann ging ich an das eigentliche Studium und suchte die gehabte Empfindung im richtigen Maße der Steigerung zu reproduzieren", sagt sie in der neuen Phase der denkenden Schauspielerin.

sandte ihm ungesäumt den gefürchteten „blauen Brief" ans Krankenbett. Ganz Wien war überzeugt, daß Ochsenheimer nur aus tiefstem Gram über seine brutale Entlassung wenige Tage später verstarb. Da es in seiner Amtszeit geschah, fühlte sich auch Joseph Schreyvogel, obwohl selbst daran völlig unschuldig, mitverantwortlich für diese bürokratische Rohheit, die ihm sein Leben lang schwer auf der Seele lastete.

Mit Schauspielern war das Burgtheater des frühen neunzehnten Jahrhunderts also glänzend versorgt. Die Vortrefflichkeit des sehr geschlossenen Ensembles mußte selbst von dem gestrengen Ernst Moritz Arndt zugegeben werden, der die Burg ansonsten wegen ihres „gefälligen", im großen und ganzen nichtssagenden Repertoires in Grund und Boden verriß.

Es lag nicht am Bemühen, daß der Spielplan keinen anspruchsvollen Maßstab vertrug: Man spielte jährlich fünfzehn bis zwanzig Novitäten, man gab den Schauspielern hohe „Douceurs" als Belohnung für gute Stückvorschläge, man machte Preisausschreiben und lancierte Appelle an die Dichter, dem Burgtheater Uraufführungen anzubieten. Der Mißerfolg war deprimierend. Im Jahre 1800 wurde Goethes „Iphigenie" erstaufgeführt, aber schon nach der dritten Vorstellung für die nächsten fünfzehn Jahre ad acta gelegt. Schillers „Jungfrau von Orléans" wurde von der Zensur so beschnitten, daß man sie nach vier Aufführungen als „Mißgeburt" absetzen mußte. Heinrich von Collins patriotische Dramen dagegen wurden allgemein hochgeschätzt. Collin war ein intimer Kenner der Hofbühne, stimmte seine Werke genau auf deren Möglichkeiten und auf die politische Stimmung im Lande ab und gelangte so in den Ruf eines österreichischen Klassikers, der selbst Goethe und Schiller überträfe.

„Kein Volk kann eine gute Schaubühne haben, bei der die größten Meisterwerke verbannt sind", sagte der Mann, der nunmehr daranging, das Burgtheater in literarischer Hinsicht auf das gleiche Niveau zu heben, das es in schauspielerischer schon längst besaß.

Dieser Mann war Joseph Schreyvogel.

Das „Große alte Burgtheater" (1814-1888)

DAS ZEITALTER FRANZ GRILLPARZERS

In den mehr als sieben Jahrzehnten seines Bestehens hatte das „älteste" Burgtheater erfolgreich das so zwiespältige barocke Erbe bewältigt, zu einer Synthese höfischen Kunststils mit der elementaren Spielfreude und lebendigen Ausdruckskraft bodenständiger Wiener Theatertradition gefunden; es hatte Schauspieler herangebildet, die, am französischen Lustspiel geschult, den Konversationston vorzüglich beherrschten und kraft ihrer Persönlichkeit selbst den durch Zensurmaßnahmen beschnittenen und meist sinnentleerten Dramen der Weltliteratur Leben einhauchten. Ein Theater der Dichter war es nicht, und die politischen, geistigen und literarischen Strömungen der Zeit kamen aus mancherlei Gründen, vor allem aber der Staatsräson wegen, nur andeutungsweise zur Geltung.

In eben diesen sieben Jahrzehnten hatte sich die Welt vor den Burgtheaterpforten stürmisch verändert: sie war aus der selbstbewußten, feudalen Zeit des Hochbarocks in die frühindustrielle Epoche eingetreten. Seit Vitus Jonassen Bering Alaska und Sibirien, James Cook die Antarktis, Australien, Neuseeland und die Südsee erforscht hatten, war die Welt größer geworden, unendlich komplizierter, seit Natur- und Geisteswissenschaften ihren ungeheuren Aufschwung genommen hatten und die Parole nun Erkenntnis und Wissen statt Glaubensdogma hieß. Sie war in unerwarteter Weise unsicher geworden, seit Rousseau leidenschaftlich die bisher selbstverständliche Gottgewolltheit sozialer Rangordnungen bestritt. Europa war verwirrt durch die Emanzipation der amerikanischen Staaten, durch die Unabhängigkeitserklärung und die in ihr enthaltene Formulierung der allgemeinen Menschenrechte. Es erzitterte in seinen Grundfesten, als die Französische Revolution ausbrach, bäumte sich verzweifelt gegen Napoleon auf, der es über zwei Jahrzehnte lang mit Krieg überzog. Und es sah sich vor völlig neue Probleme gestellt, als die Technik die ersten Automaten und Dampfmaschinen schuf, als die erste arbeitsteilige Industrieproduktion das gesamte Wirtschaftsgefüge zu revolutionieren begann.

Österreich war in eben dieser Zeitspanne den Weg vom „idyllischen Absolutismus" Maria Theresias über den „aufgeklärten Despotismus" Josephs II. in die Metternich-Ära gegangen. Sein Rechtssystem war von mittelalterlicher Folter zum Gleichheitsgedanken der Theresianischen Halsgerichtsordnung fortgeschritten, sein Bildungssystem von Eliteschulen zur allgemeinen Schulpflicht, sein Sozialsystem von Leibeigenschaft zu ersten wohlfahrtsstaatlichen Einrichtungen.

Wien, in das nicht einmal die Türken hatten eindringen können, hatte seine erste Fremdherrschaft durch die Franzosen, die ersten großen Börsenspekulanten, die erste große Inflation, das erste Papiergeld erlebt, hat gelernt, mit einer rasch aufkommenden Presse zu leben sowie den immer lauter vorgebrachten Forderungen politischer und literarischer Zirkel Gehör zu schenken.

Vor diesem Hintergrund weltpolitischer, wirtschaftlicher und sozialer Veränderungen, die dem Bürgertum zu einem ganz neuen Selbstbewußtsein verhalfen, haben Gluck, Mozart und Haydn gelebt und die Musik revolutioniert; das deutsche Drama hatte den steilen Weg von den trockenen Gottschedschen Gelehrtenregeln über Lessing, den Sturm und Drang bis hin zu Schiller, Goethe, Büchner und Kleist zurückgelegt.

Die Brüder Friedrich und August Wilhelm Schlegel, Zacharias Werner und Ludwig Tieck propagierten in Wien ein neues, modernes Theater mit dem Schlachtruf: „Wien soll kein zweites Weimar, es soll etwas Größeres, Imposanteres werden!" Johann Philipp Graf Stadion hatte die „Lösung der Geistesfesseln und allseitige Forderung jedes rühmlichen und gemeinnützigen Strebens" versprochen, den Buchhandel gefördert, Joseph Hormayr die Geschichtsbilder österreichischer Vergangenheit erweckt, literarische Salons, wie jener der Karoline Pichler, waren allenthalben entstanden; die Zahl der Zeitschriften – im Jahre 1800 hatte es nur die „Wiener Zeitung" gegeben – hatte sich auf fast ein Dutzend erweitert, und alle besaßen sie umfangreiche Theaterseiten. „So ein Theaterartikel", steht in den „Briefen eines Eipeldauers an den Vetter aus Kagran", „findet jetzt mehr Leser als alle spanischen, französischen und englischen Weltbegebenheiten." Die Literatur war zu einem bedeutenden Element breiter Kreise geworden.

Das Jahr 1814 ist eine Zäsur: Napoleon ist geschlagen, der Wiener Kongreß beginnt zu tagen und zu tanzen, im Kärntnertortheater feiert Beethoven mit seinem „Fidelio" einen triumphalen Erfolg. Eben in den Staatsdienst eingetreten, schreibt Franz Grillparzer an der „Ahnfrau", und das Burgtheater steht an der Schwelle einer großen Epoche, die von Joseph Schreyvogel, Heinrich Laube und Franz von Dingelstedt bestimmt ist.

Joseph Schreyvogel (1814–1832) ist der Mann der Stunde, wie ihn die politische Situation des Vormärz und die kulturelle des Biedermeier erfordern. Schreyvogel ist kein Revolutionär, sondern ein passionierter Publizist, der sein „Sonntagsblatt" nicht nur herausgibt, sondern – unter zahlreichen Pseudonymen – auch fast allein schreibt; er war in eine gefährliche politische Angelegenheit verwickelt, deshalb ein Jahr lang nach Weimar gegangen, wo er mit Goethe und Wieland zusammentraf. Nach seiner Rückkehr etabliert er sich nun in Wien als Kunstverleger und legt in seiner Zeitung Zeugnis seiner profunden Kenntnis der gesamten Weltliteratur von der Antike bis zur Gegenwart ab. Nur zögernd folgt er dem Ruf an das Theater, dem er sich freilich dann mit aller Leidenschaft verschreibt, um aus ihm eine literarische Bühne europäischen Ranges zu machen. „Auf klassische Werke muß das Theater einer Nation gegründet werden, wenn es seiner Bestimmung wert sein soll", schreibt er in seinem großangelegten Reformprogramm. „Ohne ein bleibendes Repertoire solcher Werke werden wir weder eine tragische noch eine komische Schaubühne, noch ein Publikum, das sie zu würdigen verstände, noch endlich darstellende Künstler dafür haben."

Vorsichtig, schrittweise gewöhnt er Vorgesetzte und Publikum an die neue Kost: er setzt Iffland und Kotzebue nicht ab, holt sich Unterhaltung aus Frankreich und Italien, entdeckt einen österreichischen Lustspieldichter in Eduard Bauernfeld, der die Wiener Gesellschaft auf die Bühne bringt, wie sie wirklich leibt und lebt, und eben diese Gesellschaft dadurch entzückt, daß er sie über ihre eigenen Schwächen lachen macht.

Daneben aber setzt er die Klassiker in beinahe unverfälschter Form durch: Auf seinem Spielplan stehen „Wallenstein" (1814), „Maria Stuart" (1814), „Torquato Tasso" (1816), „Romeo und Julia" (1816), „Nathan der Weise" (1819), „Macbeth" (1821), „König Lear" (1822) – dieser mit dem sogenannten „Wiener Schluß", das heißt mit versöhnlichem Ausgang –, „Hamlet" (1825), „Der Kaufmann von Venedig" (1827), „König Heinrich IV." (1828) und „Götz von Berlichingen" (1830). Er übersetzt selbst aus dem Spanischen; und er stellt Moretos „Donna Diana" (1816), Calderons „Der Arzt seiner Ehre" – unter dem Titel „Don Gutierre" – und „Das Leben ein Traum" (1822) auf die Bühne. Im Jahre 1821 fand hier übrigens die Welturaufführung des „Prinz von Homburg"

Joseph Schreyvogel, der ab 1814 das Burgtheater leitete, hat sich um das Institut unvergängliche Verdienste erworben. Er war der „Entdecker" Franz Grillparzers

von Heinrich von Kleist unter dem Titel „Die Schlacht von Fehrbellin“ statt. Obwohl die Todesfurchtszene gemildert und die brandenburgische Schlußfanfare gestrichen waren, kam es bereits bei den Nachtwandelszenen zu einem Theaterskandal. „Die Gemeinheit herrscht im Theater wie überall“, notiert Schreyvogel nach der Premiere in seinem Tagebuch.

Eines Tages klopft ein junger Beamter der „Bankal-Gefälls-Administration“ an Schreyvogels Tür: Franz Grillparzer. Er legt ihm die ersten Aufzüge der „Ahnfrau“ vor, Schreyvogel weiß, nachdem er einige Szenen angehört hat, daß dies eine Art Schicksalsstunde des Burgtheaters sein könnte. Er führt das Stück wenige Monate später – am 31. Jänner 1817 – im Theater an der Wien auf, das ja immer noch zu Pálffys Theaterkonzern gehört. Der Erfolg übertrifft alle Erwartungen. Die „Ahnfrau“ wird an beinahe allen deutschen Bühnen nachgespielt, und Schreyvogel hat Franz Grillparzer zum Hausdichter der Burg gewonnen – mit einem Jahresgehalt von 1000 Gulden und der Verpflichtung, alle künftigen Stücke erst dem Burgtheater anzubieten. Die „Ahnfrau“ ist – mit größtem Erfolg – im Theater an der Wien über die Bretter gegangen, aber bereits „Sappho“ (1818), „Des Meeres und der Liebe Wellen“ (1823) und „Ein treuer Diener seines Herren“ (1828) werden im Burgtheater uraufgeführt.

Diesem literarischen Kraftakt ist das Ensemble, das Schreyvogel übernommen hat, freilich nicht gewachsen. Mit ihm hat er zunächst seine liebe Not: die Schauspieler sind zwar großartig im Lustspiel, aber den Stil für die Tragödie gibt immer noch der alte Josef Lange an, dessen tönendes Pathos man jetzt schon als „unerträglichen Jammer“ empfindet. Bei „Maria Stuart“ stolpern die Darsteller über die Verse, und nur Maximilian Korn als Mortimer und Ferdinand Ochsenheimer als Burleigh retten die Ehre der Vorstellung.

Zum Ehepaar Roose, zu Koch, Ziegler, Koberwein und der Adamberger bringt Schreyvogel von einer Einkaufstour durch Deutschland, die er wie weiland der alte Müller unternimmt, die kapriziöse Julie Löwe (die als Salondame Furore macht, aber nur drei Jahre bleibt), Karl Ludwig Costenoble und Sophie Schröder mit und engagiert in den folgenden Jahren Nikolaus Heurteur, Heinrich Anschütz, Ludwig Löwe, Sophie Müller, Karl Fichtner, Karoline Müller, Friedrich Wilhelmi, Julie Gley-Rettich, Karl Rettich und Ludwig Devrient an die Burg.

Er probt selbst mit ihnen, und er probt hart. Pflichtbewußtsein und Ordnungssinn sind ihm angeboren, und er fordert beides auch vom Ensemble. Die großen Alten widersetzen sich voll Aversion dem „Gelehrten“, den man ihnen da vor die Nase gesetzt hat und der rigoros gegen den Schlendrian vorgeht, der sich in den letzten Jahren – wie immer, wenn es keinen Herrn gibt – breitmachte. Außerordentlich empfindlich reagieren sie auf das reizbare, heftige Temperament Schreyvogels, der manchmal der Verzweiflung nahe ist: „Ich habe keine Macht zu bewilligen und zu belohnen, auch oft nicht zu strafen – und soll dieses Volk regieren?“

Aber die Besessenheit, die ihn erfüllt, seine gewissenhafte und unparteiische Besetzungspolitik verfehlen ihren Eindruck weder auf die alten noch auf die jungen Ensemblemitglieder. „Das heißeste Herz unter der Hülle bärbeißiger Rauheit“, sagt Anschütz von ihm. „Er verletzte heute ein Mitglied aufs empfindlichste, trieb eine Schröder, eine Müller zu Tränen, aber den andern Tag applaudierte er ihren gelungenen Darstellungen. Ebensowenig hat er ein Gedächtnis dafür, wenn ihn ein Schauspieler in der Exaltation kränkte.“

Es dauert nicht lange, und Schreyvogel hat nun auch für die Tragödie ein Ensemble, das seinesgleichen in Deutschland suchen muß. Selbst Ludwig Tieck hat das bei einem Wien-Besuch zugestanden, und ihm, der auf sein eigenes Theater in Dresden so überaus stolz war, muß das Lob sicherlich schwergefallen sein.

Das große Verdienst Ferdinand Graf Pálffys, das Burgtheater vor allen gefährlichen Klippen wechselnder Besitzer dadurch bewahrt zu haben, daß er seine endgültige Übernahme durch den Hof durchsetzte, hat auch seine Schattenseiten. Nun war es in die Gewalt der Hofverwaltungsämter geraten, die mit einem äußerst komplizierten und selbst im Rückblick nicht leicht

CHRISTINE ENGHAUS (1817–1910)

Christine Enghaus ist die spätere Frau Friedrich Hebbels. Für Hebbel ist Christine die größte Schauspielerin ihrer Zeit. Für sie schreibt er seine Dramen. In Raupachs „Nibelungenhort“ sieht er sie erstmals als Kriemhilde, und sie macht sofort tiefsten Eindruck auf ihn. „Dieses Wachsen des Dämons in der anfangs so zarten, lilienhaft zitternden Jungfrau, dies allmähliche Aufzucken, dieses endliche furchtbare Hervorbrechen einer ganzen Hölle in dem Racheschwur: es war eins der denkbar höchsten Gebilde der Schauspielkunst und wurde auch vom Publikum mit dem größten, oft fünf Minuten fortdauernden Jubel aufgenommen“, notiert Hebbel in sein Tagebuch. Der Kritiker Anton Kuh nennt sie eine „Freskoschauspielerin“, die „ihre Klara, ihre Judith in purpurne Sinnlichkeit taucht. Ihr Spiel war das Nachtfest einer dämonischen Seele“.
Hebbel hat seine Frau in einem Gedicht besungen:

„Du tränkst des Dichters dämmernde Gestalten,
Die ängstlich zwischen Sein und Nichtsein schweben,
Mit deinem Blut und gibst den Schatten Leben,
In denen ungeborne Seelen walten.“

durchschaubaren vertikalen Instanzenzug mit verwirrenden Kreuz- und Querverbindungen zu allen möglichen interessierten Kreisen kommandierten. Das letzte Wort hatte jeweils einer der höchsten Würdenträger, der oberste Hoftheaterdirektor. Von seiner persönlichen Einstellung zum Theater hingen Wohl und Wehe aller Beteiligten ab. Der großmütige Graf Stadion, der liebenswürdige Graf Wrbna, der vornehme Kavalier Graf Lanckoronsky ließen dem Burgtheater ihre wohlwollende Förderung angedeihen, die herrschsüchtigen Grafen Czernin und Auersperg haben großen Schaden angerichtet. Heute mutet es geradezu komisch an, auch zwei Obersthofküchenmeister, die Grafen Hohenlohe-Schillingfürst und Fürstenberg, in der Liste der alleroberstenLenker des k. k. Hofburgtheaters zu finden.

Schreyvogel, der das Burgtheater in 18 Jahren rastloser Tätigkeit zur ersten deutschen Bühne gemacht hatte, war nicht einmal Direktor gewesen, sondern hatte offiziell nur als Theatersekretär und Dramaturg amtiert. So lange er als Direktoren Graf Pálffy, dann Hofrat Claudius Ritter von Fuljod, einen leichtsinnigen Lebemann, für den das Theater nur eine „Hetz“ war, oder Moritz Graf von Dietrichstein über sich hatte, der vorher Obersthofmeister beim Herzog von Reichstadt gewesen war und seine Aufgabe nur in der Rolle des Einsparungskommissärs erblickte, ging es auch in subalterner Position gut. Der hochfahrende und eigensinnige Graf Czernin jedoch verstand zwar nichts vom Theater, duldete aber keinen Widerspruch: Schreyvogel wiederum ertrug keine inkompetente Einmischung. Der Bruch war unvermeidlich.

Das vordem nur an amüsanter Theaterkost interessierte Publikum geht willig den Weg Schreyvogels mit und läßt sich auch von einer immer gehässiger werdenden Presse, wie sie der Kritiker Hebenstreit personifiziert, nicht irremachen. Schreyvogel glaubt sich am Höhepunkt seiner Theaterkarriere, als sie urplötzlich zu Ende ist: Graf Czernin, den Drama und Trauerspiel „zum Sterben langweilen“ („Wenn nicht das Lustspiel wäre, möchte der Henker den ganzen Theaterkram holen!“), stürzt ihn vom Burgtheaterthron. Czernin hatte von

Schreyvogel gefordert, einer jungen Schauspielerin eine bestimmte Rolle zu geben. Der Hoftheatersekretär wies diesen Vorschlag brüsk zurück, zumal er die Dame für minderbegabt hielt: „Das verstehen Sie nicht, Exzellenz!“ soll er den Grafen angefaucht haben. Czernin ließ sich auf keine weitere Diskussion ein und verfügte die sofortige Entlassung Schreyvogels.

Mir, wie jedem Burgtheaterdirektor seither, wurde die Geschichte erzählt, wie Schreyvogel das Burgtheater verließ. Einer zeitgenössischen Schilderung nach soll sich damals folgendes zugetragen haben: „Gebrochen wankte Schreyvogel die Treppe hinab – es war ein naßkalter Frühlingstag, der Regen fiel in Strömen, und Schreyvogel wurde nun erst gewahr, daß er seinen Überzieher und Regenschirm oben gelassen. Er stieg nochmals die Treppe herauf, und als er die Türe jenes Amtszimmers öffnete, in welchem er durch volle 18 Jahre zum Ruhme des Burgtheaters, ja seines Vaterlandes überhaupt, gewirkt, entspann sich am 26. Mai 1832 in der Kanzlei des Wiener Burgtheaters folgendes Gespräch zwischen ihm und dem Hofbeamten, dessen Namen wir gerne nennen würden, wenn er in einer unserer Quellen erhalten geblieben wäre:

‚Was wünschen Sie, Herr Schreyvogel?‘

‚Meinen Schirm und Überzieher.‘

‚Die sollen Ihnen nachgeschickt werden, falls sie sich vorfinden sollten.‘

‚Drüben in der Ecke sind sie.‘

‚Das kann ich glauben oder nicht.‘

‚Fragen Sie den Diener! Ich werde mich auf den Tod erkälten.‘

‚Daran liegt uns nichts.‘

Schreyvogel ging ohne Regenschirm und Überzieher heim, und die Erkältung, die Aufregung warfen ihn auf das Krankenlager. Als er sich endlich von demselben erhoben, war er nur noch ein Schatten seiner selbst und fiel, geschwächt wie er war, am 28. Juli 1832 der Cholera zum Opfer.“

Von Franz Grillparzers Feder stammt die Inschrift auf dem Grabstein Schreyvogels: „Thomas West, Karl August West, Joseph Schreyvogel, drei Namen bezeichnen nur einen Mann,

HEINRICH ANSCHÜTZ (1785–1865)

Zwei Generationen sind von ihm gefangen. Mit 36 spielt er den Lear. Das Publikum tobt so ausdauernd, daß sich Direktor Graf Dietrichstein wegen des Vorhangverbotes nicht zu helfen weiß. Das Publikum verläßt das Theater nicht. „Warten, Exzellenz, warten, der Hunger wird sie schon nach Hause treiben“, sagt Anschütz. An seinen Lear erinnert sich auch Adalbert Stifter. Dem Helden in seinem „Nachsommer“, der erstmals in die Burg geführt wird, legt er die Worte in den Mund: „Lear – das hatte ich nicht geahnt. Da war die wirklichste Wirklichkeit vor mir. Anschütz als Lear! Ich wußte beinahe nicht mehr, was vor mir und um mich vorging!“ Anschütz war der erste Wiener Wallenstein. Er war der Erbförster, der Musikus Miller, er war Götz und Falstaff. Mit viel Sinn für das Hohe, wie Ludwig Speidel sagt, dabei eine klare, schlichte, bürgerliche Natur, ein „wohl und wohnlich eingerichteter Geist“. Ludwig Devrient gastiert als Shylock, und Anschütz vergißt vor Begeisterung auf seine eigene Rolle und überhört sein Stichwort. Erst das beunruhigte Flüstern seiner Partner schreckt ihn auf, er verharrt einen Augenblick und spricht dann weiter: „Ich bin fertig und gerüstet.“

Anschütz ist auch Sänger, und seine Lieblingspartie ist der Don Giovanni. Ein Schüler Ifflands und Langes – läßt ihn die gedehnte Sprechweise auf der Bühne exerzieren. Sein Spitzname ist „Dehnenkönig“, und der Kritiker Saphir stoppt mit der Uhr in der Hand die Zeit seiner Sätze. Anschütz – so erzählt man in Wien – sei der Patron der Hausmeister, die um unzählige „Sperrsechserln“ fürs Haustoraufmachen reicher geworden wären, weil die Vorstellungen mit Anschütz so lange gedauert haben. Bei einer seiner Provinzgastspiele sollen die Zuschauer, in ihrer Geduld von Anschütz' langsamem Vortrag ermüdet, einer nach dem anderen das Theater verlassen haben. Zuletzt blieb nur noch ein Billeteur übrig, der zur Bühne hinaufrief: „Sein S' so gut, Herr Anschütz, wenn S' dann fertig sind, sperr'n S' zu und legen S' den Schlüssel untern Fußabstreifer – i geh' jetzt a!“

Er hat Laube oft Kummer gemacht. Wie althergebracht, wollte er unter keinen Umständen mit dem Rücken zum Publikum spielen. Shakespeare verlange: Köpfe und Leiber nur en face oder höchstens halb en face darzubieten. Mit äußerster Mühe gelang es Laube 1850, Anschütz – Julius Cäsar – zu bekehren. Als der Achtzigjährige stirbt, hatte er 257 Rollen gespielt.

LUDWIG DEVRIENT (1784–1832)

„Die dramatische Kunst ist die Kunst, dankbare Rollen zu erhalten", hat Ludwig Devrient einmal gesagt. Sein Kollege Haase erzählte, Devrient habe schon frühmorgens Arrak getrunken – zur Gesundung seiner Nerven, erklärte es Devrient, die er sich ruiniert habe, als er zur Stärkung seines Gedächtnisses ein Bierglas voll Sekt zu sich genommen hatte. Devrients Saufgelage mit E. T. A. Hoffmann in Berlin sind berühmt geworden. Aber er spielte auch im trunkenen Zustand begnadet Theater. In seiner Dämonie war er für seine Zeitgenossen wahrscheinlich das, was Werner Krauß ein Jahrhundert später für uns bedeutet hat. Devrient stand einmal tiefbewegt vor dem Publikum, das er in Raserei versetzt hatte, und sagte: „Vorhin drückte ich aus, was ich nicht fühlte, jetzt fühle ich, was ich nicht ausdrücken kann." Er war Shylock, Falstaff, der Geizige. Durch ihn soll das Wort Sekt erst gebräuchlich geworden sein. Er hatte sich die folgende Grabinschrift gewünscht: „Hier endet Devrient nun seinen Lebenslauf, trag' nur nicht Sekt vorbei, sonst steht er wieder auf!"

aber einen völligen. Wenn einer Lessing nahestand, so war er es."

Unter Johann Ludwig Deinhardstein (1832–1841), Professor für Ästhetik und Literatur an der Theresianischen Ritterakademie, und seinem Nachfolger, Franz Ignaz Holbein von Holbeinsberg (1841–1849), zehrt das Burgtheater vom Glanz der Schreyvogelära.

Deinhardstein hat einige Bühnenstücke geschrieben – zu einem verfaßte sogar Goethe den Prolog –, und sein „Garrick in Bristol" ist nicht nur am Burgtheater, sondern auf allen deutschen Bühnen erfolgreich. Theatermann ist er nicht; er wählt den Weg des geringeren Widerstandes und forciert ein Unterhaltungsprogramm. Nur der Schröder, der Rettich und Anschütz zuliebe bringt er auch Klassiker auf die Bühne, allerdings ausschließlich an Sonntagen. Shakespeare simplifiziert er in eigenen Bearbeitungen nach der Manier des vorangegangenen Jahrhunderts. Nur auf Drängen des Regiekollegiums spielt er (am 4. Oktober 1834) Grillparzers „Der Traum ein Leben", zu dessen Einreichung sich der Dichter durch hartnäkkiges Bemühen Bauernfelds widerstrebend entschlossen hatte. Kritik und Publikum reagieren mit stürmischer Begeisterung.

Den Tag, an dem „Weh dem, der lügt" durchfällt (6. März 1838), nennt Anschütz – der damals die Rolle des Bischof Gregor verkörpert hat – den „verhängnisvollsten Tag für die Wiener Kunstwelt"; von da an verschließt Grillparzer seine neuen Werke verbittert in der Schublade, und Deinhardstein ist in seiner Überzeugung bestärkt, daß er mit der Bevorzugung des „Besseren", nämlich Friedrich Halms – dessen „Imelda Lambertezzi" im gleichen Jahr gespielt wird –, auf dem richtigen künstlerischen Weg sei. Als Autor weiß Deinhardstein zwar um die Wichtigkeit eines hervorragenden Ensembles, hat aber keine Spürnase für Talente und flüchtet in den Ausweg, das Burgtheater mit „Gastspielern" zu überschwemmen; zehn bis zwölf gehen mit wechselndem Erfolg über die Bühne, unter ihnen so bekannte Namen wie Therese und Ludwig Dessoir, Karoline Bauer, die beiden Schwestern Hagn, Emil Devrient und Theodor Döring, und mehr durch Zufall und Glück als durch planmäßige Wahl fliegen ihm Carl La Roche, Heinrich Marr, Christine Enghaus, Amalie Haizinger und deren Tochter Louise Neumann ins Netz.

Wieder leidet die Disziplin der Schauspieler unter dieser unsicheren Führung; sie spielen zuletzt so nachlässig und desinteressiert, daß auch das Publikum unruhig wird. Dies dient zum Vorwand, Johann Ludwig Deinhardstein durch Holbein zu ersetzen.

Holbein kommt aus der Praxis: Nach einer bunten, merkwürdigen Vergangenheit als Angestellter beim Lottoamt, Maler, Maschinist, Gitarrespieler, Kapellmeister, Gesanglehrer und Kassierer, nach Reisen durch ganz Europa, hat sich der späte Nachfahre des berühmten Malers zum erfolgreichen Leiter des Hannoveranischen Hoftheaters durchgeboxt und mit seinen Dramatisierungen Schillerscher Balladen wie durch sein rastloses Bemühen, Kleist wenigstens posthum durchzusetzen, großen Ruf erworben. Jetzt, 62 Jahre alt, verbraucht und müde, bringt er nur Friedrich Beckmann und Bogumil Dawison ins Ensemble, die banalen Stücke der alten Franul von Weißenthurn und der Charlotte Birch-Pfeiffer ins Repertoire und beläßt im übrigen alles so, wie es war. Ganz zuletzt nimmt er sich Hebbels an, der inzwischen die Burgschauspielerin Christine Enghaus geheiratet hatte; die ungekonnte Kürzung der „Judith" und die mäßige Aufführung von „Herodes und Mariamne" bringen aber weder dem Dichter noch dem Direktor Ehre ein. Als die Festvorstellung von „Torquato Tasso" zu Goethes 100. Geburtstag 1849 völlig mißglückt („Sie war dem Auslachen nahe", schreibt die „Theaterzeitung"), sind auch Holbeins Tage gezählt.

Freilich wäre es zu billig, die Schuld am Niveauverlust allein Deinhardstein oder Holbein zuzuschieben. Die französische Juli-Revolution hat ja inzwischen die Staatskanzlei in Unruhe versetzt, Polizeiminister Graf Sedlnitzky hatte strenger denn je der Zensur auf die Finger gesehen, und der Obersthofküchenmeister Graf Fürstenberg die Anweisung gegeben: „Das hiesige Publikum langweilt sich in dem erhabenen Schwulste; es will nur sanft gerührt oder zum Lachen gereizt werden. Die

CARL LA ROCHE (1794–1884)

Ein glänzender Lustspielkomiker ist La Roche, den das Gerücht, ein natürlicher Sohn Goethes zu sein, ein Leben lang interessant gemacht hat. Tatsächlich hatte sich Goethe seiner angenommen und den Mephisto mit ihm einstudiert, der seine berühmteste Rolle wurde. „An dieser Rolle ist nichts mein Eigentum, alles, jede Gebärde, jede Grimasse, jede Betonung ist von Goethe", sagt er. Er spielte viele der alten Anschützrollen, und er war König Philipp im *Carlos*.

modernen Tragödien sind nichts als ungeheure Sümpfe, welche man durchwaten muß, um endlich auf eine kleine Oase zu stoßen, auf der einige liebliche Blumen blühen. Darum ist es besser, man verwendet die Gaben hiesiger Darsteller dort, wo sie am ausgezeichnetsten sind, im Konversationsstück."

Andererseits wettern die Literaten immer mehr gegen politische Bevormundung und die weitgehende Ausschaltung der rebellischen jungdeutschen Literatur. „Die Direktionen", schilt Saphir, „sind dafür verantwortlich, wenn sie den lebenden Dichtern nicht Tür und Tor aufmachen . . . während man Zeit, Geld, Kunst und die Langmut des Publikums mit den tragischen Resten einer uns ganz fremden, zuwideren Vor- und Heldenwelt zu Tode experimentiert und nun sich's abquält, Tote aus der Gruft zu rufen!"

Je mehr man sich dem Revolutionsjahr 1848 nähert, desto fester sind den Direktoren die Hände gebunden. Es gehört zu den vielen Unbegreiflichkeiten der letzten Vormärzjahre, daß die Zensur 1846 Bauernfelds Lustspiel „Großjährig" passieren läßt. Das Lustspiel ergoß seine boshafte Satire über alles, was die Revolutionäre dem Regime vorwerfen: über Metternichs Polizeisystem, über die geistige Abschließung gegen Deutschland, über die Unselbständigkeit des Beamtentums. Die Premiere im Burgtheater jedenfalls hat ähnlich gewirkt wie seinerzeit Beaumarchais' „Figaros Hochzeit" am Hof König Ludwigs. Die März-Revolution tritt bemerkenswerterweise auch mit der Forderung an, das Burgtheater zur deutschen Nationalbühne zu machen. „Fort mit dem alten Repertoirestaub", appelliert Ferdinand Kürnberger, „das Familienschauspiel ist aufzugeben, das politische Schauspiel muß sich emanzipieren! Hoch vor allem Shakespeare! Das Theater ist eine Volkstribüne. Von der Bühne herab spreche das Jahrhundert zu seinen Kindern!"

Die vierziger Jahre des 19. Jahrhunderts waren im Ausklingen: Makart war geboren, das erste philharmonische Konzert hatte in Wien stattgefunden, die Gasbeleuchtung wurde installiert; Marx wurde aus Frankreich ausgewiesen und ging nach Brüssel, Wagner vollendete den „Tannhäuser", die erste Äthernarkose wurde verabreicht, und Semmelweis fand die Ursache des Kindbettfiebers.

1848 – Als die stürmischen Revolutionstage endlich vorüber sind – das Burgtheater war eine Woche lang geschlossen gewesen –, findet sich Holbein nach eigenem Geständnis zu schwach, das von ihm erwartete und durch die Presse- und Spielfreiheit ermöglichte neue Repertoire zu verantworten und zugleich auch dem Wunsch des Hofes zu entsprechen, das Theater nicht zur Stätte politischer Demonstration zu machen.

Franz Grillparzer.
Gemälde von Waldmüller

1849 stehen jedenfalls Bauernfeld, Hebbel, Gutzkow und Grillparzer als Nachfolger zur Diskussion; der Kritiker Saphir bietet sich aufdringlich an; flüchtig taucht sogar der Plan auf, das Burgtheater zu verpachten, aber Kaiser Franz Joseph setzt sofort nach seiner Thronbesteigung eine Kommission ein, die schließlich nach vielem Hin und Her und unzähligen Kabalen und Intrigen Dr. Heinrich Laube zum Direktor beruft.

„KÖNIG KLOTZ“

Heinrich Laube (1849–1867) hatte genau die Vergangenheit, die ihn den Intellektuellen jener Zeit vertrauenswürdig erscheinen ließ: 1806 im preußischen Schlesien in ärmlichen Verhältnissen geboren, Student der Theologie, der sich seinen Lebensunterhalt selbst verdiente, hervorragender Publizist liberaler Ideen und deshalb der Polizei verdächtig, wegen Zugehörigkeit zu einer verbotenen Breslauer Studentenverbindung zu Festungshaft verurteilt (die er allerdings sehr bequem mit Frau und Kind im feudalen Schloß Fürst Pücklers in Muskau verbringt), in

Dr. Heinrich Laube.
Lithographie von Kriehuber, 1848

Paris, dem Zentrum der jungdeutschen Opposition, von Heinrich Heine gefördert und von George Sand, Balzac, Victor Hugo als ihresgleichen begrüßt, erscheint er 1848 als deutschböhmischer Abgeordneter zur Frankfurter Nationalversammlung. Seine Dramen, zum Beispiel „Struensee“ und „Rokoko“, werden erfolgreich gespielt – und mit seinen „Karlsschülern“ wird das Burgtheater nach der Revolution wiedereröffnet.

Die Theater- und Polizeibehörden wissen allerdings längst, daß er inzwischen seine politische Karriere als abgeschlossen betrachtet und sich ganz dem Theater hingegeben hat.

1833 hatte er geschrieben: „Die Schauspielkunst ist Mittelpunkt des Wiener Lebens, des Wieners Stolz und Sehnsucht und Vergnügen. Für die Schauspielkunst ist Österreich das Land der Märchen. Wäre das Theater noch nicht erfunden, die Österreicher erfänden es.“

In Wien seit einiger Zeit ansässig, hat er einen literarischen Salon gegründet und ganz bewußt unter Ausschaltung politischer Zirkel seine Ernennung betrieben. Er sucht und findet die Unterstützung des Dichters Friedrich Halm sowie der Schauspielerinnen Louise Neumann und Amalia Haizinger, und gewinnt das Vertrauen der Kaiser-Mutter Erzherzogin Sophie. Den Hofchargen tritt er mit einer gekonnten Mischung aus klar formulierten Theaterplänen und gedämpftem persönlichem Interesse an dem Posten auf und forciert so die Überzeugung, daß die Burg an ihm mehr zu verlieren habe als er an ihr; prompt erhält er alles, wovon Schreyvogel nur geträumt hat: den Titel Direktor, alle Vollmachten für eine selbständige Theaterleitung, die direkte Unterstellung unter den Oberstkämmerer – damals Graf Dietrichstein – und die hohe Gage von 4000 Gulden.

Im Theater schafft er sich sofort unbedingte Autorität: „Räuberbanden und Schauspieler brauchen einen Hauptmann“, ist sein Lieblingsausspruch. Dem Regiekollegium nimmt er über Nacht alle Befugnisse; Fichtner, Anschütz, La Roche und Löwe brauchen ihre Zeit, um diesen harten Bissen zu schlucken. Er inszeniert alle Stücke selbst und gibt sich und dem Ensemble dafür jeweils nicht mehr als eine einzige Woche Probezeit. Widerspruch duldet er nicht. „Ein guter Direktor braucht drei Jahre, um sich überall Feinde zu machen: bei den Schauspielern, bei den Autoren und bei den Kritikern.“ Erst dann werde man seine Leistungen richtig beurteilen können.

Für sein Repertoire hat er von Anfang an feste Pläne. Wie Schreyvogel will er die deutsche und die Weltliteratur in allen ihren Gattungen bringen, soweit die Werke Lebenskraft

Rechte Seite *außen:* Carl Ludwig Costenoble als Klosterbruder in Lessings „Nathan der Weise“. Lithographie von Lieder, 1827
Rechte Seite innen: Ludwig Löwe, *die* Heldengestalt in klassischen und romantischen Tragödien, trat 1826 in das Ensemble des Burgtheaters ein

AMALIE HAIZINGER (1800–1884)

Eine der liebenswertesten Erscheinungen ihrer Zeit ist Amalie Haizinger. Als Demoiselle Neumann kommt sie 1821 mit 21 Jahren für vier Jahre an die Burg. In Berlin ist Heinrich Heine einer ihrer großen Bewunderer, und in Wien schlürfen ihre Verehrer Champagner aus einem der goldenen Schuhe, die die „Göttin“ als Aschenbrödel getragen hat. 1839 kommt sie mit ihrer Tochter Luise Neumann an die Burg zurück. Speidel schreibt über die Haizinger: „Sie ist nie alt geworden, sondern jung gewesen als Mädchen, als Frau, als Matrone, als Greisin. Und ihr ist die üppige Spitzenhaube der Achtzigjährigen so jugendlich gestanden wie der Achtzehnjährigen die Rose im Haar.“ „Wenn schon einmal gestorben sein muß, dann wenigstens nicht im Sommer, solange das Burgtheater geschlossen und die Kollegen in der Welt zerstreut sind“, sagte die Haizinger. Laube hält sie für das „zarteste und feinste Band zu Publikum und Schaubühne“, und Kainz sagt schlicht, sie sei „unvergleichlich“. 1865 treten sie und La Roche als das drollige alte Paar in Bauernfelds „Aus der Gesellschaft“ auf. Die kleine Auguste Baudius als Gräfin Flora springt lebendig um sie herum. Die Nachfolgerin der Haizinger meldet sich an. Sechs Jahre vor ihrem Tod hat sich die Haizinger in eine Ehrenloge der Burg zurückgezogen, die man für sie eigens hinter der Szene einrichten ließ, und von hier aus hat sie ihre Burgfamilie überwacht. Otto Tressler erzählt sehr amüsant, wie Hermann Schöne und Hugo Thimig, beide noch sehr jung, bei der alten Mama Haizinger zum Tee geladen waren und sie nach dem „Regisseur“ Goethe ausforschten, der mit ihr das Gretchen einstudiert hatte. Lange und versonnen versank die alte Dame in der Erinnerung. Dann nickte sie plötzlich und sagte in ihrem heimatlichen Schwäbisch: „Der Geede, ja, ja, der Geede, des is au so en alder Schweinehund g'wese.“

bewahrt hätten, „nur das Gemeine und Rohe soll keine Stätte hier finden“. Viel später formuliert er es so: „Mein Ideal war, nach wenigen Jahren jedem Gast aus der Fremde sagen zu können: Bleib ein Jahr in Wien, und du wirst im Burgtheater alles sehen, was die deutsche Literatur seit einem Jahrhundert Klassisches oder doch Lebensvolles für die Bühne geschaffen; du wirst sehen, was Shakespeare und die Deutschen hinterlassen, wirst sehen, was von den romanischen Völkern unserer Denk- und Sinnesweise angeeignet werden kann.“

Dieses ehrgeizige Programm kann er nur schrittweise und auch nur in einer Manier erfüllen, die heute anrüchig wäre. Vor allem der Theaterwirksamkeit zuliebe adaptiert er alle Stücke ganz nach seinem Geschmack, und weil ein internationales Urheberrecht den Autoren schon Schutz vor solchen Eingriffen gewährt, appelliert er sogar an die österreichische Regierung, einem derartigen Abkommen zumindest mit Frankreich nicht beizutreten, weil just die modernen Franzosen seiner Bearbeitung am dringlichsten bedürften.

Er bringt neben den Klassikern bedenkenlos Tagesware, wenn sie nur bühnenwirksam ist: „Die Mehrzahl der Menschen hat instinktmäßig das Bedürfnis, aufgeheitert zu werden. Jedermann strebt nach Glück, und heitere Stunden sind für jedermann ein Ersatz für Glück.“ Die Lustspiele von Sardou, die Stücke von Dumas schätzt er sehr, vorwiegend wegen ihrer dankbaren Rollen für die Schauspieler.

Bauernfeld bewundert ihn über alles, spricht ihm aber jeden literarischen Geschmack – „le talent de grace, wie Victor Hugo sagt“ – ab. Er wählt nicht, wie ein feinsinniger Literat gewählt haben würde, sondern als Praktiker, der Theater für ein breites Publikum machen will und dem die Kassenrapporte genauso wichtig sind wie der Applaus. Unter Laube ist das Repertoire von einer Reichhaltigkeit, die man sich heute nicht mehr vorstellen kann. Jährlich stehen 130 bis 150 Stücke auf dem Programm, darunter etwa 40 neue. Das Publikum ist hingerissen von der gebotenen Vielfalt. Die Kritik geht allerdings oft nicht mit; den Liberalen ist er zu unpolitisch, den Ästheten zu wenig wählerisch, den Literaten schielt er zu sehr auf die Kasse.

Aber Laube läßt sich nicht beirren; er braucht viel Geld, und er braucht es vor allem für seinen Nachwuchs. Er macht das in Deutschland so beliebt gewordene Starsystem der Theater einfach nicht mit. Das Virtuosentum der Schauspieler, die nur durch ihre Einzelleistung in lieblos zusammengewürfelten Ensembles glänzen wollen und den flüchtigen Ruhm hastig absolvierter Gastspiele einer ehrlichen und harten Arbeit innerhalb eines gewachsenen Ensembles vorziehen, interessiert ihn kaum. Mit nie versagendem Spürsinn findet er dagegen junge Talente, erzieht sie, stellt sie dann groß heraus und stärkt ihr Selbstvertrauen, wenn sie nicht gleich ankommen. „Eine gute Schauspielerin nehme ich, wo ich sie finde, und wenn ich sie mir vom Galgen holen soll."

Er wäre Schauspieler geworden, wenn ihn nicht seine kleine, gedrungene Statur, sein nicht sehr einnehmendes Äußeres daran gehindert hätten; als Regisseur auf den Proben kann er sein darstellerisches Vermögen jedoch sinnvoll einsetzen. Seinen Schauspielern liest er die Rollen vor, geht auf ihre Bedeutung und Wichtigkeit im Stück und für das Stück ein; er zwingt ihnen keine „Auffassung" auf, er weckt aber das tiefinnerste Verständnis für das Wesen jeder Figur; er lehrt sie, einfach und natürlich zu empfinden und zu spielen. Er formt sie nicht nur als Schauspieler, er formt sie auch als Menschen. Der Hofburgschauspieler Karl Wilhelm Meixner witzelt gern über Laubes Theaterallmacht: „Von Ihnen, Herr Direktor", flüsterte er eines Tages im Verschwörerton „sagen Eingeweihte, Sie hätten sogar die Welt erschaffen!" Laube darauf brummig: „Das ist wahr, aber erzählen Sie's bitte nicht weiter."

Die Alten wie die Jungen hängen fasziniert an seinen Lippen, wenn er ihnen prägnant, plastisch und ungemein suggestiv eine Szene vorspielt. Er ist ein hervorragender Pädagoge, wenn auch kein sehr zartfühlender, rücksichtsvoller; häufig genug gibt es Auftritte und Krachs, Tränen und Kummer, aber Laubes Ausfälle sind ebensowenig wie die Schreyvogels persönlich gemeint. Wenn er dann nach Schluß einer besonders turbulenten Probe begütigend sagt: „Na, Kinder, heut war der alte Brummbär aber doch wirklich die Sanftmut in Person?", ist ihm alles wieder verziehen. Sein Spitzname „König Klotz" charakterisiert ihn ausgezeichnet. Seine Erziehung konzentriert sich ganz auf das Wort (Auguste Baudius soll er sofort

KARL MEIXNER (1815–1888) UND HERMANN SCHÖNE (1836–1902)

Zwei Charakterkomiker, zwei großartige Schauspieler. Karl Meixner gilt in Wien als Original; füllig, untersetzt, mit mächtigem Schädel, ist er ein Charakterkomiker vom Scheitel bis zur Sohle. Anders als bei Beckmann wurzelt seine Komik in der Reflexion. Wenn Beckmann die komische Natur ist, dann ist Meixner der komische Geist. „Den festen Kern seines Gesichts faßt ein Fettrahmen ein, den ein glänzendes System von ineinandergeschobenen Falten bildet", schildert ihn Ludwig Speidel. „Hier lauern alle mimischen Dämone einer scharfen Komik, vom schlauen Lächeln bis zum grinsenden Hohn." Als Rudolf Tyrolt als junger Konkurrent für einige Zeit ans Burgtheater kommt, verfolgt er ihn mit seinem Spott; scheinheilig-harmlos fragt er Tyrolt auf einer Probe nach den in Österreich gültigen Erbschaftssteuersätzen. Tyrolt gibt ihm ausführlich und ernsthaft Bescheid, und Meixner dankt ihm: „Aber sterben, Herr Tyrolt, den Gefallen tu ich Ihnen noch lang nicht!" Kurz darauf bittet er Tyrolt, ihm die günstigste Reiseroute nach Abbazia zu erklären. Tyrolt rät ihm, über Triest zu fahren. Am Abend fährt ihn Meixner mit bitterbösem Gesicht an: „In Triest ist die Cholera! Sag'n S' ja nicht, Herr Tyrolt, daß Sie das nicht gewußt haben!" Nur Dingelstedt kann ihm Paroli bieten. Zur Unterstreichung einer Bitte seufzt Meixner mitleidheischend: „Machen Sie mir doch den Gefallen, ich hab' ohnehin nur noch ein paar Jahre zu leben!" Dingelstedt wehrt ab: „Aber, lieber Meixner, das sind doch nur leere Versprechungen!" Zum galligen Humor Meixners steht der harmlos-liebenswürdige Hermann Schöne in wohlausgewogenem Gegensatz. Er verlegt sich ganz auf subtile Charakterisierung und bringt genau das, was Laube an Beckmann so sehr vermißte. Er ist ein Meister der Maske. Hugo Thimig schildert ihn als „ein Wunder im Getriebe eines Großstadttheaters, einen gesammelten Menschen"; bescheiden-liebenswürdig formt er seine Gestalten und ist einer von jenen, die als Episodisten großartig das Spiel der Großen unterstützt haben. Er ist auch ein charmanter Plauderer; mit Vorliebe erzählt er seinen Kollegen spannende „Neuigkeiten"; wenn dann irgendeiner darin den Stoff eines klassischen Dramas erkennt, zieht er sich mit gekonnt beleidigtem Ton zurück: „Wenn ihr die Geschichte schon kennt, warum laßt ihr mich dann erzählen?"

Im Kasten: Hermann Schöne
Unten: Karl Meixner als Knifflich in „Der Winkelschreiber", eine Komödie „nach Terenz" von Adolphi. Die Premiere des Stückes fand am 20. Jänner 1861 statt; es stand bis 1888 – also bis zum Umzug ins neue Haus am Ring – im Repertoire

engagiert haben, nachdem er sie zufällig nur zwei Worte rufen hörte!)

Mit Alexander Strakosch engagiert er den hervorragendsten „Sprachmeister" seiner Zeit, der dem Ensemble deutliches und doch natürliches Sprechen, die Kunst einer wie selbstverständlich fließenden Rede und den richtig dosierten Gefühlsausdruck beibringt. In seiner eigenen Regie entwickelt Laube einen ganz auf das Wort bezogenen, einfachen, unpathetischen, nur vom Verständnis und dem Erleben des Schauspielers getragenen Stil, schafft eine völlig neue Theaterkultur, die keiner dekorativen Hilfsmittel bedarf.

Laube beobachtete seine Schauspieler von der vierten Galerie aus. Kaum bemerkte er eine Undiszipliniertheit, tauchte er wie aus der Pistole geschossen auch schon auf der Bühne auf. Unerklärlich blieb die blitzartige Schnelligkeit seines Erscheines, bis man herausfand, daß er das Treppengeländer heruntergerutscht war.

Bald kann er über jene deutschen Theaterdirektoren spotten, die in zunehmendem Maße über den Mangel an Talenten klagen. Auf seiner Bühne stehen seine Schüler, Träger von Namen, die in der Theaterwelt heute noch Klang haben: Karl Meixner, Josef Wagner, Bernhard Baumeister, Ludwig Gabillon, August Förster, Adolf Sonnenthal, Hermann Schöne, Josef Lewinsky, Ernst Hartmann, Fritz Krastel, Zerline Würzburg-Gabillon, Marie Seebach, Friederike Goßmann, Auguste Baudius, Friederike Bognar, Helene Hartmann-Schneeberger und Charlotte Wolter. „Die Alten, die den Eindringlingen nicht immer liebenswürdig entgegenkamen und ihre Stellung verteidigen wollten, hielt er mit eiserner Faust im Zaume ...", berichtet Rudolph Lothar.

Achtzehn Jahre lang führt er mit diesem Ensemble sein Burgtheater sicher durch eine Zeit, in der Österreich ununterbrochen Krieg mit Frankreich, Preußen und Italien führt und die innenpolitische Lage durch die Wiedereinführung des Absolutismus aufs äußerste gespannt ist. Als Wien in der neuen, friedlichen Ringstraßenzeit aufblüht, sitzt Laube nicht mehr in seinem Direktionszimmer.

FRIEDRICH BECKMANN (1803–1866)

Friedrich Beckmann kam aus Breslau, und er ist schon der beliebteste und populärste Komiker, als Laube an die Burg kommt. Laube nennt ihn seinen „Hauptfeuerwerker", der nach der Beschreibung seines Kollegen und Rollenerben Hermann Schöne „wie ein gemütlicher Altbürger aussieht, der sich aus früheren Tagen den Anstrich eines Lebemannes bewahrt hat". Zu Laubes Ärger spielt er nicht immer seine Rollen, sondern sehr oft einen „allerdings überaus komischen Beckmann". Kaiser Franz Joseph hatte manchmal so sehr über ihn gelacht, daß er sich ein Taschentuch in den Mund stopfen mußte. Beckmanns Eselskopf hatte in den Augen des Kaisers die Vorstellung des *Sommernachtstraums* gerettet, den er furchtbar langweilig fand, wie er seiner Mutter schrieb. In seinem letzten Lebensdrittel saß Friedrich Beckmann – schon längst zum Wiener geworden – täglich im Kaffeehaus, seine türkische Pfeife schmauchend, vor einem Berg Zeitungen. Ein junger Mann, der ihn schon lange verehrte, wagt sich eines Tages mit der Bitte an ihn, doch eine Schachpartie mit ihm zu spielen. Beckmann sagt freundlich zu. Rasch versammeln sich Kiebitze um den Tisch, die immer verwunderter die Züge Beckmanns beobachten. Endlich sagt der junge Partner: „Aber, verehrter Herr Beckmann, Sie können ja gar nicht spielen!" „Das habe ich auch nie behauptet", antwortet Beckmann, „Sie haben mich gebeten, ich habe Ihnen den Gefallen getan."

FÜR DIE TRAGÖDIE MÜNDIG GEWORDEN . . .

Beim Sturz Laubes hat sein Nachfolger, Friedrich Halm (1868–1870), alias Baron Münch-Bellinghausen, keine unwesentliche Rolle gespielt. Er hat sich damit selbst den schlechtesten Dienst erwiesen; er bekam das so plötzlich seines absoluten Herrschers beraubte Theater nicht in den Griff. Seine zaghaften, von keiner Autorität gestützten Appelle an das Ensemble, nur ja brav weiterzuarbeiten, führen zur Anarchie; jeder will nur spielen, was ihm gefällt. „Es fehlt ihm", sagt selbst sein Freund, der Schauspieler Karl Rettich, „was ihm immer im Leben gefehlt hat: die Haltung. Einmal ist er *frére et cochon* mit den Leuten, das nächstemal, wenn er gerade nicht in Stimmung ist, kennt er sie nicht; dazu kommt, daß Münch, der edelste und beste Mensch auf der Welt, gerade die Eigenschaften nicht hat, die unerläßlich sind, als da sind kühles Blut, Überlegung, Energie, Konsequenz. Wie ich den Mann bedauere, kann ich gar nicht sagen. Der Verlust einer schönen, geachteten Stellung (Halm war Direktor der Nationalbibliothek), um in ein Wespennest zu kommen!" Halm geht sogar soweit, um eine Rückberufung Laubes (der noch lange durch seine innige Beziehung zu den Schauspielern insgeheim mitmischt) zu bitten, aber der regierende Obersthofküchenmeister ist dagegen.

Wie Schreyvogel die große Literatur, wie Laube den großen Stil, bringt der nächste Direktor, Franz von Dingelstedt (1870 bis 1881), die große Inszenierung an das Burgtheater.

Gleich Laube aus kleinen Verhältnissen, wie Laube erst Theologiestudent und Publizist, zog er von Hessen über Wien, Paris, London an die Höfe von Stuttgart, München und Weimar. Die Theaterleidenschaft erfaßte ihn, als er die berühmte Sängerin Jenny Lutzer geheiratet hatte und in enge Berührung mit dem Bühnenleben gekommen war. Seine Inszenierung der Münchner Gesamtgastspiele, 1854, dem ersten „Festival" unserer Zeit (bei dem übrigens Laubes Ensemble ungeteilte Begeisterung fand), und die großaufgezogene Weimarer Feier zu Schillers 100. Geburtstag, an dem „Wallenstein" in allen drei Teilen an einem einzigen, von früh bis abends durchgespielten Sonntag gegeben werden, machte ihn in der Kunstwelt berühmt. König Maximilian von Bayern erhob ihn in den Adelsstand.

Mit der Leitung der Hofoper beauftragt, kommt er nun, eleganter Weltmann und geistreicher Gesellschaftslöwe, nach Wien. Erst spät, sechsundfünfzigjährig, zog er in das Burgtheater ein – zu einer Zeit, da Wien in mächtiger Entwicklung zur Weltstadt die Grenzen sprengte, da anstelle der alten Basteien die prachtvolle Ringstraße entstand, da dem Wohlstandsbürgertum der Gründerzeit das Beste gerade gut genug war, da Geld, wie Adolf Wilbrandt sagt, „von den Wienern gemütlich verachtet" wurde; Makarts Farbenrausch, seine üppigen, verschwenderischen Feste, die renaissancehafte Lebensfreude symbolisieren. Industrie und Handel blühen, Alexander Girardi, die Geistinger, die Gallmeyer beherrschen die Volksbühne, Johann Strauß die Tanzsäle: und nun bekommt das Burgtheater seinen Meister, der die spartanische Bühne Laubes mit allen Mitteln der damaligen Bühnentechnik, mit Farbe, Wandeldekorationen, Musik und Ballett in einen Festsaal verzaubert. Sein Interesse gilt, wie das Richard Wagners, dem Gesamtkunstwerk, das alle Künste, Drama, Poesie, Malerei, Architektur, Musik und Tanz, zu einer einzigen grandiosen Wirkung verschmilzt. Das verblüfft die Wiener, und bald wirft man ihm vor, „Diener aller Herren" sein zu wollen.

Es ist nur natürlich, daß ihm das große Drama mit seinen verführerischen Möglichkeiten gewaltiger Massenaufzüge, wildbewegter Schlachtenszenen am meisten liegt. Er bringt alle Königsdramen von Shakespeare, erst einzeln, danach faßt er sie in einer einzigen Woche zu einem gigantischen Zyklus zusammen. „Der Sturm", „Antonius und Kleopatra", „Macbeth". Schillers „Braut von Messina", Goethes „Götz von Berlichingen" reihen sich an. Er bringt Hebbel zu neuen Ehren, führt mit großem Erfolg die „Nibelungen" auf, auch die historischen Dramen von Wilbrandt fügen sich seinem Konzept ein. Ibsen erscheint erstmals auf der Bühne der Burg, und Grillparzers nachgelassene Dramen, „Ein Bruderzwist in Habsburg" (1872), „Die Jüdin von Toledo" (1873), „Libussa" (1874), werden glanzvoll aufgeführt.

DAS ALTE BURGTHEATER
AUF DEM MICHAELERPLATZ
Rudolf von Alt

Dingelstedts Interesse ist nur auf die festlichen Gelegenheiten strahlender Prachtentfaltung konzentriert. Der schauspielerischen Leistung wendet er keine besondere Aufmerksamkeit zu, er verläßt sich da ganz auf die gediegene Vorarbeit Laubes. Das Alltagsrepertoire ist ihm gleichgültig. „Er ist faul wie ein Löwe", stellte Ludwig Speidel fest. „Wenn er aber einmal die Mähne schüttelt und seinen Ruf schallen läßt, so fördert er in einem Tag mehr als die Geschäftigkeit anderer in vielen Wochen." Die Mähne schüttelt Dingelstedt gewaltig, als 1876 die 100-Jahr-Feier des Burgtheaters stattfindet: Eine Woche lang – Festaufführungen. Das „Wintermärchen" mit der Wolter als Hermione und dem unübertrefflich komischen Terzett Carl Wilhelm Meixner, Hermann Schöne und Hugo Thimig. Lessings „Nathan"; Kleists „Der zerbrochene Krug" mit einem vielbejubelten Dorfrichter Carl La Roches; Molières „Der Geizige"; Goethes „Iphigenie auf Tauris" mit Charlotte Wolter und Grillparzers „Esther". Eingeleitet wird die Festwoche mit dem Vorspiel „Aus dem Stegreif" von Josef Weilen, in dem die Größen der Zeit – Sonnenthal, Lewinsky, die Wolter – in die Rollen der Schauspieler Josephs II. schlüpfen und ihren Vorgängern auf den Brettern der Burg die Reverenz erweisen.

In die allgemeine Feststimmung, die die Kaiserloge wie die Studenten auf der Galerie, die Schauspieler auf der Bühne und das Personal hinter den Kulissen umfängt, fällt nur ein Wermutstropfen: Dingelstedt hat Laube ganz vergessen. Diese Taktlosigkeit kreidet ihm sogar Laubes alter Feind, der Kritiker Ludwig Speidel, an: „Wir waren gewiß nie Schmeichler seiner Burgtheaterleitung, aber es mußte einen wurmen, daß Laube an dem Jubelfest des Burgtheaters sich nur geistweise in seinem alten Haus sehen lassen durfte."

Dingelstedt bringt Friedrich Mitterwurzer, Stella Hohenfels, Hugo Thimig, Josefine Wessely und Emmerich Robert ins Ensemble, das jetzt glanzvoller erscheint denn je. Er hat der Burg zweifellos alles gegeben, was der Zeitgeschmack und das Publikum wünschten. Die kritischen Geister verhalten sich allerdings reserviert: „Laube und Dingelstedt, beide Hälften in einem Mann vereinigt, hätten den richtigen Direktor des Burgtheaters ergeben." Manchen ist seine Regie zu opernhaft, zu üppig. „Etwas weniger Makart und etwas mehr Shakespeare", schreibt der große Kritiker Friedrich Uhl nach dem grandiosen Zyklus.

Der alte Burgtheater-Habitue Fürst Czartoryski sprach sarkastisch das erste Menetekel, wie sie später so häufig und glücklicherweise oft grundlos an die Wand gemalt wurden:

Linke Seite außen: Friedrich Halm, alias Baron Münch-Bellinghausen, Burgtheaterdirektor 1868–1870. Zeichnung von Josef Danhauser
Linke Seite innen: Franz Freiherr von Dingelstedt, Burgtheaterdirektor 1871–1881

„Des Burgtheaters Glück und Ende: Dingelstedt ist der rechte Mann, um in der Zeit der Reklame das Haus nach den modernen Prinzipien zu leiten."

Dingelstedts liebenswürdiger Charme beherrscht jede Situation. Einem Autor, dessen Stück er trotz seines Versprechens doch nicht aufführt und der ihm wütend ankündigt, die Wahrheit zu sagen, entgegnet er zweideutig: „Tun Sie das, lieber Freund, in diesem Raum wird ohnehin so viel gelogen!" – Souverän reagiert er aber auch, wenn ihm eine Szene mißfällt: „Welcher Idiot hat denn diesen Unsinn angeordnet?" Alles schweigt betreten, nur ein alter Inspizient wagt eine Antwort: „Bitt, Herr Baron, das haben S' voriges Jahr selber hing'schrieben." „So?", sagt Dingelstedt darauf, „ja, das sieht mir wirklich ähnlich", und setzt die Probe fort.

Dingelstedt hat seine Schauspieler zu einem ungeheuren Arbeitspensum angetrieben, aber er hat auch sich selbst nicht geschont. Als er erkrankt, geht das typische Nachfolgespiel in Szene. Die meisten Stimmen rufen nach einem Praktiker; Gabillon, vor allem aber Sonnenthal, stehen zur Debatte. Sonnenthal kennt die Direktorenmisere zu genau und schlägt seinerseits Adolf Wilbrandt vor, der sich schwer aus seiner Dichterklause löst und nur widerstrebend zusagt. Unter Dingelstedts Nachfolgebewerbern findet sich kurioserweise auch ein Pfarrer aus Kollendorf bei Znaim, Dr. A. Stara, der sich als „den einzigen Retter des Burgtheaters aus allen Nöten" darstellte. Dingelstedt starb am 15. Mai 1881.

Adolf Wilbrandt (1881–1887) kennt das Burgtheater nicht nur als Autor; wie Hebbel durch seine Christine war er durch seine Frau, dem Publikumsliebling Auguste Baudius, mit dem Leben hinter den Burgtheaterkulissen durchaus vertraut. Mit vielen Schauspielern eng befreundet, als „Nichtbewerber" vom Ruf eines Karrieremachers frei, überschätzt er zwar seine Befähigung als Theaterleiter nicht, glaubt aber, mit Güte und Verständnis regieren zu können; nimmt sich vor, immer kaltes Blut zu bewahren, sich nie aus der Fassung bringen zu lassen. Die vornehmen Umgangsformen dieses liebenswürdigen Idealisten haben ihren Eindruck auf die Schauspieler nicht

ZERLINE GABILLON-WÜRZBURG
(1835–1892)

Ehefrau Ludwig Gabillons und als sentimentale Naive von Laube engagiert; eine Schönheit mit griechischem Profil. Es ist eine harmonische Ehe. Zerline ist die geistige Führerin, sie beherrscht künstlerisch ein breiteres Feld. Sie ist die Maria Stuart, die Waise von Lowood, die Hero Grillparzers, sie ist aber auch eine Lustspielschauspielerin, und sie ist das, was man in Wien eine „Lachwurz'n" nennt. Sie gehört zu denen, die oft auf der Bühne den Lachreiz kaum unterdrücken können. Sonnenthal hat sie nicht selten in größte Verlegenheit gebracht, und in Wilbrandts *Malern* revanchiert sie sich gründlich: In der Abschiedsszene von Oswald-Sonnenthal bittet Leonore-Gabillon den Maler, ihr ihr Porträt nachzusenden – „nach Rom". Um den ebenso wenig lachfesten Sonnenthal zu reizen, nennt sie jeden Abend eine andere Stadt, Kairo, Madrid, Rio, was ihr eben einfällt, und versteht es köstlich, Sonnenthals Spannung zu steigern, so daß ihr Partner verzweifelt allabendlich um Fassung ringen muß. Die Kollegen warten hinter der Szene schon jedesmal auf die nächste Stadt und auf die Qualen des großen Sonnenthal. Die Gabillon wird zum Inbegriff der eleganten Dame von Welt, die ihren Bühnensalon mit Grandezza und Nonchalance zu beherrschen weiß.

Unten: Dr. Rudolf Tyrolt war vier Jahre lang (1884–1888) am Burgtheater engagiert, ehe er in das Deutsche Volkstheater übersiedelte und dort einer der bedeutendsten Volksschauspieler Wiens wurde

EMMERICH ROBERT (1847–1899)

Laube sagt: „Nach Wagner war er der beste Hamlet, den ich je gesehen habe". Robert ist ein Nervenschauspieler wie später Kainz. Er scheint immer umschattet, melancholisch, seine Stimme stets umflort. Die Gestaltung seiner Rollen immer sehr intensiv, eigenwillig, verinnerlicht. Aus dem Elternhaus durchgebrannt, ist er mit 17 erstmals in Zürich aufgetreten und 1878 ans Burgtheater engagiert worden. Er spielt neben dem Hamlet den Coriolan, Fiesco, Ödipus und Macbeth. Später befreundet er sich mit Ibsens Dramatik, und seine letzte Rolle ist der Baumeister Solneß. Er ist mit der alten Burgtheatertradition unlösbar verwachsen und hat große Schwierigkeiten mit dem energischen Direktor Burckhard, er will das „wahre alte Burgtheater", das ihm unter Burckhard vergewaltigt erscheint, in ein neues Theater verpflanzen und dem Burgtheater Konkurrenz machen. Burckhard kann ihn allerdings mit einer guten Rolle wieder versöhnen.

verfehlt; so manche Höflichkeitsriten in der Burg, die zeremoniellen Abschieds- und Antrittsbesuche beim Direktor zu Anfang und Schluß der Saison zum Beispiel, haben, wie Herterich, Hennings und Tressler berichten, die kommenden Generationen vom Ensemble Wilbrandts übernommen.

Die Regiearbeit überläßt er völlig den Schauspielern; das Repertoire bereichert er mit eigenen Übertragungen antiker Klassiker; „Ödipus" von Sophokles wird 1886 zum triumphalen Erfolg. Emmerich Robert in der Titelrolle beeindruckt so sehr, daß Speidel schreiben kann: „Wien ist für die große Tragödie, vor der es sich früher mehr oder minder wehleidig zu verschließen pflegte, endlich mündig geworden." Der Norddeutsche Wilbrandt bringt auch erstmals Raimunds „Verschwender" auf die Burgtheaterbühne. Valentin ist ein junger Schauspieler, der später am Volkstheater große Karriere macht: Dr. Rudolf Tyrolt. In Ermangelung neuer österreichischer

CHARLOTTE WOLTER (1834–1897)

Um die Ehre, die größte Tragödin entdeckt zu haben, streiten sich viele. Der Berliner Regisseur Julius Hein gibt ihr eine erste Rolle, obwohl der Liebhaber sich weigert, mit „dieser personifizierten Talentlosigkeit" zu spielen. Auch Dingelstedt, der sie damals als Hermione im „Wintermärchen" sieht, findet sie zumindest zu klein. Cheri-Maurice, der berühmte Talentsucher des Hamburger Thaliatheaters, bringt sie groß heraus und muß sie – wie so häufig seine besten Kräfte – an die Burg abgeben. Laube hat sie 1862 engagiert, nachdem er sie im Carltheater zum erstenmal gesehen und ihr geraten hat, in der Provinz Erfahrungen zu sammeln. Emil Devrient will damals schon Nestroy abgeraten haben, die „angeblich talentlose Statistin" ziehen zu lassen, da sie das Zeug zu einer großen Tragödin habe. Laube selbst hat an der Burg Schwierigkeiten, sie als Maria Stuart zu besetzen, die Wolter sei dafür um einen Kopf zu klein: „Nach der Premiere wird sie um zwei Köpfe größer sein."

Die Wolter, die später den irischen Grafen Karl O'Sullivan heiratet, kommt aus allerärmsten Verhältnissen; ihr Weg zur Bühne, die sie mit Sechzehn zum erstenmal betritt, ist demütigend. Ihr Burgdebut als „Iphigenie" offenbart, wie Minor sagt, „ihre elementare Naturkraft: ganz Rasse, Blut und Leidenschaft". Ein Naturkind, das, ungebildet und ungeschult, bis zu ihrem Lebensende nur eine sehr krakelige Handschrift besitzt, weiß die innigen Frauengestalten ihrer Jugend, die lieberasenden, in ihrer reifen Zeit so bezwingend darzustellen, daß alle Partner Mühe haben, sich neben ihr zu behaupten. Wenn sie als Messalina die Worte sprach: „Mich und ihn, den Erdkreis unter meinen Füßen treten!", wenn sie bei dem Wort „Erdkreis" den rechten Arm in weitem Bogen hoch emporhob und, während sie in wildester Energie in den Worten „unter meine Füße treten" jede Silbe gleich stark und gedehnt aussprach, den kleinen Zeigefinger der rechten Hand langsam und tief heruntersinken ließ, bis sie ihn endlich mit einem gebieterischen Ruck fest und steif nach unten streckte, dann erschien ihre Gestalt noch einmal so groß, und man sah wirklich den Erdkreis unter ihr liegen, so schildert sie Minor. Sie überspielt die Disharmonie, die man immer empfindet, wenn ein ungewöhnlich schöner Frauenkopf von einem nicht adäquaten Körper getragen wird; Makart, der sie in der Rolle der Messalina gemalt hat, hat auch manche ihrer Kostüme entworfen, zumal für ihre Lady Macbeth; die meisten werden aber nach ihrem eigenen Geschmack genäht und halten nicht immer dem guten Geschmack stand: aber sie versteht sie zu tragen. Felix Salten bewundert in ihr die größte Heroine, die das deutsche Theater überhaupt besessen hat: „Niemand, der die Wolter gekannt und bewundert hat, vermöchte zu sagen, ob sie heute noch ebenso blendend oder ob sie am Ende gar komisch wirken würde. Sie war eine vollkommene Tochter der Makartzeit. Sie hatte in ihrem Körper, in ihrer Seele und in ihrem Vortrag das sprunghafte Pathos einer reichen, einer mächtigen, aber im Wesen epigonenhaften Epoche. Sie gab nur Stil, gab nur den farbigen Abglanz des Lebens, aber sie gab den Stil aus der Fülle ihres Genies, ließ alle Farben so stark aufleuchten, daß niemand des Abglanzes gedachte. Ihre Stimme jedoch, der besondere, der einzigartige Gesang ihres Vortrages, das ist damals immer wieder betörend schön gewesen." Ihre Lady Macbeth hat sie mit Fanny Elßler einstudiert: „Als Nachtwandlerin lautlos, den Kopf weit zurückgebogen, wie von einer äußeren Kraft aufrechtgehalten, sich durch die Halle bewegend, gab sie ein unbeschreiblich schönes, zugleich erschütterndes Bild." Ihre dunkle, weiche Stimme kann im Augenblick höchster Leidenschaft zu einem Umfang anschwellen, der als „Wolterschrei" noch heute berühmt ist. Sie bringt die Hero, die Sappho, die Medea Grillparzers, die Kriemhild, die Judith Hebbels, die Lady Milford, die Eboli, die Maria Stuart zu durchschlagendsten Erfolgen, doch sind sich alle zeitgenössischen Berichterstatter darüber einig, daß Wilbrandts Messalina ihre allergrößte Rolle gewesen ist. Elektra und Antigone sind ihr gemäße Gestalten. Das Gretchen zu spielen, hat sie nicht einmal in ihrer Jugend versucht, wie sie sich auch nur widerstrebend zu modernen Rollen hergibt, die ihr auch nie Erfolg bringen. In einer heiteren Rolle ist sie nie gesehen worden. Nur widerstrebend rückt sie auch, nach dem Tod der Rettich, in das Fach der Heldenmütter auf, sie spielt die Elisabeth in *Essex*, die Thusnelda im *Fechter von Ravenna* und kehrt immer wieder zu „ihrem" Fach zurück. Ludwig Gabillon sagt über sie: „Die Wolter ist ein Phänomen. Sie ist höchstens 58 und hergerichtet ist sie klassisch schön." Sie sagt: „Spielen ist keine Kunst, aber aufhören zu spielen, das ist eine Kunst." Auf die Frage, welche Auffassung sie von der Sappho habe: „Gar keine, ich spiele eine schon etwas ältere Frau, die das Pech hat, in einen ganz jungen Mann verliebt zu sein." Mehr als ein Jahrzehnt ist das stärkste weibliche und einzige tragische Talent des Burgtheaters brachgelegen. Schon krank, spielt sie ihre ersten „alten Rollen", die Frau Alving in Ibsens „Gespenster" etwa, immer sehnsüchtig ihrer Iphigenie nachtrauernd. Als Iphigenie wird sie auch, in griechische Gewänder gehüllt, begraben; ein Wunsch, den sie während ihres langen Todeskampfes immer wieder geäußert hat.

Links: Szenenbild aus „Die Widerspenstige", ein Stück „nach Shakespeare" von Deinhardstein. Von links nach rechts: Elisabeth Fichtner (später Koberwein) als Katharina. Friedrich Wilhelmi als Baptista, Ludwig Löwe als Petrucchio und Adolf Herzfeld als Tranio. Aufführung vom 19. März 1838. Beilage zu „Bäuerles Theaterzeitung"

Rechte Seite: Der Dichter Adolf Wilbrandt hat als Direktor des Burgtheaters – 1881–1887 – die Atmosphäre gegenseitiger Achtung und vollendeter Manieren geschaffen

Literatur findet Wilbrandt sie im Ausland: Björnson, Turgenjew und Gogol. Dingelstedts großen, nicht mehr erfüllten Plan verwirklicht Wilbrandt: eine Faust-Inszenierung an drei aufeinanderfolgenden Abenden (2., 3. und 4. Jänner 1883). Josefine Wessely als Gretchen, Adolf Sonnenthal als Faust und Joseph Lewinsky als Mephisto, die Wolter als Helena und Ludwig Gabillon als Erdgeist waren – allen Augenzeugenberichten zufolge – ideale Besetzungen, wie man sie sich nur wünschen konnte. Der Tragödie zweiter Teil ist mit dieser Aufführung, die sich mit ihren 88 Darstellern auf der engen Bühne nur unter größten Schwierigkeiten inszenieren ließ, für das Burgtheater überhaupt erst erobert worden.

Seinem ganzen Wesen gemäß vermag Wilbrandt der Unterhaltungsliteratur kein Interesse abzuringen; sie verfällt zusehends in Langeweile. Auch ist er kein Talentsucher; er holt Agathe Barbescu, eine Anfängerin, die durch einen großartigen Erfolg als Hero von Ludwig Speidel als „Glück des Burgtheaters" in den Himmel gehoben, aber in der Folge diesem Ruf nicht gerecht wird und nach sieben Jahren wieder verschwindet. Mit Max Devrient, der nach dem Ringtheaterbrand an die Burg kommt, mit Georg Reimers und Katharina Schratt gelingen ihm allerdings Neuerwerbungen ersten Ranges für die kommende Zeit.

Wilbrandt zieht sich freiwillig vom Theater zurück: „Der Dichter in mir hat den Direktor vom Stuhl heruntergezogen", begründet er seinen Schritt. Er ist einer der wenigen, dem herzlich gemeinte Abschiedsworte zugerufen werden. Auch als ihm die Presse wiederholt ein pathetisches „Landgraf, werde hart!" zurief, hat er die Zügel locker gelassen und hat ausnahmsweise damit kein Chaos im Ensemble bewirkt; er hat die Atmosphäre gegenseitiger Achtung und vollendeter Manieren geschaffen.

Nach Wilbrandt einen geeigneten Nachfolger zu finden, war nicht leicht. Man hatte keine Zeit, lange zu suchen, der Umzug ins neue Haus stand bevor. Adolf von Sonnenthal übernahm daher die provisorische Leitung und führte das Ensemble aus dem ehrwürdigen alten in das prachtvolle neue Haus am Ring.

In all den Jahrzehnten, in denen das „große alte Burgtheater" spielte, haben die Schauspieler, die die weltbedeutenden Bretter beherrschten, den Primat, den der Darsteller vor der Literatur schon vom ältesten Burgtheater her besaß, mit aller Leidenschaft verteidigt. Burgtheater – das ist von Schreyvogel bis Laube ein Sammelbegriff für die Schröder, die Müller und den Anschütz, für den Fichtner, den Löwe, die Rettich und den La

Roche; er umfaßt in diesen Jahren vor der Übersiedlung Schauspieler wie die Haizinger, die Wolter, die Hohenfels, die Baudius, Josephine Wessely, Wagner, Sonnenthal, Baumeister, die Gabillons, die Hartmanns, den Krastel, den Lewinsky, den Schöne und Hugo Thimig. Für sie alle ist das Burgtheater der bestimmende Lebensraum, aus dem sie sich kaum lösen können. Und wenn sie eben nicht gerade spielen, sind sie doch hinter der Bühne – was eigentlich streng verboten ist – und sehen die Vorstellung an. Als ein ordnungsliebender Direktor dieses Privileg einmal endgültig kassieren wollte, erhob Regisseur Anschütz energisch Einspruch: „Das wäre doch zu hart, unseren Schauspielern die Heimat zu verbieten!"

„Burgschauspieler sein ist kein Beruf, das ist ein Zustand", sinnierte Girardi viel später.

Ich erinnere mich, als Ernst Deutsch einmal einen Ausspruch Alexander Moissis zitierte: „In jedem Land muß man das dort jeweils Wichtigste sein. In den Dolomiten eine Kuh, in Mexiko ein Sombrero und in Wien ein Burgschauspieler."

Wenige von den Großen kommen aus Wien – wie Lewinsky, oder aus den Ländern der Monarchie – wie Sonnenthal; die meisten stammen aus Deutschland. Aber hier, im Burgtheater, werden sie zum Inbegriff Wiener Schauspielkunst, und die ist, wie der Sekretär des Burgtheaters, Alfred Freiherr von Berger,

STELLA VON HOHENFELS (1854–1920)

Stella Hohenfels ist sofort ein Publikumsliebling. Ich hatte nie gedacht, daß ich zum alten Burgtheater eine lebendige Beziehung bekommen würde und daß dies auf dem Umweg über Stella Hohenfels geschehen könnte. Als ich 1934 unter der Direktion und Regie von Hermann Röbbeling die Rolle des Georg im *Götz v. Berlichingen* zugeteilt bekam, erhielt ich das alte Rollenbuch, auf dem über dem Namen Häussermann jun. Frl. v. Hohenfels stand.

Die Hohenfels trennte sich gerade von dieser Rolle – die ihren Ruhm begründete – nur unter äußerem Druck. Unter Wilbrandt gilt sie als allererste Kraft, Speidel rühmt ihre schalkhafte Anmut, ihren poesieverklärten Euphorion in *Faust II;* viele Jahre lang weiß sie ihre Jugend zu bewahren, und ihrer Zeit – so sagt Thaddäus Ritter – ist sie „die Musik des Burgtheaters". Sie ist eine hoheitsvolle Iphigenie und gleichermaßen beliebt und geliebt in den Backfischgestalten der Lustspiele. Felix Salten erscheint sie rückblickend allerdings einer realitätsabgewandten, künstlichen Affektation erlegen zu sein; dazu mag beigetragen haben, daß die Hohenfels von ihrer so oft gerühmten holden Jugend nie Abschied zu nehmen vermochte: „Die Hohenfels ist nie über den Backfisch hinausgekommen, sie glaubte an ihn, sie hat nie an etwas anderes geglaubt, ja sie war ihr ganzes Leben lang eigentlich selbst ein solcher Kotzebue-Backfisch", sagt Salten. Die Hohenfels hat es immer abgelehnt, anderes als Jugend, Schönheit und Süße auf die Bühne zu stellen, und hat einmal eine Rolle zurückgelegt, weil sie ein Mädchen mit einem Loch im Ärmel darstellen sollte. Sie ist, so sagt Salten, „eine Märtyrerin ihres ewig frühlingshaften Mädchentums", dem sie sich auch dann nicht entreißen kann, als ihr Alter längst ein reiferes Fach erfordert hätte.

Links: Julie Rettich als Parthenia und Ludwig Löwe als Ingomar in Halms Schauspiel „Der Sohn der Wildnis“, 1842

gesagt haben soll, durchaus an keine Geburtsmatrikel gebunden.

Der rastlose Arbeiter Sonnenthal, der die Direktorswürde zurückweist, um seine Arbeit als Schauspieler und Regisseur nicht zu beeinträchtigen, übernimmt dennoch die schwere Bürde eines provisorischen Direktors, um das Burgtheater aus dem alten in das neue Haus zu führen.

Am 12. Oktober 1888 findet die letzte Vorstellung im Haus am Michaelerplatz statt: „Iphigenie auf Tauris“ mit der Wolter in der Titelrolle, Friedrich Krastel als Orest, Ernst Hartmann als Pylades und Bernhard Baumeister als Arkas.

Als Iphigenie Thoas ihren letzten Gruß zuruft: „Leb wohl, und gib ein holdes Wort des Abschieds mir zurück!“ erstickt ihre Stimme in Tränen, und Tränen fließen auch im Publikum, das in tiefster Ergriffenheit dem von Alfred Berger verfaßten Epilog lauscht, den Sonnenthal – umgeben vom gesamten Ensemble – spricht:

„Und wenn ihr künftig drüben uns besucht,
So sollt Ihr in den stolzen Hallen finden,
Was mehr uns gilt, als alle Pracht der Welt:
Im neuen Haus das alte Burgtheater!“

Danach fällt sehr schnell der Eiserne Vorhang. Und er bleibt auch dann geschlossen, als die Beifallsstürme, in denen sich die allgemeine Rührung ein Ventil sucht, nicht enden wollen. Auf der geschlossenen Bühne hält Sonnenthal eine kurze Ansprache an das Ensemble, die Volkshymne wird gesungen, man spricht einen Toast auf den Kaiser und wirft die geleerten Champagnergläser zu Boden; nur eines zerbricht nicht – jenes Sonnenthals.

Zwei Tage später wird das neue Haus, nur wenige hundert Meter vom alten entfernt, eröffnet. Erst spielt das Orchester Beethovens Ouvertüre „Die Weihe des Hauses“; es folgt ein „Szenischer Prolog“ von Josef Weilen mit Sonnenthal als „Geist des Burgtheaters“. Grillparzers „Esther“-Fragment und „Wallensteins Lager“ gehen als erste Inszenierung über die Bühne. Zu Beginn des „Lagers“ tritt ein kleiner Bauernjunge auf, und seine ersten Worte lauten: „Vater, es wird nicht gut ablaufen.“

Dieses Gefühl beherrscht – trotz des herrlichen Baues – im Augenblick viele Zuschauer und alle Schauspieler. Vierzehn Tage nach der festlichen Eröffnung aber schreibt Ludwig Gabillon in sein Tagebuch: „Böse Geister sitzen auf der Bühne, hinter den Kulissen, in uns, um uns. Wir sind tief traurig und gedrückt – wir fühlen instinktiv – es geht ans Sterben. Das alte Burgtheater hätte die Umpflanzung noch ertragen, aber die schlechte Erde, der eiserne, kalte unwirtliche Boden nimmt uns die Kraft. Wir erholen uns nicht mehr.“

Dem alten Burgtheater, dem „wahren, dem echten, dem

ADOLF RITTER VON SONNENTHAL
(1832–1909)

Er gehörte dem Burgtheater 53 Jahre lang an und war zweimal sein provisorischer Leiter. 1832 als eines von sechs Kindern eines kleinen Schnittwarenhändlers in Budapest geboren, fühlt er schon von klein auf einen unbändigen Spieldrang in sich, wird vor Aufregung ohnmächtig, als er das erstemal ins Theater mitgenommen wird, schmuggelt sich abends heimlich an der Kasse vorbei in den Zuschauerraum, wird erwischt, von einem freundlichen Regisseur als Statist engagiert und erhält eine erste schauspielerische Ausbildung beim Vater seines Freundes Barnay, einem nachmals berühmten Theaterdirektor. Vom Vater zum Schneiderhandwerk gezwungen, reist er sofort nach seiner Gesellenprüfung nach Wien und ist schon am ersten Abend hier auf der vierten Galerie. Dawison, der gerade im *Erbförster* auftritt, fasziniert ihn, und er erreicht, daß er von ihm unterrichtet wird. Seinen kärglichen Lebensunterhalt verdient er als Schneider und als Hauslehrer, wird endlich Laube vorgestellt und darf an der Burg statieren. Über Temesvar, wo er den Don Carlos erst spielen kann, nachdem er sich selbst das passende Kostüm genäht hat, und Hermannstadt kommt er nach Graz und spielt den Tischler Leim. Sein Partner ist Nestroy. Dieser soll ihm nach der Vorstellung das Kompliment gemacht haben: „Ich hab' in mein' Leb'n schon mit viel'n Tischlern g'spielt, aber noch mit kan so an Kunsttischler, wie Sie aner san." Er spielt auch zusammen mit dem damals hochberühmten Negerdarsteller Ira Aldridge, der als englischer Othello, Macbeth und Shylock innerhalb eines sonst deutschsprechenden Ensembles gastiert und Sonnenthal sein Bild mit der Widmung „To Mr. Sonnenthal with respect and good wishes of your, Aldridge", schenkt, das bis zum Tode Sonnenthals in seinem Arbeitszimmer hängt. 24jährig, wird er an die Burg engagiert, spielt den Mortimer und fällt durch. Laube läßt sich indes nicht beirren, gibt ihm einen dreijährigen Kontrakt, und ehe der abläuft, ist er zum k.k. Hofschauspieler ernannt. Er spielt den Carlos, den Romeo, den Prinzen in *Emilia Galotti*, er wird zum meistbeschäftigten Mitglied des Burgtheaters: 160 Vorstellungen pro Saison. Heimlich verlobt mit der reichen Pauline Pappenheim, heiratet er sie erst, als die Familie Pappenheim verarmt, er aber schon konsolidiert ist. 1866 hat er bereits einen zehnjährigen Vertrag; unter Dingelstedt wird er provisorischer Regisseur und inszeniert Lessings *Miss Sarah Sampson*. Nach Löwes Tod wird er definitiver Regisseur, spielt den Matthias in *Ein Bruderzwist in Habsburg* mit Lewinsky, den König Alfons in *Die Jüdin von Toledo*, den Primislaus in *Libussa* mit der Wolter, Shakespeares *Heinrich VI.* und *Richard II.* Im selben Jahr, als das Burgtheater seinen hundertsten Geburtstag feiert, feiert Sonnenthal sein 25jähriges Bühnenjubiläum und erhält den Franz-Josephs-Orden. Ein Jahr später ist er der Faust – mit Mitterwurzer als Mephisto, später der Antonius – mit der Wolter als Cleopatra. 1881 verleiht ihm Kaiser Franz Joseph die Eiserne Krone I. Klasse, die damals noch mit dem erblichen Adel verbunden ist. Artur Schnitzler meint Sonnenthal, wenn er im „Grünen Kakadu" sagen läßt: „Einer, der uns vorspielen kann, was er will, ist doch mehr als wir alle!" Unter Wilbrandt ist er der Othello, der Tell und der Faust in beiden Teilen. 1884 wird er nach La Roche der zweite Oberregisseur. Sonnenthal, der als jugendlicher Liebhaber das Erbe Wagners, als Liebhaber jenes von Fiechtner angetreten hat, entwickelt sich in Wien rasch zum eleganten, typischen Weltmann der Wiener Gesellschaft. Rudolf Lothar meint: „Sonnenthal macht den Satz wahr, daß die Weisheit des Herzens Güte heißt." Und darum erhebt sich sein Nathan zur größten Höhe, die eine Schauspielerleistung erreichen und die Sonnenthal jahrzehntelang beherrschen kann. Sein Wallenstein, sein König Lear, sein Othello, sein König Philipp gehören zu seinen ganz großen Leistungen. Es charakterisiert seine Persönlichkeit, daß er durchaus außerstande ist, unsympathische Figuren darzustellen. Der rastlose Arbeiter Sonnenthal, der die Direktorswürde zurückweist, um seine Arbeit als Schauspieler und Regisseur nicht zu beeinträchtigen, übernimmt dennoch die schwere Bürde eines provisorischen Direktors, um das Burgtheater aus dem alten in das neue Haus zu führen.

Die Bronzebüste Sonnenthals wurde in der Hitlerzeit von der Feststiege aus dem Burgtheater entfernt und in einen Keller geworfen. Während meiner Direktionszeit im Burgtheater ließ ich sie suchen; man fand sie und ihren Marmorsockel, der von Brandspuren vom Burgtheaterbrand gezeichnet war. Man wollte einen neuen Sockel anschaffen, aber ich fand es richtig, Büste und Sockel so aufstellen zu lassen, wie sie diese tragische Zeit überstanden hatten.

ERNST HARTMANN (1844–1911)

Grillparzers Küchenjunge Leon ist eine der ersten Rollen Ernst Hartmanns. Er war für den Kaufmannsberuf bestimmt und deswegen von zu Hause durchgegangen, kommt über Chemnitz, Reval, Troppau an die Burg. Jacob Minor vergleicht den jungen Hartmann mit dem Abbild Apolls auf dem Burgtheatervorhang, den alten Hartmann mit dem Bildnis des greisen Goethe. Er schlüpft mit dem Charme seiner 20 Jahre in die Rollen, die vor ihm die Goßmann, nach ihm die Hohenfels als Hosenrollen spielen. Pagen, junge, übermütige Bürschchen, den jungen Klingsberg; er spielt die zweiten Liebhaber mit einer Grazie, daß ihm das Publikum sofort verfällt, so daß die ersten Liebhaber Mühe haben, den Vorrang ihrer Rollen auf der Bühne zu behaupten. Hartmann weiß, daß ihm für große Heldenrollen die Voraussetzungen fehlen, und er macht sie Krastel, dem großen Heldendarsteller, niemals streitig. Als der junge Bonvivant seiner Zeit kann er sich mehr als ein Dutzend Jahre behaupten, dann allerdings kaum von dieser Epoche Abschied nehmen: in der Übergangszeit zu älteren, zu Rollen, die bewußtere Charakterisierung erfordern, verfällt er in eine gewisse Manieriertheit, die ihn, wie seine besten Freunde zugeben, „nur mehr über die Bühne segeln" ließ. Der Aufstieg war zu schnell, er ist ein Frauenliebling geworden, der glaubt, es nicht mehr zu sein, wenn er seinen Typ aufgibt. Aber als der „Most ausgegoren ist" (Minor), findet er wieder das richtige Maß und wird zum Grandseigneur, der mit seiner weichen, schmeichelnden Stimme, seiner jetzt richtig dosierten Liebenswürdigkeit Güte, Humor, Adel, Charme und geistvolle Konversation bestens zur Geltung bringt. Er wird Hofmarschall Kalb in *Kabale* und zum Lebenslügner in Schnitzlerschen Dramen. Die Retty erinnert sich noch sehr genau an ihn. „Das war nicht nur ein glänzender Schauspieler", erzählte sie mir, „sondern auch in dieser Zeit, in der es eigentlich keine Regisseure gab, einer, der die Stücke am besten arrangiert hat". Hugo von Hofmannsthal schreibt in seinem Nachruf: „Ich suche Hartmann in meinem Gedächtnis und sehe zahllose Gestalten. Lebendig springen sie hervor, sein Clarence und sein Mercutio und sein König Heinrich und sein Leon und seine kleineren Rollen. Sein Franz Lerse, der ganz Einfachheit und Natur war, mit einem diskreten Glanz wie gehämmertes Gold, und seine pompösen Rollen, wie der verarmte Edelmann und die nicht zu vergessenden Episoden, mit denen er den inneren Reichtum Schnitzlerscher Stücke an den Tag zu bringen half, die Rollen im Grünen *Kakadu,* den alten Herzog im *Medardus,* und dahinter die Flut der anonymen französischen Stücke, aus deren Gedränge sich nur zufällig eine bezaubernde Figur, nein eine bezaubernde Leistung, eine bezaubernde Gegenwart, eine bezaubernde Schauspielerei entgegenhebt – der zündende Funke".

Einlaß ins Burgtheater: „Unter beispiellosem Andrang des Publikums gingen am 18. Oktober 1879 die ‚Räuber' in Szene . . . Die vielen ältlichen Revolutionäre, die da mitstürmen mußten, störten die Freude des Publikums nicht. Dawison erhielt mit dem Franz Moor die erste Rolle seiner wirklichen Domäne . . ." („Wiener Zeitung", Oktober 1878)

einzigen", wird in diesen Tagen allerorten ein Requiem gesungen. Man fühlt sich im neuen Haus nicht wohl, weder die Schauspieler auf der Bühne, die sich von den technischen Zauberkünsten wie von den technischen Unzulänglichkeiten in ihrem Spiel gestört fühlen, noch die Zuschauer, die unter den schlechten akustischen und ebenso schlechten Sichtverhältnissen leiden; und Schauspieler wie Publikum vermissen die Intimität des alten Hauses. Das neue verlangt eine völlig geänderte Sprech- und Spielweise, die sich schwer mit der überkommenen Tradition vereinbaren läßt.

Es dauert seine Zeit, bis die Mängel behoben, die Aversion gegen das Neue getilgt, die Schauspieler in den großen Bühnendimensionen eingespielt sind, bis das Burgtheater einen tatkräftigen Direktor erhält. Aber Sonnenthal hütet die Tradition des alten Burgtheaters und führt sie sicher in das neue Haus und in die neue Zeit.

DIE BAUGESCHICHTE DES BURGTHEATERS

Alles, was an Baulichkeiten vom alten Burgtheater am Michaelerplatz auf uns gekommen ist, ist ein schmales Steinportal, darüber ein Relief mit Masken der heiteren und der tragischen Muse, umkränzt von Musikinstrumenten, gekrönt vom kaiserlichen Doppeladler. Wenn man vom Michaelerplatz durch das innere Burgtor geht, liegt es zu linken Hand. Dies war der Haupteingang zum bedeutendsten und ältesten Theater deutscher Zunge!

Am 5. Februar 1742 war von Sellier das „Königliche Theater nächst der Burg" eröffnet worden: ein unansehnlicher, langgestreckter Hallenbau. Sellier hatte es sich zwar viel Geld kosten lassen, das ehemalige Ball(spiel)haus – das für seine und die Begriffe der bürgerlichen Zuschauer den einmaligen Vorzug hatte, durch einen Gang mit der Kaiserburg verbunden zu sein – innen als „Opern-, respective Komödihaus" mit Bühne, Orchesterraum, Galerien und zwei königlichen Logen auszustatten und es ein Jahr später auf Wunsch des feudalen Publikums weiter „auszuzieren". Dennoch war niemand recht zufrieden damit.

Schon 1747 ging Selliers Nachfolger, Baron Lopresti, die ruinöse Verpflichtung ein, dem Bau „die wahrhafte Form eines Teatri" zu geben und „Gewölbungen" zur Verbesserung der Akustik einbauen zu lassen. Das Geld ging ihm aber schon aus, als die Handwerker noch mitten in der Arbeit steckten.

In den folgenden Jahren wurde an dem Haus immer wieder umgebaut, und es wurde aufgestockt. 1760 endlich verlängerte man den Bühnentrakt um sechs Klafter (rund zwölf Meter) gegen den Michaelerplatz zu; zugleich wurde die unansehnliche Fassade der Schmalseite durch eine anmutige Rokokofront mit drei Bogenfenstern und einem Zierbalkon ersetzt. Das Theater sah nun aus wie ein „Kavaliershaus".

Wunderbarerweise erwuchs aus all diesen Improvisationen ein äußerlich ansprechendes, innen bezauberndes Theater, dessen hufeisenförmiger Zuschauerraum in idealem Verhältnis zur Bühne stand. Er war durchaus nicht klein: mit 24 Metern um mehr als zwei Meter länger als der spätere Neubau am Ring, aber – mit seinen zehn Metern – außergewöhnlich schmal. Trotz der drei Logenränge und der Galerie war der Raum nur zwölf Meter hoch: Wer am „Juchhe" saß, stieß mit dem Scheitel an die Decke.

Diese Proportionen erwiesen sich als geradezu ideal für die optischen und akustischen Verhältnisse, die das Geschehen auf der Bühne gleichsam in den Zuschauerraum einbezogen. Das Weiß und Gold der Ausstattung, diskret akzentuiert durch das Rot der Tapeten und Sesselbezüge, trug dazu bei, dem Ganzen eine Atmosphäre größter Intimität und das Gefühl der privaten Geselligkeit eines gepflegten Salons zu geben, für die Zuschauer ebenso wie für die Schauspieler, die in diesem – und nur in diesem – Rahmen jenen eigenartigen „Burgtheaterstil" entwikkeln konnten, der das alte Haus so berühmt gemacht hat.

Die technischen Bedingungen waren freilich indiskutabel. Im Theater herrschte zuweilen derartig starker Luftzug, daß die Kaiserloge doppelt ausgepolstert werden mußte, um die hohe Familie vor Rheumatismus zu bewahren. Die Künstlergarderoben verdienten diese Bezeichnung gar nicht: Den Damen hatte ein Bretterverschlag im Bühnenhintergrund zu genügen, der nur über die Bühne zu erreichen war und tagsüber als Konversationszimmer diente. Für die Herren gab es im dritten Stock, hinter den Logen, einen sechs Meter breiten Gang, der beiderseits durch niedere Holzwände in winzige Verschläge unterteilt war. Der Schauspieler Hermann Schöne erzählt in seinen Erinnerungen höchst vergnügt von dem riesigen Recken Gabillon, der stets die Tür seiner „Kabine" öffnen mußte, nur um seine Stiefel ausziehen zu können.

Es gab keine Theaterdepots; man benützte sämtliche Dächer der Umgebung, um Kulissen und Requisiten unterzubringen. Und was dort nicht Platz fand, wurde einfach in den ohnehin beängstigend engen Besucherzugängen abgestellt.

Wenn das Haus vollbesetzt war, dauerte es eine ganze Stunde, bis es der letzte der 1125 Zuschauer verlassen konnte. Die Beleuchtung bestand einhundertzwanzig Jahre lang aus Kerzen und wohlgeputzen Öllampen – hinter der Bühne, in den Garderoben und auf der Bühne. Ihr mildes, warmes Licht war zwar außerordentlich stimmungsvoll – „Glückliche Dar-

BERNHARD BAUMEISTER (1828–1917)

Er kommt mit 24 Jahren an die Burg und beginnt als zweiter Liebhaber, er spielt mit Vorliebe Naturburschen und Bonvivants von der gemütlichen Sorte. Laube ist mit seiner Sprechkunst nie wirklich ganz zufrieden, er wirft ihm „aphoristische Abkürzung" vor, aber für Schlenther ist er dann zwar nicht der gewandteste, geistreichste, aber der herzhafteste Schauspieler seiner Zeit. Das Publikum gewinnt er durch behagliche Nuancen, die weitab liegen von jeder Groteske. Berühmt wird er mit seinem Richter von Zalamea, mit dem Götz und vor allem mit dem Falstaff, den er in unverminderter Frische bis in sein hohes Alter spielt. Der Norddeutsche wird in Wien in seiner unbefangenen Spielfreude und sprungbereiten Präsenz zur Reinkarnation des Wiener Hanswurst. „Sein Stil", sagt Jakob Minor, „ist der echte, alte Burgtheaterstil, in einer starken und liebenswürdigen Individualität verkörpert." „Wo Bernhard Baumeister steht, da steht für die Kunst ein Wegweiser von den Künsten zurück zur Natur", formuliert Wilbrandt. Sein künstlerisches Ziel ist, zu erfreuen und zu ergreifen und einen „gemütlichen Rapport" mit dem Publikum zu haben. Baumeister ist ein schlechter Lerner, aber er bewältigt zwischen 17 bis 35 Rollen pro Jahr. Er ist berühmt dafür, daß er jeder Rolle einen Augenblick abgewinnen kann, wo er mit einem einzigen hingeworfenen Wort oder Satz nicht endenwollendes Gelächter erzielt.

Rosa Albach-Retty erinnert sich: „Da war einer, ein Großer, er war so besonders nett zu mir, na, wie hat denn der geheißen? Mit B hat er angefangen." „Baumeister", schlug ich vor. „Ja, natürlich, Baumeister! Ich bin schon ganz verkalkt."

Es war am 100. Geburtstag der Retty.

LUDWIG GABILLON (1825–1896)

Er, der dritte des „Naturburschen-Trios", das das Burgtheater um diese Zeit besitzt – Ludwig Gabillon. „Aus einem Naturburschen kann im Burgtheater alles werden", sagt man damals in Wien. Baumeister wurde Falstaff, Krastel Don Carlos und Gabillon wurde Hagen in Hebbels *Nibelungen*. In den 31 Jahren, da er an der Burg seinen Hagen spielt, macht sich der wurfsichere Magdeburger Recke Gabillon einen Heidenspaß daraus, seinen Speer so gezielt hinter die Kulissen zu werfen, daß er tatsächlich den Strohsack, der den knienden Siegfried symbolisiert, genau an dem aufgemalten Kreuz trifft. Das „Hagen-Stückl" hat sich bald herumgesprochen, und Schauspieler wie eingeweihte Zuschauer sammeln sich stets hinter der Szene, um den Speerschleuderer zu bewundern; unter ihnen der alte Inspizient, der jedesmal hinterher befriedigt und triumphierend feststellt: „Jetzt hätt' er ihn aber ordentlich 'troffen!" Speidel behauptet scherzhaft, Gabillon stamme von jenem Untier Gabilun ab, dessen Blut übermenschliche Kraft verleiht und das vom Hagen des Gudrunliedes erschlagen wird. Besonders stolz ist Gabillon auf seine Hagenmaske. Als er Hebbel fragt, wie er aussehe, bekommt er die lapidare Antwort: „Wie ein Gewitter!" Im Alter gelingen ihm seine akrobatischen Bühnenleistungen nicht mehr, und auch bei seinem vordem so berühmten Tell-Sprung muß er sich unauffällig vom Darsteller des Fischers Unterstützung erbitten: „Hilf mir herunter, ich seh' gar nischt mehr!" Der junge, kecke Hugo Thimig hat ihn deswegen oft bespöttelt und konnte sich einmal nur durch Flucht auf den Schnürboden vor dem Zorn des alten Gabillon retten. Gabillon spielte nahezu 450 Rollen. „Er war", wie Rudolf Lothar sagt, „eine Persönlichkeit, deren Wirkung rein individuell war."

Die Damengarderobe im alten Burgtheater war im hinteren Teil der Bühne untergebracht

steller, die sich im Schutz dieser Beleuchtung einer ewigen Jugend erfreuten!" seufzte Hermann Schöne wehmütig, als 1867 die Gasbeleuchtung eingeführt wurde, aber die Feuersgefahr in dem vorwiegend aus Holz errichteten Bau war eminent, und die Behörden zitterten vor einer Brandkatastrophe, solange das Haus stand. Es gab nur zwei „Notausgänge", die kaum Rettung versprachen: man konnte die Brüstungen der beiden Logen nächst der Bühne abheben und durch diese Logen flüchten. Nach dem Schock des Ringtheaterbrandes wurden an der Rückfront zu jedem Stockwerk eiserne Stiegen erbaut, die wahrscheinlich im Ernstfall auch nicht viel genützt hätten. Glücklicherweise brannte das Burgtheater –, entgegen allen statistischen Berechnungen, wonach, wie Semper sagte, ein Theater alle sechzig Jahre niederbrenne oder neugebaut werden müsse, niemals ab.

An einen Neubau wollte keiner denken. Die Zuschauer hingen geradezu zärtlich an dem alten Haus, in dem sie gleichsam beim Kaiser zu Besuch weilen konnten, dem einzigen Platz, an dem sich eine unmittelbare Beziehung zu ihm herstellen ließ. Die Kaiserloge befand sich im ersten Rang, nahe der Bühne.

Die Schauspieler wollten erst recht kein neues Haus, für sie war das alte eine echte Heimat, der Boden, auf dem sie gewachsen und berühmt geworden waren, auf dem sie residierten. Hier hielten sie ihrerseits Cercle, bei gutem Wetter auch vor dem Bühneneingang, im Zwickel zwischen dem Theater und der Winterreitschule: Unterm „Dachl" stand eine lange Bank, wo man beisammensaß, sich von Passanten bewundern ließ und Gäste empfing.

Als Franz Joseph 1857 mit seinem Handbillett die große Stadterweiterung mit dem Ringstraßenbau einleitete, dachte er gar nicht daran, auch ein neues Burgtheater zu errichten. Pläne dazu waren zwar schon oft geschmiedet worden – allerdings stets nur von Pächtern, Hofbeamten oder Architekten: Der Erbauer der Gloriette, Freiherr Ferdinand Hetzendorf von Hohenberg (1772), der Pächter Freiherr von Braun (1798) und Hofarchitekt Onna (1810) sowie ein hoher Hofbeamter (1831) fanden für ihre Vorschläge nur taube Ohren; und selbst als die große Bauwelle anbrach, stießen etwa Ritter von Dräxler, der 1857 einen Doppelbau für Oper und Burg auf dem späteren Heldenplatz plante, Siccardsburg, van der Nüll, Ludwig Förster und Stache nur auf Ablehnung. Erst der 1869 aus Zürich nach Wien berufene Norddeutsche Gottfried Semper konnte mit seinem großartigen Projekt des „Kaiserforums" dem

Blick aus dem Zuschauerraum gegen die Bühne des alten Burgtheaters

Herrscher auch den Burgtheater-Neubau schmackhaft machen, der damals allerdings, wie bei allen früheren Vorschlägen, im Verband der Hofburg entstehen sollte.

Das Burgtheater-Projekt stand vom Anfang an unter keinem guten Stern. Zunächst konnte das Kaiserforum aus finanziellen Gründen nicht in der projektierten Form gebaut werden. Der zweite Hofburgflügel wurde eliminiert, und damit der vorgesehene Platz für das Theater. Dann verlegte Bürgermeister Cajetan Felder den Bauplatz für sein monumentales neues Rathaus vom Schottenring auf die freigegebenen Militärgründe am Franzensring. Die Trias Parlament-Rathaus-Universität erforderte dringend ein wirksames Gegengewicht, für das sich außer dem Burgtheater kein anderes Objekt anbot. Damit mußte die direkte Verbindung Theater-Hofburg – ausgerechnet jenes Moment, das dem Kaiser, den Schauspielern und dem Publikum seit jeher so wichtig war – aufgegeben werden.

Mehr aus Sachzwängen denn aus Planung wurde so aus dem vom Kaiser mehrmals gewünschten kleinen, intimen Theater ein Prunkbau. Die als Prunkbau gedachte, 1863 begonnene Staatsoper war schon fünf Jahre in Betrieb, als am 16. Dezember 1874 der erste Spatenstich für das Burgtheater erfolgte.

Der Bau ging eher lustlos voran. Das lag vor allem daran, daß sich die beiden Architekten überwarfen. Der kühle, verschlossene, berühmte Norddeutsche Semper und der wesentlich jüngere, ehrgeizige und impulsive Wiener Hasenauer, der eben erst als „Chefarchitekt der Weltausstellung 1873“ und Erbauer der Prater-Rotunde zu Ehren und Adel gekommen und einigermaßen überheblich geworden war, hatten unvereinbare Temperamente und konträre künstlerische Ambitionen.

Sempers Entwurf hatte ein eher nüchtern-sachliches Amphitheater vorgesehen, das allerdings auf Wunsch des Hofes in ein Logentheater umgewandelt werden mußte. Hasenauer war mehr dem Dekorativen als der reinen Architektur zugeneigt. Semper zog sich 1876 aus Gesundheitsrücksichten nach Rom zurück, wo er drei Jahre später starb. Unter Hasenauers Alleinherrschaft wurden entscheidende Baufehler gemacht: die hochgezogene Decke bewirkte eine sehr schlechte Akustik; die merkwürdige Glocken- oder Lyraform (von den Wienern später schlicht „Haftel“ genannt) beraubte zahlreiche Sitzplätze völlig der Sicht auf die Bühne. Die vorwiegend weiße Innendekoration verlieh dem Zuschauerraum eine unterkühlte Atmosphäre – sogar die Logen waren weiß, und der Volksmund nannte sie später nur „Badekabinen“.

Nach dem Brand des Ringtheaters – 8. Dezember 1881 – wurden auch dem Burgtheater besondere Sicherheitsvorkehrungen vorgeschrieben. Damals wurden an der – der Winterreitschule zugewandten – Seite des Hauses eiserne Fluchtstiegen angebracht

Das Haus hatte freilich auch unbestreitbare Vorzüge: die imposanten Feststiegen, von Gustav und Ernst Klimt und Franz Matsch mit Gemälden ausgestaltet; die herrlichen Foyers, in denen die kostbare Schauspieler-Galerie untergebracht wurde; der überaus gelungene Übergang von Zuschauerraum und Bühne durch das marmorne Bühnenportal; der dekorative Hauptvorhang von Josef Fux, auf dem Charlotte Wolter als tragische, Katharina Schratt als heitere Muse, Josephine Wessely als Genius und Ludwig Gabillon als Schimmelreiter verewigt wurden. (Heinrich Fügers Vorhang aus dem alten Haus diente jetzt als Zwischenvorhang.)

Der Pracht der Wandelgänge entsprach die Außengestaltung: Carl Kundmann schuf die Attikafiguren von Apollo, Melpomene und Thalia, Rudolf Weyr den „Triumphzug des Bacchus und der Ariadne" auf dem Fries über den Haupteingängen. Liebe, Haß, Heroismus, Egoismus, Demut, Herrschsucht – Tugenden und Leidenschaften, die das Drama so sehr beherrschen wie das Leben, sind allegorische Darstellungen, die Johannes Benk für die Stirnseiten der Flügel schuf. Josef Gasser und Viktor Tilgner steuerten die Nischenfiguren an den Seitenfassaden bei: Prometheus, Genoveva, Hanswurst, Falstaff, Phaedra, der Richter von Zalamea. Von Tilgner sind auch die Kolossalbüsten der großen Dramatiker über den Fenstern des Mitteltraktes: Calderon, Shakespeare, Molière, Schiller, Goethe, Lessing, Grillparzer, Hebbel, daneben merkwürdigerweise auch der nur seinerzeit so hochgeschätzte Friedrich Halm und verschiedene Gestalten aus Dramen, alles Plastiken von Rudolf Weyr.

Letztlich hatte Hasenauer seine Energie doch nicht nur auf die dekorativen Elemente verschwendet. Er setzte durch, daß die gesamte Bühnen- und Zuschauerraumkonstruktion aus Eisen angefertigt wurde – ein Faktor, der nach 1945 für den Bestand des Burgtheaters von ausschlaggebender Bedeutung werden sollte – und er erreichte auch, daß von Anbeginn auf Gasbeleuchtung verzichtet und das damals neuartige elektrische Licht installiert wurde, wofür man in der nahen Schenkenstraße unter größten Schwierigkeiten eigens ein Dampfkraft-

BLICK GEGEN DIE BÜHNE
DES ALTEN BURGTHEATERS

Franz Matsch

„Die schauerlichen, verzerrten Köpfe über den Eingängen zum neuen Burgtheater mahnen nur zu sehr an eine unglückselige Katastrophe. – Wo bleibt der Schönheitssinn?" fragte die Zeitung „Der junge Kikeriki" nach der Fertigstellung des neuen Hauses am Ring, 1888

„WAS FEHLT NICHT ALLES IN DEM NEUEN BURGTHEATER . . ."

„. . . Wir brauchen ein Burgtheater, das Allen taugt, während wir heute, wie die allseitigen Wehklagen deutlich genug beweisen, ein Burgtheater besitzen, das keinen Menschen befriedigt.

Nicht das Publicum und nicht den Schauspieler. Diesen am allerwenigsten. Damit es seine Kunst fördere und ihr diene, hat man das schöne Haus aufgerichtet, und dieses wirkt geradezu zerstörend auf die Schauspielkunst.

. . . Was fehlt nicht Alles in dem neuen Burgtheater! Zwei Treppen besitzt es, eine Pracht! Kaum ein zweites Schauspielhaus kann sich einer so großherrlichen Raumverschwendung berühmen. Dafür gebricht es im Bühnenhause an den unerläßlichsten Nebenräumen. Von besonderen Zimmern für Maschinenmeister, Ingenieur, Regisseur, Arzt, wie sie heute in jedem größeren Neutheater anzutreffen sind, ist hier keine Rede. Einen Probesaal gibt es nicht. Leseproben müssen in einem zum Zuschauerraume gehörigen Seitenlocal, hoch oben in einer verwunschenen Ecke des vierten Stockes, abgehalten werden, und den Director, der doch wahrhaftig in eine Kanzlei auf oder hart neben der Bühne gehört, haben sie über einer der beiden Treppenzufahrten in einem, übrigens sehr gemütlichen Kämmerchen untergebracht, so daß er eine Reise über die Straße, um das Haus herum machen muß, um auf die Bühne zu gelangen.

. . . Ein wahres Glück wäre es, wenn unsere Burgtheater-Frage höherenorts vom rein künstlerischen Standpunkte ins Auge gefaßt würde, vom Standpunkte der dramatischen Kunst meinen wir. Es handelt sich wahrhaftig um etwas mehr, als bloß um die Auferweckung einer Anzahl todter Logen – die Zukunft der Wiener Schauspielkunst steht auf dem Spiele, ein Stück davon wenigstens; ihr bestes und edelstes Glied ist seit Jahren beständiger Gefahr ausgesetzt. Es gilt, die Kunst des Burgtheaters zu retten, die in einem ihr ungesunden Hause hinsiecht. Das Schlimmste ist ja nicht einmal, daß es ihr schlecht und schlechter geht, sondern daß sich im Publicum der Blick für dieses Siechthum abstumpft."

Aus „Neue Freie Presse", 18. März 1897

werk errichten mußte. Eine erstaunlich moderne Beheizungs- und Belüftungsanlage wurde zwar zu spät und daher kostensteigernd, aber immerhin eingerichtet.

Die Eröffnung des neuen Burgtheaters sollte planmäßig 1882 erfolgen. Aber erst sechs Jahre später stand man erstmals vor dem feenhaft erleuchteten Haus und war hingerissen von all der Pracht; staunend und bewundernd ging man durch die Foyers, über die Feststiegen. Die Enttäuschung folgte auf dem Fuß: Man sah schlecht, man hörte schlecht, man vermißte die Ambience, fühlte sich in dem großen und übermäßig hohen Haus verloren. Die Schauspieler waren verzweifelt; sie wußten schon von den Proben her, daß ihre Stimmen nicht über die Rampe kamen. Sie waren, wie auch Gabillon seinem Tagebuch anvertraute, ohnehin nur ungern übersiedelt: „Es ist merkwürdig, wie teilnahmslos die Schauspieler der Eröffnung des neuen Hauses entgegensehen." Und darnach: „Niemand hat's gefreut. Das Haus hat laufend Mängel. Also hinein ins Fegefeuer. Ob wir später in den Himmel oder in die Hölle kommen, wissen die Götter. Sie mögen uns gnädig sein!"

Die Kritik an Hasenauers Bau setzte sofort ein und wurde mit den Jahren immer heftiger. In der „Neuen Freien Presse" schoß Speidel aus allen Rohren: „Freies Sprechen ist hier unmöglich geworden. Wo aber das Wort, dieses Kleinod des Burgtheaters, sich nicht mehr geltend machen kann, da ist das Burgtheater zuende!" Die Abonnenten der sichtbehinderten Logen gaben auf. Die Vierte Galerie tobte, wenn sie nichts hörte.

Ein für uns ungewohnter Blick auf das neue Burgtheater über die verkehrlose Ringstraße

1897 schloß man das Theater ein halbes Jahr lang. Unter hohen Kosten senkte man die Decke ab, gestaltete die Lyra zu einem Hufeisen um, verkürzte die Logenzwischenwände, gab dem Raum Farbe und Stimmung, konstruierte die Ventilation neu, die nicht nur zu laut war, sondern manchmal auch Sturmwinde über die Besucher fegen ließ. Bernhard Baumeister pflegte dann den Finger hochzuhalten und mit Kennermiene festzustellen: „Ah, guter Segelwind, heute!" Die wichtige Vierte Galerie wurde neugestaltet.

Nach der Wiedereröffnung akzeptierten dann nicht nur das Publikum, sondern auch die großen Alten unter den Schauspielern das Haus. Wenn es auch nicht mehr das kaiserliche Haus- und Hoftheater an der Burg war, so gewöhnte man sich an das neue, in dem langsam wieder Atmosphäre entstand.

Als am 12. März 1945, ein knappes halbes Jahrhundert nach der entscheidenden Renovierung, Fliegerbomben den rückwärtigen Bühnenraum zerstörten, drei Wochen später Artillerie das Prunkstiegenhaus an der Volksgartenseite schwer beschädigte und am 12. April – niemand weiß wieso – ein verheerender Brand ausbrach, der den Zuschauerraum und die Vorderbühne in Schutt und Asche legte, wurde der Verlust ebenso schmerzlich empfunden wie seinerzeit die Demolierung des alten Hauses.

Der Brand konnte nicht gelöscht werden, weil die Feuerwehr abkommandiert worden war. Das sollte sich später als großes Glück erweisen. Die Eisenkonstruktion Hasenauers hatte nämlich Zeit gehabt, langsam abzukühlen und blieb verwendungsfähig. Professor Michael Engelhart, neben Professor Otto Niedermoser und Professor Oswald Haerdtl einer der Preisträger des 1948 ausgeschriebenen Ideenwettbewerbs für die Neugestaltung des Burgtheaters, hatte die vorhandene Konstruktion in seinen Plan einbezogen und wieder ein Logentheater projektiert; ihm wurde schließlich der Wiederaufbau überantwortet. Die Ausschreibung hatte neben der möglichst unveränderten Erhaltung der intakten Bauteile lediglich eine der modernen Theatertechnik entsprechende Gestaltung des Zuschauerraumes, der Pausenräume und makellose akustische und Sichtverhältnisse gefordert, sehr zur Unzufriedenheit mancher Kreise, die das Burgtheater am liebsten abgebrochen und durch einen Neubau an irgendeiner anderen Stelle ersetzt haben wollten. Während über die Entwürfe Engelharts und anderer noch jahrelang debattiert wurde, war man nach den Aufräumungsarbeiten 1945/46 an die Instandsetzung der Fassaden, der vorhandenen Dächer, der Fenster und Türen gegangen. Die Arbeiten, die nur nach Maßgabe der vorhandenen Kredite durchgeführt werden konnten, gingen sehr langsam voran.

Nach einem dringenden Appell der Burgschauspieler an die Regierung setzte 1952 der eigentliche Wiederaufbau ein, wurde aber aus Geldmangel – die Staatsoper genoß Vorrang – immer wieder verschleppt. 1954 urgierte auch die Bühnengewerkschaft energisch, zuletzt trieb Burgtheaterdirektor Adolf Rott mit unverwüstlicher Energie den Bau voran, der 1955, zehn Jahre nach dem Brand, endlich fertiggestellt war.

Das Haus präsentierte sich außen völlig unverändert. Der

Am 12. März 1945 zerstörten Fliegerbomben den Bühnenraum. Ein aus ungeklärten Gründen ausgebrochener Brand verheerte genau einen Monat danach Zuschauerraum und Bühne . . .

Zuschauerraum hatte einige Änderungen erfahren: die einstige Hoffestloge wurde durch den ersten Mittelrang ersetzt, der von zwei hohen, kleineren Festlogen begrenzt wird – eine Forderung der Koalitionsregierung, die von den Wienern mit der Bezeichnung „Proporzlogen" quittiert wurde. Die Logenbrüstungen sind schlichter als vordem und von unnötigem Zierart befreit.

Das vor Professor Otto Niedermoser gestaltete Proszenium ist freilich wesentlich sachlich-nüchterner geworden. Die Decke senkt sich jetzt gegen die Bühne zu um nahezu sechs Meter und bürgt für hervorragende Akustik. Die gewohnten Farben Weiß, Gold und Rot sind geblieben, der Doppeladler ist verschwunden. Was die moderne Bühnentechnik an Errungenschaften anzubieten hatte, wurde eingebaut. Die verhältnismäßig geringen Veränderungen befremdeten nur vorübergehend. Dem Publikum war das Haus sehr schnell vertraut; heute, nach mehr als zwanzig Jahren, erinnert man sich kaum mehr daran, daß es jemals anders ausgesehen hat.

Das „neue Haus“ (1888-1945)

EINZUG DER GEGENWART

Die Eröffnung des neuen Burgtheaters bedeutet zugleich den glanzvollen Abschluß der Ringstraße mit ihren Monumentalbauten, ihren Parks, ihren Gründerzeitpalais. Mehr als fünfundzwanzig Jahre waren nun seit Beginn der Arbeiten vergangen.

Der ersten Eingemeindung der Vorstädte, der Bezirke 2 bis 9, folgte 1890 die Eingliederung der Bezirke 11 bis 19. Wien war damit zu einer Großstadt mit nahezu 1,4 Millionen Einwohnern geworden.

Das Bürgertum hatte sich einen glanzvollen Rahmen geschaffen, „es schmeichelt ihm, der neue Herr zu sein“, sagt Hermann Bahr, „es etabliert sich die Herrschaft des Behaglichen. Die Vorbedingung, der Erwerb, wird zur Hauptsache des Lebens, das Leben selbst aber wird zur Gefahr, die der Kluge flieht, denn es ist ‚unersprießlich‘ “. In dieser kaum eroberten Macht wird es auch sofort bedroht: von außen durch das erwachende Proletariat, von innen durch die Hervorbringung jenes Mittelstandstypus, der, unstet und rastlos zwischen Geschäften und Vergnügen hin- und hereilend, von gierigem Lebensgenuß in Weltuntergangsstimmung fallend, jene merkwürdige Atmosphäre des „Fin de siècle“ schafft, die Schnitzler in seinem Werk gültig festgehalten hat.

Typisch für diese Zeit ist auch die Hochblüte sogenannter „Etablissements“, der Revue- und Varietétheater, die überall in Europa entstehen. Paris hat seine Folies Bergère, sein Moulin Rouge, Berlin sein Metropoltheater, Wien erhält 1888 sein Ronacher, dessen Chef berühmten Varietéstars die höchsten Gagen der Welt – 3000 Gulden für einen einmonatigen Auftritt – zahlen kann.

Die „Goldene Zeit“ der Operette ist angebrochen, Suppé, Millöcker und Johann Strauß-Sohn feiern Triumphe. Zur gleichen Zeit schreibt Bruckner im Belvedere seine großen Symphonien, schaffen Johannes Brahms, Hugo Wolf, Gustav Mahler und Gustav Klimt in Wien. Die Wiener Medizinische Schule mit Billroth an der Spitze ist weltbekannt, das Wienerlied erlebt mit den Brüdern Schrammel eine große Renaissance.

1888 gründet Dr. Karl Lueger die Christlichsoziale Partei; ein Jahr danach wird in Österreich die Sozialdemokratische Arbeiterpartei ins Leben gerufen; in dasselbe Jahr fällt der Selbstmord des Kronprinzen Rudolf auf Schloß Mayerling und die Geburt Adolf Hitlers.

In Wien entsteht fast über Nacht die Gruppe „Jung-Wien“ mit Arthur Schnitzler, Hermann Bahr, Richard Beer-Hoffmann, Peter Altenberg und Hugo von Hofmannsthal, in der, nach Stefan Zweig, „die spezifisch österreichische Kultur durch eine Verfeinerung der Kunstmittel zum erstenmal europäischen Ausdruck fand“, von denen besonders Schnitzler, „geschult an der Psychoanalyse Freuds sowohl wie an der Gesprächskultur des Burgtheaters“, wie Josef Nadler schreibt, sehr bald mit seinen kultivierten Diagnosen des menschlichen Seelen- und Trieblebens, mit seinen großartigen „kleinen Seelenbildern“ für das Burgtheater von größter Bedeutung werden wird.

Im Burgtheater kämpft man indessen abseits der Welt- und Zeitgeschichte einen Theaterkampf. „Man vergegenwärtige sich die Lage einer Bühne“, klagt Alfred Baron Berger, der artistische Sekretär Sonnenthals, in einem Brief, „einer Bühne mit einem stehenden Repertoire von mehr als 120 Stücken, von welchen plötzlich keines ohne Probe – und viele davon beanspruchten im neuen Hause fünf bis zehn und noch mehr Proben – gegeben werden kann“.

Das ist eine Kraftprobe für das Ensemble, das durch Jahrzehnte hindurch daran gewöhnt und dazu verpflichtet gewesen war, jederzeit jede Rolle eines Repertoires ohne Probe auch dann zu spielen, wenn das Stück mehrere Jahre „gelegen“ hatte.

Dazu kommt die Schwierigkeit, daß vor allem die Konversationsstücke, die im intimen, alten Haus so sehr gewirkt hatten, nur zum geringen Teil in den neuen, großen Rahmen zu verpflanzen waren. Man sieht sich vor die Notwendigkeit gestellt, neben den Klassikern ein neues Repertoire moderner Literatur aufzubauen.

Sonnenthal hat nie ein Hehl daraus gemacht, daß er das Direktionsprovisorium so rasch wie möglich beenden und sich wieder ganz dem Spielen und der Regie widmen wollte. Nach

Wohl prangt das neue Heim, das uns empfängt,
Durch kaiserliche Gnade uns bereitet,
Mit allen Wundern hoher Kunst geschmückt,
Versehn mit allem, was der Mensch ersann,
Des Dichters kühnste Träume zu verkörpern;
Und dennoch klopft in Wehmut mir das Herz,
Und wie ein Mann, der, von der Heimat scheidend,
Sich eine Scholle Heimaterde mitnimmt,
um einst sein Haupt darauf zu betten, möcht' ich
Von diesen Brettern hier, die nicht nur euch,
Die uns die Welt bedeuten, einen Splitter
Fromm mit mir nehmen, daß er uns bewahre
Das Angedenken an die schönen Jahre,
Die ruhmvoll große Zeit, da unsre Kunst,
Ein Kind des Hauses, unter einem Dach
Mit Östreichs Kaiserkrone durfte wohnen!
Und keiner ist in dieser ganzen Schar,
Dem nicht dies alte, graue, düstre Haus
Verbunden ist mit seinen sonnenhellsten
Erinnerungen, seinen höchsten Stunden;
An diesem Hause hängen alle Herzen,
Wie man mit allen Fehlern und Gebrechen
Das eigne Leben liebt, sich selbst liebt,
Und drum ist dies ein Abschied für uns alle
Wie von der Jugend, wie vom Vaterhaus!

Wilbrandts Abgang aber hat das sonst so notorische Nachfolgespiel nur sehr zögernd eingesetzt. Baron Berger schreckte, wie er selbst eingestand, vor den großen Schwierigkeiten zurück. Der Bremer Professor Heinrich Bulthaupt, ein profilierter Bühnenfachmann, der Theorie und Praxis des Theaters gleichermaßen beherrschte, wurde höheren Orts gerade deshalb abgelehnt, „weil er als Norddeutscher die Wiener Verhältnisse nicht kennen könne" – ein Argument, das weder bei Heinrich Laube noch bei Franz von Dingelstedt gebraucht worden war und auch in Zukunft bei Schlenther, Heine und vielen anderen nicht ins Treffen geführt wurde.

Adolf von Sonnenthal wird wieder, wie bei Wilbrandt, zum Königsmacher: „Man hört auf mich", schreibt er schon im Mai 1887 an August Förster, „man wird an Dich herantreten ... Verhaltensmaßregeln bedarf es Dir gegenüber nicht – Du kennst Wien, Du kennst das Burgtheater!"

Dr. August Förster (1888–1889) kennt die Burg tatsächlich. Wie Laube und Dingelstedt zunächst Theologiestudent, dann Philologe, dissertiert er in Jena über die Bedeutung Lessings für die Einführung Shakespeares auf der Bühne, wird von der

Und, tief erschüttert, seh' ich um mich her
Die großen Meister unsrer Bühne stehn,
Mit deren Namen lange schon die Welt
Das Höchste nennt, was unsre Kunst vermag,
Die Tausende beglückt in diesen Räumen,
Die unsre Ehrfurcht, unsre Liebe hatten –
Sie treten still und ernst in unsern Kreis
Und winken uns ein letztes Lebewohl!
O, geht nicht von uns! Bleibt nicht hier zurück!
Nein, wie die Götter eines Volks, das mutig
Die alte Heimat läßt um eine neue,
So schwebet uns voran zum neuen Tempel,
Und lächelt, wenn wir dort den Einzug halten,
Von seinen Marmorzinnen auf uns nieder!
Wir alle fühlen's tief in dieser Stunde:
Nicht tote Steine sind das Burgtheater,
Nur in den Geistern hat es seine Wohnung!
Es lebt in euch, ihr Hohen, ihr Verklärten,
Es lebt in eurem Erbe, das wir hüten
Getreu in unsrer Herzen tiefstem Schrein,
Es lebt in unsrem Wollen, unsrem Können,
Es lebt in unsrem heiligen Entschluß,
Den Stolz der Wiener, unsern alten Ruhm,
Mit starken Armen treu emporzuhalten
Hoch überm Strome der Vergänglichkeit!

Aus dem Epilog zur letzten Vorstellung
im alten k. k. Hofburgtheater
von Alfred Freiherr von Berger

K. K. Hof- Burgtheater.

Sonntag den 14. Oktober 1888.

Eröffnungs-Vorstellung im neuen Hause.

(Außer dem Abonnement.)

Ouverture: „Die Weihe des Hauses" von Beethoven.

Scenischer Prolog

von Josef Weilen.

Der Geist des alten Burgtheaters	Hr. Sonnenthal.	Thalia	Frl. Hohenfels.
Der Genius der Poesie	Fr. Wolter.	Melpomene	Fr. Gabillon.

Zum Beschluße: Das gesammte Künstlerpersonale des k. k. Hofburgtheaters.

Esther

Drama (Fragment) in zwei Aufzügen von Grillparzer.

König	Hr. Sonnenthal.	Theres	Hr. Altmann.
Mardochai	Hr. Hallenstein.	Aridai	Hr. Kracher.
Esther	Frl. Barsescu.	Erster Höfling	Hr. Stätter.
Haman	Hr. Lewinsky.	Zweiter Höfling	Hr. Löwe.
Zares	Fr. Regro.	Dritter Höfling	Hr. Bayer.
Bigthan	Hr. Arnau.	Ein Hauptmann	Hr. Reimers.

Wallensteins Lager

Dramatisches Gedicht in einem Aufzug von Schiller.

Wachtmeister, Trompeter von einem Terzky'schen Carabinierregiment	Hr. Gabillon.	Uhlan	Hr. Rüden.
	Hr. Kracher.	Rekrut	Hr. Thimig.
Constabler	Hr. Bayer.	Bürger	Hr. Altmann.
Scharfschützen	Hr. Stätter.	Bauer	Hr. Arnsburg.
	Hr. Fiala.	Bauernknabe	Frl. Kallina.
Holkische reitende Jäger	Hr. Hartmann.	Kapuziner	Hr. Baumeister.
	Hr. Devrient.	Soldatenschulmeister	Hr. Bleibtreu.
Buttlerischer Dragoner	Hr. Reimers.	Marketenderin	Fr. Kratz.
Arkebusiere vom Regimente Tiefenbach	Hr. Rötel.	Aufwärterin	Fr. Wagner.
	Hr. Adam.	Soldatenjunge	Emilie Bella.
Kürassier von einem wallonischen Regiment	Hr. Hallenstein.		
Kürassier von einem lombardischen Regiment	Hr. Dürer.		
Croat	Hr. Sommer.		

Prager Musikanten, Landleute, Soldatenkinder, Soldaten.

Ort der Handlung: Vor der Stadt Pilsen in Böhmen.

Zwischen dem Scenischen Prolog und „Esther" eine Pause von 20 Minuten.

Der freie Eintritt ist heute ohne Ausnahme aufgehoben.

Montag 15. Prolog. Esther. Wallensteins Lager.
Dinstag 16. Esther. Wallensteins Lager.
Mittwoch 17. Esther. Wallensteins Lager.

Donnerstag den 18. Oktober 1888.
(Der Aushilfskasse des hiesigen k. k. Invalidenhauses ist ein Theil des Ertrages gewidmet.)
(Außer dem Abonnement.)

Götz von Berlichingen

Schauspiel in fünf Akten von Goethe.

Die P. T. Abonnenten, welche ihre Logen für diese Vorstellung zu behalten gesonnen sind, werden ersucht, die Hof-Burgtheaterkassa spätestens bis Dinstag den 16. d. M., Nachmittags 5 Uhr, in Kenntniß zu setzen.

Freitag 19. Magnetische Kuren.
Samstag 20. Magnetische Kuren.
Sonntag 21. Götz von Berlichingen.
Montag 22. Ein Glas Wasser.
Dinstag 23. Ein Glas Wasser.

Preise der Plätze:

Eine Loge im Parterre, 1. oder 2. Rang	75 fl.	Ein Sitz im Parquet 5. bis 9. Reihe	14 fl.	Ein Sitz auf der 3. Galerie 5. bis 7. Reihe	3 fl.
Ein Logensitz in diesen drei Rängen	25 fl.	Ein Sitz im Parquet 10. bis 13. Reihe	12 fl.	Ein Sitz auf der 4. Galerie 1. Reihe	5 fl.
Eine Loge im dritten Stock	36 fl.	Ein Sitz im Parterre 1. Reihe	12 fl.	Ein Sitz auf der 4. Galerie 2 bis 6. Reihe	3 fl.
Ein Logensitz im dritten Stock	12 fl.	Ein Sitz im Parterre 2. bis 5. Reihe	10 fl.	Ein Sitz auf der 4. Galerie 7. bis 9. Reihe	2 fl.
Ein Sitz im Parquet 1. Reihe	20 fl.	Ein Sitz auf der 3. Galerie 1. Reihe	8 fl.	Eintritt in das Stehparterre (nur Herren gestattet)	2 fl.
Ein Sitz im Parquet 2. bis 4. Reihe	16 fl.	Ein Sitz auf der 3. Galerie 2. bis 4. Reihe	6 fl.	Eintritt in die 4. Galerie (Stehplatz)	1 fl.

Zu der übermorgigen außer Abonnement stattfindenden Vorstellung wird den betreffenden P. T. Abonnenten des Hofburgtheaters das Vorkaufsrecht für ihre Logen bis heute 5 Uhr Nachmittags eingeräumt.

Kassa-Eröffnung 6 Uhr. Anfang 7 Uhr. Ende nach 10 Uhr.

Linke Seite: Theaterzettel der letzten Aufführung im alten Haus auf dem Michaelerplatz, 12. Oktober 1888
Rechts: Theaterzettel der Eröffnungsvorstellung im neuen Haus am Ring, 14. Oktober 1888

Dr. August Förster,
Burgtheaterdirektor 1888–1889

Dr. Max Eugen Burckhard,
Burgtheaterdirektor 1890–1898

Auguste Wilbrandt-Baudius, Ehefrau von Adolf
von Wilbrandt, wirkte 56 Jahre lang am Burgtheater

Theaterleidenschaft erfaßt, spielt in Posen und Bromberg den Faust, den Posa, den Karl Moor, gastiert 1855 am Burgtheater und wird, obgleich hier erfolglos, von Laube 1858 engagiert.

Laube zieht ihn mehr und mehr als seine rechte Hand in der Bühnenleitung heran und macht ihn, Sonnenthals und Lewinskys ältere Rechte übergehend, zum Regisseur. Als solcher wird er zum „alter ego“ Laubes, zur unentbehrlichen Stütze Halms und Dingelstedts, bis er nach achtzehnjährigen Burgtheatertätigkeit als Theaterdirektor nach Leipzig geht. Doch auch dort denkt er mehr an die Burg – gibt er doch seine größte Bühnenhoffnung, Josephine Wessely, sofort für Wien frei. Von Heimweh getrieben, bietet er sich Wilbrandt wieder als rechte Hand an, wird liebenswürdig, aber unmißverständlich abgewiesen, gründet mit Barney, Friedrich Haase, Possart und anderen das Deutsche Theater in Berlin, führt es zu raschem Aufschwung und läßt es sofort in Stich, als ihn endlich der Ruf an die Burg erreicht. Seine großen Pläne, das klassische Repertoire in mustergültigen Inszenierungen neu aufzubauen und die Burg mit der modernsten Literatur in die neue Zeit hinüberzuleiten, kann er nicht erfüllen. Im Dezember 1889 stirbt er unerwartet. Sonnenthal muß erneut die provisorische Leitung übernehmen.

Fünf Monate später steht plötzlich ein neuer Direktor fest, dessen Wahl so verblüffend ist, daß selbst die Kritik erst einmal tief Atem holen muß, ehe sie mit vollen Salven gegen ihn losschießt: Dr. Max Eugen Burckhard (1890–1898), Ministerialsekretär im Unterrichtsministerium und Dozent für Privatrecht an der Universität Wien. Burckhard hatte sich mit einer überaus liberalen Schulreform, die zu modifizieren er sich energisch weigerte, äußerst mißliebig gemacht und sollte aus dem Ministerium abgeschoben werden. Die Fama will wissen, daß der Unterrichtsminister den Generalintendanten der k. k. Hoftheater, Josef Freiherr von Bezecny, der merkwürdigerweise auch noch Gouverneur der Bodencreditanstalt war, beim Kegelschieben gebeten haben soll, Burckhard in die Creditanstalt zu übernehmen, und daß Bezecny, mehr in das Spiel als in das Gespräch vertieft, die Bitte des Ministers mißverstand und ihn in die Burgtheaterdirektion abschob.

Das Ensemble sieht sich plötzlich einem Direktor gegenüber, der vom Theater im allgemeinen und von der Burg im besonderen nicht das geringste versteht, der bis dahin keine Kontakte zu Schauspielern hatte, dem Regie ein Fremdwort ist und von dem Hermann Bahr behauptete, er sei in seinem ganzen bisherigen Leben überhaupt erst siebenmal im Burgtheater gesessen. Die Animosität gegen ihn ist anfangs allgemein: die Schauspieler revoltieren – es gibt eine Hohenfels-Krise, eine Robert-Krise, eine Wolter-Krise. Und der Kritiker Ludwig Speidel schlägt vor, ein zweites „echtes altes Burgtheater" ins Leben zu rufen.

Doch Burckhard ist ein genialer Außenseiter, der sich anschickt, mit einer Energie, die an Eigensinn grenzt, mit einer Vorurteilslosigkeit, die gute, alte Tradition mißachtet, mit einer Reformfreudigkeit, die häufig über das Ziel schießt, das Burgtheater zu modernisieren. Binnen weniger Jahre streicht er das französische Schauspiel mit seinen für die Darsteller so dankbaren Rollen bis auf ein Minimum aus dem Repertoire; er behält Hebbel, Grillparzer, Dingelstedts Shakespeare-Inszenierungen, legt aber das Hauptgewicht auf Ibsen, den er mit „Stützen der Gesellschaft", „Volksfeind", „Wildente", „Kronprätendenten", dem „Fest auf Solhaug" und „Klein-Eyolf" gleich sechsfach auf die Bühne bringt. Zur Premiere des „Kronprätendenten" 1891 ist Henrik Ibsen in Wien. Er besucht vorher eine Probe, verläßt sie aber schon nach einer Stunde und verursacht damit eine kleine Panik unter den verwirrten Schauspielern, weil sie glauben, vor dem strengen Auge des Dichters nicht bestanden zu haben. Die Premiere ist ein großer Erfolg, und Ibsen wird vom Publikum stürmisch vor den Vorhang gerufen. Beim Premierenbankett soll er außer einigen Dankesworten angeblich überhaupt nichts gesprochen haben. Dafür muß er sich gefallen lassen, daß Gabillon, der von Ibsens Dramen nicht viel hält, dem Dichter einen ganzen Abend lang seine Werke zu erklären versucht. Ibsen quittiert übrigens auch die Aufführungen seines „Volksfeind" und der „Wildente" mit Schweigen. Nur Mitterwurzers Glanzleistung als Hjalmar Ekdal wird von ihm mit Worten höchster Anerkennung bedankt.

Gerhart Hauptmann ist mit „College Crampton", „Hanneles Himmelfahrt", der „Versunkenen Glocke" und den „Einsamen Menschen", Sudermann mit „Schmetterlingsschlacht", „Glück im Winkel" und „Morituri" unter den 83 Novitäten vertreten, die Burckhards Ära verzeichnet. Den „germanischen Trend", den man ihm vorwirft, gleicht er dadurch aus, daß er

JOSEPHINE WESSELY (1860–1887)

Auf dem Schminktisch von Paula Wessely, in ihrer Burgtheatergarderobe, steht ein Bild von der „Tant' Josefin", wie die Paula sie nennt.

„Die Tant' " ist eine starke Persönlichkeit, die mit der außerordentlich liebenswürdigen Mischung von Sentimentalität und Humor, die die Wienerin überhaupt auszeichnet, wie Rudolf Lothar sagt, sowohl die ideale Sentimentale wie den lustig-frischen Backfisch im Lustspiel verkörpert. Die Wessely hat ihre kurzen Lehrjahre bei August Förster in Leipzig verbracht. „Endlich wieder ein Gemüt, beinahe ein Temperament", ruft ihr Dingelstedt schon während der ersten Probe zu, und er ist so überwältigt, daß er Förster in einem überschwenglichen Brief dankt: „Ihnen gebührt als Förderer dieses echten, schönen, seltenen Talentes der Dank des deutschen Theaters, und mehr als der Dank, die Erkenntlichkeit des Burgtheaters, dem sie den Besitz dieses seltenen Talentes nicht nur gegönnt, sondern zugewendet haben; sich selbst und zahlreiche Bewerber zurücksetzend!" Man bejubelte ihre Luise, ihr Klärchen, ihr Gretchen, ihre Emilia Galotti; neben Faust/Sonnenthal und Mephisto/Lewinsky macht sie als Gretchen einen unvergeßlichen Eindruck auf Kritik und Zuschauer: „Das harmonischste Gretchen, das wir je besessen haben!"

Friedrich Mitterwurzer als König Philipp in Schillers „Don Carlos". Premiere war am 6. Februar 1879, den Infanten gab Josef Krastel, Posa war Emmerich Robert, die Eboli Charlotte Wolter

Anzengrubers „Meineidbauer" burgtheaterfähig macht und zwei junge Österreicher erstaufführt, die seinerzeit für gleichwertig gehalten werden: Leo Ebermann mit der „Athenerin" (den Irrtum, Ebermann für den Nachfolger Grillparzers zu halten, teilt er übrigens mit der gesamten Kritik), und Arthur Schnitzler mit „Liebelei", die, mit Sonnenthal als Weiring, Adele Sandrock als Christine und Mitterwurzer als „fremder Herr", zur denkwürdigsten Aufführung der Ära Burckhard wird.

Obwohl er beabsichtigt, mit seiner Arbeit an Laube anzuschließen, fehlt ihm die wichtigste Voraussetzung dazu: er ist kein Regisseur, er kümmert sich nicht um das Bühnenbild, sondern beläßt im großen und ganzen Dingelstedts Stil, er hat wenig Sinn für das Ensembletheater und keine Theaternase für junge Talente. So sucht er – im diametralen Gegensatz zu Laube – bereits arrivierte Schauspieler; er holt als Wolter-Nachfolgerin Adele Sandrock (1895–1898) vom Deutschen Volkstheater, die auch an der Burg als Maria Stuart Furore macht, als Star gehätschelt wird und sich dennoch ständig zurückgesetzt fühlt, obwohl Burckhard jede mögliche Rücksicht auf ihr reizbares Temperament nimmt. Nach drei Jahren fordert sie – mehr als Kraftprobe – ihre sofortige Entlassung. Ähnlich reagiert Ferdinand Bonn (1891–1896), den Burckhard vom Münchner Hoftheater nach Wien gebracht hat; Bonn erregte mit seinen überaus realistischen, damals modernen Darstellungen des Hamlet und des Franz Moor teils Begeisterung, teils entsetzte Ablehnung. Wie die Sandrock provoziert er seinen Abgang. Beide versuchen in reiferen, ruhigeren Jahren wiederholt, ans Burgtheater zurückkehren zu dürfen, und beiden wird es trotz Majestätsgesuchen versagt. In dieser Hinsicht waren die Sitten zu jener Zeit sehr streng; nur Sophie Schröder und Friedrich Mitterwurzer ist die temporäre Untreue verziehen worden.

Auch mit anderen Prominenten – Maria Pospischill vom Berliner Deutschen Theater, Victor Kutschera vom Volkstheater, mit der schönen „Sentimentalen" Elisabeth Hruby, die in der Burg nicht ankommen, mit den Naiven Margarethe Kramm und Ottilie Metzl, die beide weggeheiratet werden, hat Burckhard kein Glück. Die jungen Talente, die für die Zukunft von großer Bedeutung werden, hat Alexander Strakosch – der Rhetoriklehrer der Hofschauspieler – für den Direktor entdeckt: Hedwig Bleibtreu, Lotte Medelsky, Lotte Witt, Karl von Zeska und Otto Tressler. Von den sogenannten „Arrivierten" bleibt nur Josef Moser, als hervorragender Episodist, vierzig Jahre an der Burg.

Der große Coup in den Engagements gelingt Burckhard 1894 mit der endgültigen Bindung Friedrich Mitterwurzers. Um ihn baut er nun sein ganzes Repertoire auf; auf ihn gestützt, will er dem modernen Schauspiel endgültig seinen Platz schaffen, den modernen, realistischen Stil auch in der Darstellung bekräftigen. Durch dieses Engagement erhofft sich der Direktor auch eine Konsolidierung der künstlerischen Kraft und ein neues, unmittelbares Verhältnis zu einem gewandelten Publikum.

Das Konzept bleibt nicht unwidersprochen; nach Mitterwurzers Berufung bricht ein Sturm gegen Burckhard los, der in dem Vorwurf gipfelt, er wolle den Ensemblegeist sprengen und das künstlerische Gleichgewicht stören. Viele Ensemblemitglieder fühlen sich unterbeschäftigt und vernachlässigt. Mitterwurzer selbst bittet immer wieder, nicht so häufig, nicht so prominent eingesetzt zu werden. Der große Stilbruch, der zweifellos eingetreten ist, wird noch Jahre später von Sonnenthal beklagt: „Der Faden der edlen alten Burgtheatertradition riß ungefähr zu Beginn der neunziger Jahre unwiederbringlich entzwei, und zwar nicht zufällig, nicht bedingt durch eine natürliche Entwicklung von Tatsachen, sondern absichtlich und gewaltsam. Man brach mit dieser Tradition, weil sich allmählich – durch das mächtige Hereinfluten der sogenannten realistisch-naturalistischen Richtung – die Überzeugung breitgemacht hatte, sie sei veraltet; man wies infolgedessen junge, aufstrebende Talente nicht mehr an ihre Vorbilder zurück, sondern lehrte sie im Gegenteil, es anders zu machen, da die ‚Alte Schule' sich überlebt habe, schon jetzt ein überwundener Standpunkt sei. – Ein verhängnisvoller Irrtum! – Die Entwicklung der edelsten Schauspielkunst bis zur höchsten Stufe ihrer

FRITZ KRASTEL (1839–1908)

Fritz Krastel, Mannheimer, hat Theologie studiert und ist über das Ballett zur Bühne gekommen. Laube hat in ihm seinen neuen strahlenden, jugendlichen Helden gefunden. Als Naturbursche übernahm er das Erbe Baumeisters, als Held jenes von Wagner. Frische, frohe, dreiste Jugend, Unbekümmertheit und loderndes Temperament verklären seinen Siegfried, seinen Max Piccolomini, den Grafen Wetter von Strahl, den Ferdinand in *Kabale und Liebe;* er war der Don Carlos seiner Zeit. „Er hat jenes unsagbare Etwas von Poesie und Idealität, das allen anderen Helden nachgerade abhanden zu kommen scheint", sagt Speidel. Und als Krastel schwer erkrankt, wartet ganz Wien ängstlich auf die täglichen Bulletins über seinen Zustand, die Zeitungen haben bereits überschwengliche Nekrologe vorbereitet, die Damenwelt trauert um ihren vergötterten Liebling: da steht Krastel eines Tages frisch und munter wieder auf und wird einer der besten Regisseure der Burg.

JOSEPH LEWINSKY (1835–1907)

Intriganten, Bösewichte, Heuchler, Tyrannen und Schurken jeder Couleur, das ist ein Rollenfach und die Grundlage für den großen Schauspieler. Franz Moor galt als seine unbedingte Glanzleistung. Er ist Laubes dankbarster und gelehrigster Schüler; getrieben vom „Dämon der unvergleichlichen Tüchtigkeit", wie Willi Handl über ihn sagt, analysiert und intellektualisiert er seine Rollen und besiegt kraft seiner bildnerischen Sprachgewalt seine kärglichen körperlichen Mittel. „Niemand in der Welt", sagt er von Laube, „weder vor noch nach ihm hätte den Mut gehabt, mich in Aufgaben ersten Ranges einem Publikum vorzuführen, das sein Sinnenbedürfnis vor allem befriedigt sehen will, das Gestalt und Stimme fordert und mit Recht fordert, denn auf Sinnlichkeit beruht alle Kunst in erster Linie." Trotzdem wird er zu einem der populärsten Schauspieler des Burgtheaters, weil er, der ohne wesentliche Schulbildung sich als Autodidakt zu einem echten Literaturkenner gebildet hat, immer versucht, das zu verwirklichen, was der Dichter mit der jeweiligen Rolle beabsichtigt hat. Lewinsky arbeitet bis zu seinem Lebensende in der richtigen Erkenntnis, daß sein Talent einer festen intellektuellen Stütze nicht entbehren kann, an seiner Bildung und wird zum ständigen Gast der Akademie der Wissenschaften. Er hat literarische Studien und Essays geschrieben, ist ein hervorragender Stilist, ebenso wie er ein hervorragender Rhetoriker ist. Seine Bedeutung liegt in der innigen Verbindung zwischen der Schauspielkunst und der Literatur. Dazu sagt er selbst: „Nach meinen Neigungen und meiner Einsicht feiert die darstellende Begabung nur dann den eigentlichen und edelsten Triumph, zeigt sich nur dann in ihrem hohen und wahren Wert, wenn sie sich in den Dienst eines echten Dichters stellt, wenn sich beide Künste ununterscheidbar verbinden." Darum ist für Lewinsky die Wiedergabe des Textes, das Wort, die Seele der Schauspielkunst. Er kann zwar auch rein mimisch wirken; so hat er noch in seinen letzten Jahren mit dem Stummen in der *Judith*, dem sich endlich das „Steiniget ihn!" von den Lippen ringt, eine erschütternde Wirkung erzielt. Sonst aber spricht er mehr, als er spielt (im Gegensatz zu Mitterwurzer, der in der Mimik seine Hauptstärke hat) und bescheidet sich oft mit ganz konventioneller Mimik, um seine Artikulation nicht zu stören. Er beschränkt sich in der Maske auf wenige Typen. Die finsteren Falten auf der Stirn und um den Mund müssen seinen Intriganten, seinen Diplomaten, seinen Greisen gleichermaßen als Maskenandeutung genügen, und niemand ist häufiger karikiert worden als Lewinsky in eben diesen Zügen. Sein Franz Moor, sein Richard III., sein Jago, sein Zanga und sein Mephistopheles haben sich rein äußerlich verhältnismäßig ähnlich gesehen, und nur die Kraft des Wortes hat sie zu formen gewußt. Lewinsky hat während seiner 50jährigen Burgtheaterzugehörigkeit mehr als 300 Rollen gespielt.

Vollkommenheit hatte – unbeschadet der alten Tradition – im Burgtheater niemals eine Hemmung erfahren. An keinem Theater der Welt wurde weniger nach der Schablone gespielt als hier, wo jeder große Schauspieler eine Persönlichkeit war, dessen ausgesprochene Individualität durch keine andere jemals vollkommen ersetzt werden konnte. Die Kunst selbst in ihrer höchsten Vollendung wurde eben als Vorbild genommen und der Inbegriff dieser Kunst immer wieder von den Alten auf die Jungen vererbt, in deren Eigenart sie dann stets in anderer, wechselvoller Gestalt wieder von neuem aufblühte. Mit dieser Vererbungstheorie wurde nun ganz jäh und plötzlich gebrochen."

Der Stilwandel war sicherlich nicht von Burckhard initiiert, wahrscheinlich aber unter ihm fühlbar geworden, und sein Konzept geht auf: die Kritik beginnt an ihn zu glauben. Als Mitterwurzer 1897 stirbt, wird die eminente Gefahr offenbar, die ein rund um einen einzigen Schauspieler aufgebautes Repertoire mit sich bringt. Burckhard selbst sieht sich und seine mühsam aufgebauten Pläne mit diesem Exponenten naturalistischer Schauspielkunst fallen.

Dem Eindruck eines unwiederbringlichen Verlustes kann sich auch die Generalintendanz nicht entziehen, die vordem für Mitterwurzer nicht allzuviel übrig gehabt hatte. Burckhard nützt seine Chance, das Engagement durchzusetzen, das ihm vorher verwehrt worden wäre: Josef Kainz. Um ganz sicherzugehen, schlägt er es nicht selbst vor, sondern bedient sich der Hilfe des alten Bernhard Baumeister, der den Theaterbehörden „den Tip Kainz" gibt.

Kainz gastiert noch im gleichen Jahr und erobert das Publikum mit seinem Hamlet im Sturm. Dennoch sind Burckhards Tage gezählt, obwohl er der Burg wieder ein festes Repertoire von rund 145 Stücken zurückerobert hatte, obwohl ihn die Presse mehrheitlich stützt, nicht zuletzt auch wegen der Einführung billiger Sonntagnachmittag-Vorstellungen, die er mit Arbeiterinstitutionen und Schulbehörden organisiert hat und die dem Burgtheater sehr zeitgemäß einen neuen Personenkreis erschließen, der um zehn Kreuzer für einen Galerieplatz

Regiesitzung im neuen Haus am Ring. Von links nach rechts: Emmerich Robert, Josef Lewinsky, Dr. Max Burckhard, Adolf von Sonnenthal (stehend), Ludwig Gabillon, Ernst Hartmann (stehend), Friedrich Krastel und Bernhard Baumeister. 15. September 1890

erstklassig besetzte Vorstellungen klassischer und moderner Werke erleben kann. Den Behörden ist er zu freidenkend, zu unkonventionell, und das Ensemble, das zwar eine organisatorische, aber keine künstlerische Autorität über sich fühlt, protestiert immer energischer gegen die Starpolitik. Selbst Burckhards Freund Hermann Bahr sagt: „Gute Schauspieler allein genügen noch nicht. Sie müssen auch gut spielen. Das kann der beste nicht ohne Hilfe der Partner. Das fehlt der Burg. Die Burg hat keinen Ton, die Burg hat keinen Stil . . ."

JOSEF KAINZ (1858–1910)

Wir saßen in einem Restaurant in Hollywood, es war Krieg, und immer wieder kamen neue Kollegen, Flüchtlinge, Emigranten aus Europa, nach Amerika. Eines Tages kam ein Schauspieler, der auch einmal am Burgtheater engagiert gewesen war. Ich nannte seinen Namen, und Fritz Kortner fragte verwundert, wer das sei. „Am Burgtheater?“ Er könne sich nicht an ihn erinnern, und da kenne er doch jeden. Er habe, meinte ich, im *Götz* den Franz gespielt. Ein kurzes Nachdenken, dann Kortner: „Da habe ich Pech gehabt, da habe ich den Kainz gesehen.“ Jeder hatte den Kainz gesehen oder von ihm gehört, jeder konnte von ihm erzählen, keiner konnte etwas Einschränkendes sagen. „Ja, der Kainz“, sagt Rosa Albach-Retty, „das war das Größte, das Modernste.“ Kainz war die Zäsur zwischen dem pathetischen und dem modernen Theaterspiel. Nicht nur am Burgtheater. Als Sohn eines österreichischen Bahnbeamten beginnt seine Karriere nicht sehr vielversprechend. Er beginnt auf einer Gasthausbühne, deren Darsteller für ihren Auftritt noch bezahlen mußten. Strakosch prüft ihn und schlägt ihn für das Burgtheater vor, aber das Burgtheater ist uninteressiert. Erfolgloses Gastspiel in Kassel, ein kaum befriedigendes Jahr in Marburg, und er geht nach Leipzig, reüssiert nicht, kommt zu den Meiningern: und nun beginnt es. Ernst Possart ruft ihn nach München, und der Bayernkönig Ludwig bringt ihm eine große, schwärmerische Freundschaft entgegen. Kainz muß nicht nur regelmäßig Privatvorstellungen für die Königsfamilie geben, bei denen niemand im Theater und selbst Ludwig in einer Loge versteckt ist, sondern er muß ihn auch auf seinen zahllosen Reisen begleiten. In der Schweiz kommt es zum Bruch, als der König Kainz zwingt, auf dem Rütli tagelang immer wieder die Rütli-Szene aus dem *Tell* zu spielen. Und nun ruft ihn l'Arronge an das Deutsche Theater in Berlin. Er ist der Don Carlos, der Romeo, der Prinz von Homburg, der Hamlet und der Küchenjunge Leon in *Weh dem der lügt*. „Hier werde ich nur zur Sprechmaschine“, sagt er damals und geht mit Barnay an dessen neugegründetes Berliner Theater, wo er erneut den Kontrakt bricht. Barnay erstattet Anzeige wegen Verdachtes der Fluchtgefahr, und Kainz wird vom Bühnenkartellverband gesperrt. 1891 bricht er zu einer großen Amerikareise auf, die so triumphal verläuft, daß l'Arronge aus dem Bühnenkartellverband austritt, nur um Kainz für sein Deutsches Theater wiederzugewinnen. Er spielt den Orest, den Franz Moor und den Alceste im *Misanthrop*. Als 1893 seine Frau stirbt, beginnt er sich immer mehr nach Wien zu sehnen. Burckhard ruft ihn 1897 zu einem längeren Gastspiel. Er hatte Kainz in Berlin in allen wichtigen Rollen gesehen und betrachtet ihn als den einzigen Schauspieler, der die Lücke, die Mitterwurzers Tod gerissen hatte, ausfüllen konnte. Kainz stellt überall, auch an der Burg, phantastische Gagenforderungen. Aber Burckhard macht es möglich. Im Herbst 1897 schreibt Kainz: „Ich sehe meinem Gastspiel mit großer Aufregung, aber mit riesiger Freude entgegen. Hoffentlich schlägt alles zum besten aus!” Kainz, dem der Ruf des verwöhnten Stars vorausgeht, ordnet sich in Wien bescheiden und zurückhaltend dem Burgtheaterensemble ein. Seine erste Rolle, der Ernesto in *Galeotto von Echegaray*, verläuft etwas enttäuschend. Sudermanns *Morituri* ist bereits ein Erfolg, und nach seinem Hamlet und König Alfons steht Wien buchstäblich kopf. Das zweite Gastspiel, 1898, mit Franz Moor, Leon und Romeo ist ein Triumph; vierzig Vorhänge! Kainz kommt nach Berlin zurück, um in einer Art Kainz-Revue nochmals vor wochenlang ausverkauftem Haus seine Glanzrollen darzustellen. Als er endgültig nach Wien übersiedelt, ist Burckhard nicht mehr Direktor. Schlenther, der Kainz in Berlin einmal fürchterlich verrissen hatte, gelingt die Versöhnung. Er setzt für Kainz die Ernennung zum Hofschauspieler durch und verlängert den Vertrag sofort auf zwölf Jahre. Kainz hat in Wien 28 Rollen gespielt. Er ist ein Tartuffe, unüberbietbar in seiner dummdreisten Häßlichkeit, ein ungeheuerlicher Orest, ein schillernder Fiesko. Er spielt den Mortimer, er macht den *Torquato Tasso* zum größten Erfolg der Schlenther-Ära. Er bearbeitet auch Stücke, den *Tollen Tag* von Beaumarchais oder Byrons *Kain*. Er führt auch Regie, allerdings immer anonym. Schlenther erfüllt Kainz jeden Wunsch, nur nicht den, ihn zum Regisseur zu ernennen; aus Sorge, ihn ganz als Schauspieler zu verlieren. „Zum Teufel mit der Gauklerei! Macht mich nur zum Regisseur, und ich bau Euch den ganzen Kasten hier neu auf.“ Und dennoch: auch dieser Wunsch wird erfüllt. Schlenthers Nachfolger, Baron Berger, überreicht Kainz das Ernennungsdekret zum Regisseur des

Josef Kainz als Hamlet, 1904

Burgtheaters. Doch Kainz liegt bereits auf seinem Totenbett. Der große Schauspieler dankt mit einem Lächeln, das heißen konnte: ich bin glücklich, oder auch: zu spät. Vielleicht, wenn man sich in die geistigen Bezirke dieses genialen Schauspielers hineindenken kann, beides. Josef Kainz ist ein schauspielerisches Phänomen, wie Pernerstorfer in einer Rezension in der *Arbeiterzeitung* schreibt, das seinesgleichen nicht hat, vielleicht auch nie gehabt hat. „Seine Figuren", faßt Rudolf Lothar zusammen, „waren seine eigentliche Schöpfung, sie hatten keine Vorbilder und keine Vorläufer. Für Kainz gab es keine Tradition, aber er schien selbst der Schöpfer einer neuen Tradition zu sein, und als solchen verehren wir in ihm einen wahrhaften Klassiker der modernen Schauspielkunst." „Stil, was heißt überhaupt Stil? Jede Zeit hat ihren eigenen Stil, auch jeder einzelne Mensch. Verallgemeinern gibt es da nicht." Als Cyrano von Bergerac erschüttert Kainz das Publikum bis zum lauten Schluchzen. Als einer seiner Partner ebenfalls zu schluchzen anfängt, zischelt Kainz ihm zu: „Du wirst doch nicht auch auf mich hereinfallen?" Hedwig Bleibtreu sagt über Kainz: „Jedesmal habe ich nach der Vorstellung den weiten Weg nach Döbling zu Fuß gehen müssen. Es war einfach unmöglich, in der Straßenbahn zu sitzen, so aufgeregt hat einen der Mann."

Josef Kainz liegt auf dem Döblinger Friedhof begraben. Über dem Grab steht ein Denkmal – Kainz als Hamlet. Seit 1958 gibt es eine Kainz-Medaille, die die Stadt Wien verleiht. In der Erinnerung ist Kainz sogar für diejenigen lebendig geblieben, für die er schon tot war, als sie geboren wurden.

Als Josef Kainz 1898 sein Engagement antritt, ist Burckhard nicht mehr Direktor. In diesem Jahr beginnt die Direktion des Wunschkandidaten von Hofschauspieler Hugo Thimig und vom Kritiker Dr. Anton Bettelheim: Dr. Paul Schlenther (1898–1910), ein Ostpreuße, in Berlin Kritiker der „Vossischen Zeitung", sogenannter Wettermacher für das Theater, hat in Wien von Anfang an eine schlechte Presse, die ihm die Überschwemmung des Theaters mit „unwürdigen Stücken" vorwirft und darin die Ursache für den merkbaren Besucherschwund findet. Tatsächlich wurde gerade in der Ära Schlenther die Publikumsumschichtung von den allmählich aussterbenden Habitues des Hauses auf dem Michaelerplatz zu neuen Zuschauerkreisen fühlbar, und Schlenther will dem Strukturwandel durch Abbau des alten Repertoires und Präsentation möglichst vieler neuer Dramen Rechnung tragen. Im Burgtheater aber galt es als strenge Regel, Novitäten selten anzusetzen, nicht „abspielen zu lassen"; und das hatte man sich bei einem feststehenden Repertoire von 120 bis 150 Stücken ohneweiters leisten können. Schlenther hingegen setzt seine Neuinszenierungen so oft wie möglich an und scheidet sie dann aus dem Repertoire aus. Es stehen also bedeutend weniger Stücke auf dem Spielplan, und das kreidet man ihm an.

Anderseits hat gerade Schlenther besonderen Wert auf österreichische Dramatiker gelegt. Er spielte Schnitzlers „Vermächtnis", das „Zwischenspiel" und den „Grünen Kakadu", er öffnete Hugo von Hofmannsthal mit der Aufführung der „Hochzeit der Sobeide" und „Der Abenteurer und die Sängerin", Hermann Bahr mit dem „Apostel" die Bühne, er gewann für Karl Schönherrs „Bildschnitzer" und „Erde" von der Burg aus alle süddeutschen Bühnen und verschloß sich auch nicht den dramatischen Versuchen Marie Ebner-Eschenbachs und Ferdinand von Saars. Er spielte Raimunds „Verschwender" mit Kainz als Valentin und Katharina Schratt als Rosa, erstmals auch Nestroys „Lumpazivagabundus" mit dem Trio Zwirn-Kainz, Knieriem-Lewinsky und Leim-Korff, schließlich Anzengrubers „Gwissenswurm". Er inszenierte zum hundertsten Todestag des Dichters 1905 einen Schiller-Zyklus mit zehn Dramen, der sechsmal wiederholt wurde; und 1898, zum fünfzigjährigen Regierungsjubiläum des Kaisers, beide Teile des „Faust". Unter seiner Direktion fand am 11. April 1900 in der Burg ein italienisches Gastspiel statt; gegeben wurde Garbriele d'Annunzios „La Gioconda" mit der Duse in der Titelrolle.

Sein Repertoire reichte von der „Orestie" des Aischylos bis zu Hartlebens „Rosenmontag", Hirschfelds „Agnes Jordan", Otto Ernsts „Jugend von heute" und „Flachsmann als Erzieher". Für das Ensemble gewinnt er Arnold Korff, Albert Heine, Max Paulsen, Alfred Gerasch und Rosa Albach-Retty, Tini Senders, Tilly Kutschera.

So schlecht Schlenther von der zeitgenössischen Kritik und in der Theaterliteratur beurteilt wurde, mit dem Ensemble fand er sich offensichtlich weit besser zurecht als Burckhard. Rosa Albach-Retty erinnert sich an ihn als einen Direktor, „der wirklich Ordnung hielt", der ein fundierter Ibsen-Kenner und Regisseur war, der seine Schauspieler privat einlud, um mit ihnen Rollen in aller Ruhe durchzusprechen und Meinungsverschiedenheiten aus dem Weg zu räumen, ähnlich wie Laube es bei seinem Jour fixe gehalten hatte. „Man vertraute ihm und konnte ihm vertrauen."

Josef Kainz hat sein mit Burckhard abgeschlossenes Engagement unter Schlenther mit größter Skepsis angetreten – Schlenther hatte in Berlin den Kainzschen Marc Anton einen „verhungerten Bacchus" genannt. In Wien versöhnte er ihn, band ihn ganz an die Burg, gewährte ihm alle geforderten Gastspielurlaube – gerade darin war Kainz nicht eben bescheiden – und setzte die steigenden Gagenwünsche immer wieder durch. Er erwirkte, daß Kainz nach wenigen Wochen zum Hofschauspieler ernannt wurde, verhinderte aber die Erfüllung des Lieblingswunsches von Kainz – die Ernennung zum Regisseur –, weil er fürchtete, daß Kainz, der leidenschaftlich gerne inszenierte und es immer nur anonym tun durfte, sich nach einer etwaigen Bestellung zum Regisseur ganz vom Spielen abwenden würde. Daraus ergaben sich allerdings wiederholt Krisen zwischen Kainz und Schlenther.

BÜHNENEINGANG DES
ALTEN BURGTHEATERS 1888

VOM ÜBERDAUERN DER KRISEN

Im Jahre 1922 schrieb Felix Salten eine „Naturgeschichte" des Burgtheaters. „Viele Schauspielergenerationen", so sagt Salten, „haben seit 150 Jahren daran gearbeitet, das hervorzubringen, was wir heute unter dem Burgtheater verstehen. Neben den Schauspielern, mit ihnen und über ihnen hat das politische Schicksal Österreichs, hat die Seele des Landes, haben Hof und Gesellschaft und das Volk an der Gestalt dieses Theaters mitgeschaffen. Wird im kaiserlich-prunkhaften Raum dieses Theaters zu abendlicher Stunde der Vorhang hochgezogen, dann trägt diese Bühne die Erinnerung an 150jährige Arbeit zu uns her. Die Erinnerung an die Arbeit großer Künstler, an das bewundernde Aufhorchen einer in ihren Generationen wechselnden, in ihrer Art stets gleichen Zuhörerschaft. Man kann ein Theater um der Konjunktur willen gründen oder einer Richtung willen oder um einer Persönlichkeit ihren Wirkungskreis zu schaffen. In allen diesen Fällen ist die Lebensdauer eines solchen Theaters begrenzt. Um einer neuen literarischen Richtung, die auf den anderen Bühnen noch keinen Zulaß gefunden hat und bekämpft wird, Hörerschaft und Geltung zu werben, übernimmt Otto Brahm das Deutsche Theater in Berlin. Der Sieg der modernen Richtung erobert alle Bühnen, und Brahms Tod bereitet dem von ihm gegründeten Schauspielhaus ein Ende. Seine Künstler laufen auseinander, das bißchen Stil, das bisher geschaffen wurde, verweht, bevor es noch wirklich zur Tradition werden kann. Oder eine Persönlichkeit drückt ihrem Theater den Stempel auf. Wir brauchen nur an den Herzog von Meiningen denken, dessen Kunst ohne Folge und Fortsetzung für sein Institut geblieben ist. Oder jetzt an Max Reinhardt, der seiner persönlichen Genialität ja auch keinen Nachfolger bestellen kann. Das Burgtheater dagegen wechselt langsam und dauert. Das Burgtheater bleibt! Die große Vergangenheit der Comédie Francaise wie der Burg ist immer von lebendiger Wirkung. Die Zukunft da wie dort außer Frage, und dazwischen ist in der Burg wie in der Comédie Francaise die Gegenwart beständig ein Problem, das alle Geister des Landes beschäftigt, ein Gegenstand der Sorge. Da wie dort wird gelegentlich von dem unvermeidlichen Niedergang gesprochen, da wie dort wird manchmal der völlige Verfall beklagt. In Wahrheit überdauern beide Institutionen immer wieder solche Krisen, die ihnen nichts anhaben können."

Oben: Rosa Albach-Retty debütierte 1890 im Deutschen Theater in Berlin, ging 1895 ans Deutsche Volkstheater nach Wien und ist seit 1903 Mitglied des Burgtheaters. Sie lebt – über hundert Jahre alt – in Baden bei Wien

Linke Seite außen: Paul Schlenther, Burgtheaterdirektor von 1898–1910
Linke Seite innen: Alfred Freiherr von Berger, Burgtheaterdirektor von 1910–1912
Im Kasten: Kaiser Franz Josef I. und Katharina Schratt beim Spaziergang

KATHARINA SCHRATT (1853–1940)

„Das war eine sehr liebe Kollegin", sagt die Retty von ihr, „und sie hat durch ihre Freundschaft mit dem Kaiser viel helfen können." Nach einer heimlichen Statistentätigkeit am Theater ihrer Heimatstadt Baden bei Wien wurde Katharina Schratt von Alexander Strakosch ausgebildet und kam über das Berliner Hoftheater an Laubes Stadttheater. Zugleich mit Laube verließ sie es 1880, um nach Gastspielen in Europa und Amerika 1883 Burg- und sehr bald Hofschauspielerin zu werden. Wienerische Anmut, Humor und Gemütlichkeit waren ihre wesentlichen schauspielerischen Akzente. Sie war die Rosl im *Verschwender*, die Katharina in *Der Widerspenstigen Zähmung*, die Elise im *Geizigen*, die Vroni im *Meineidbauer*. Laube hat sie einmal einen Paradiesvogel genannt. Er hatte sehr an sie geglaubt, und einmal, als sie sich vom Theater längst zurückgezogen hatte, lachte sie über seinen Vorschlag, es einmal mit einer klassischen Rolle zu versuchen. Nicht viel später spielte sie tatsächlich die Königin im *Don Carlos*. Aber ihre Heiterkeit ist ihr wesentliches Merkmal geblieben, und nicht zufällig zeigt auf dem Vorhang des neuen Burgtheaters die Maske der heiteren Muse die Züge der Schratt.

KARL VON ZESKA (1862–1938)

Der Bonvivant dieser Zeit, von dem es außer großen, theaterabendbestimmenden Rollen unzählige Anekdoten gibt.

Wie Georg Reimers' Sohn Emmerich jahrzehntelang am Burgtheater ein liebenswerter Schauspieler war, so ist auch der Sohn Karl von Zeskas seit 50 Jahren dem Burgtheater verbunden, als Regisseur, als Schauspieler und als Chronist. Übrigens: Karl von Zeska zählte zu den bestangezogenen Männern Wiens. Seine Kollegen erzählten, wie sie ihn einmal am Semmering mit Lederhose und Steirerjoppe bewunderten und nicht wußten, wo man so eine echte „Alpenausrüstung" bekam. Als Zeska seine Jacke auszog, bemerkten die Kollegen, daß auf der Lederhose in großen Buchstaben stand: „Die Kreuzelschreiber, 3. Akt."

Der Direktor wurde im Februar 1910 durch einen Skandal um Hans Müllers Stück „Hargudl am Bach" gestürzt. Die Retty erzählte mir darüber: „Ich glaube, er wollte einfach nicht mehr. Er hat diesen Skandal vielleicht sogar provoziert. Ich saß in einer Loge, der seinen gegenüber, und erinnere mich, daß ihm während des Skandals die Tränen vor Lachen über die Wangen liefen." Und im Jahre, als Schlenther ging, starb auch Josef Kainz. Otto Tressler, der auch bildhauerische Talente besaß, nahm die Totenmaske ab.

Schlenthers Nachfolger, Alfred Freiherr von Berger (1910–1912), wird von der Presse enthusiastisch begrüßt. Der ehemalige artistische Sekretär unter Sonnenthals erstem Provisorium war während Sonnenthals zweitem Provisorium von der Burg geschieden, weil ihm die so erhoffte Berufung zum Direktor, die er 1887 selbstkritisch verhindert hatte, 1890 mit dem unter der Hand erteilten Hinweis vorenthalten worden war, seine inzwischen mit Stella Hohenfels geschlossene Ehe würde beide in ein schiefes Licht setzen.

28 Novitäten brachte Berger in seiner zweieinhalbjährigen Direktionszeit heraus. Er nahm Ernst Arndt, Franz Hölbling, Else Wohlgemuth und Lilli Marberg ins Ensemble auf.

Als er von Hamburg nach Wien kam, wollten weder er noch seine Freunde die Anzeichen seiner schweren Krankheit wahrhaben. 1912 hielt er den Anstrengungen, denen er sich in der Burg unterworfen hatte, nicht mehr stand. Der Tod, der ihn aus einer durch zwanzig Jahre ersehnten, dann so kurz bemessenen Amtszeit reißt, setzt aus menschlichen wie aus künstlerischen Gründen einen tragischen Akzent.

In jenen letzten zwei Jahrzehnten hatten drei Direktoren – Burckhard, Schlenther und Berger – die jeweils zeitgenössische Literatur an der Burg heimisch gemacht. Das mag wie ein Widerspruch zu der These klingen, das Burgtheater habe stets neben seiner Zeit agiert. Natürlich hat sich im Lauf der großen Spanne die Struktur geändert, natürlich hat man die Dichter der Zeit immer mehr zur Kenntnis genommen, aber man machte unbewußt und bewußt Theater um des Theaters willen. Burgtheater um des Burgtheaters willen.

DAS ENDE DES „K. K. HOF“-BURGTHEATERS

Nach Bergers Tod gab es keinen Literaturkampf. Dagegen schien es geboten, den Charakter des Ensembletheaters zu stärken, der seit Burckhard immer mehr verwässert war. Für diese Aufgabe schien einer der rangältesten Hausregisseure prädestiniert, ein Hofschauspieler aus großer alter Schule, zugleich ein moderner Theatermann, der noch in der Ära Dingelstedt wurzelte, der als Anfänger gespielt hatte, als La Roche, Meixner, Baumeister, die Gabillons, Sonnenthal, die Hartmanns, die Wolter und Lewinsky ihre Triumphe feierten, der bereits seit 38 Jahren dem Haus angehörte: Hugo Thimig übernimmt – ab 1. September 1912 – die provisorische Leitung des Hauses und wird 1914 auf ausdrücklichen Wunsch des Kaisers zum definitiven Direktor ernannt.

In die Direktion Hugo Thimig (1912–1917) fällt eine sehr persönliche Zäsur, nämlich das Engagement meines Vaters als Schauspieler. Im zweiten Kriegsjahr hatte ihn Helene Thimig, die bereits damals mit Max Reinhardt zusammen lebte, in Berlin gesehen, wo er das Arnold und Bachsche Erfolgsstück „Die spanische Fliege“ kreierte. „Ein Komiker, über den man wirklich lachen kann, schau' ihn Dir an!“, hatte sie ihrem Vater geschrieben, und Hugo Thimig lud den dreißigjährigen Reinhold Häussermann zu einem Gastspiel ein.

Die drei obligaten Rollen wurden erfolgreich absolviert. Zwei Kritiken sind mir heute noch in Erinnerung, weil mein Vater sie so oft zitiert hat. In einer hieß es: „. . . endlich einmal ein Komiker, der dem Ernst der Zeit Rechnung trägt“, und die zweite charakterisierte ihn als „ein neues Thimig-Gespenst“. Vielleicht war die ihm attestierte Thimigsche vis comica mit ein Grund für das Vertragsangebot gewesen. Gastspiel mit unterlegtem Vertrag, so nannte man das. Drei Rollen, dreimal vor dem Vorhang erscheinen – und dann die Entscheidung. Thimig gratulierte meinem Vater und teilte ihm mit, daß das Engagement perfekt sei. Vater las den Vertrag und stutzte bei einem kleinen Passus: „Vorbehaltlich der Genehmigung durch das Obersthofmeisteramt.“ Das sei reine Formsache, meinte Thimig. „Aber“, sagte mein Vater, „was geschieht, Herr Hofrat, wenn diese vorgesetzte Behörde den Vertrag ablehnt? Meine Frau erwartet ein Kind (das war ich), und für mich ist diese Entscheidung gerade deshalb von sehr weitgehenden Konsequenzen.“ „Theoretisch“, antwortete Thimig, „ist eine Ablehnung natürlich möglich. Nur: wenn ein von mir unterschriebener Vertrag abgelehnt wird, sind Sie wohl nicht mehr Burgschauspieler, aber ich auch nicht mehr Burgtheaterdirektor.“ Mein Vater hat diese Geschichte seinen jüngeren Kollegen oft erzählt, um die damalige Stellung eines Burgtheaterdirektors zu dokumentieren. Der Vertrag wurde selbstverständlich von Obersthofmeister Fürst Montenuovo ratifiziert.

Das war die Zeit, in der die Welt in Trümmer zu gehen schien: die Mittelmächte hatten Rumänien besetzt, deutsche Flugzeuge hatten Paris und London angegriffen, und Erzherzog Karl wurde Kaiser von Österreich. Es sollte nicht ruhiger werden; Ralph Benatzki schrieb zwar seine Operette „Liebe im Schnee“, aber zu Ende meines Geburtsjahres 1916 erschoß der Sohn Victor Adlers, Friedrich, den österreichischen Ministerpräsidenten Graf Stürgkh. Otto Tressler war an diesem Tag im Hotel Meissl & Schaden und hatte noch wenige Minuten vor dem Attentat mit Stürgkh gesprochen. Er kümmerte sich sofort um den von vier Kugeln getroffenen Ministerpräsidenten und wollte dann den im Hotelbüro gefangengehaltenen Attentäter sehen. Er öffnete die Tür – und sah Dr. Friedrich Adler. In seinen Erinnerungen schreibt Tressler, daß er, am Ende seiner Nervenkraft, in seine Garderobe ins Burgtheater gegangen und dort eingeschlafen sei. Im Traum wären ihm Kainz, Lewinsky, Sonnenthal und viele andere verstorbene Burgtheatergrößen erschienen.

Thimig hat eine Reihe von Lücken im Ensemble aufgefüllt: er engagierte Harry Walden, Hermann Romberg, Hans Marr und den Berliner Rezitator Ludwig Wüllner, der sich aber auf der Burgtheaterbühne nicht zurechtfand und nach wenigen Monaten wieder ausschied. Hugo Thimig brachte jährlich acht bis zehn Novitäten ins Repertoire, darunter Schnitzlers „Einsamen Weg“, Molnars „Märchen vom Wolf“, Hofmannsthals „Jedermann“, Schönherrs „Volk in Not“ und den „Weibsteufel“, den er gegen Hof und Klerus durchsetzte. Hauptmann,

LOTTE MEDELSKY (1880–1960)

Max Reinhardt sprach noch in der amerikanischen Emigration von „ihrem Gretchen". Die Medelsky kam 1896 ans Burgtheater. Sie war das Rautendelein in der *Versunkenen Glocke* von Gerhart Hauptmann. Sie war die Rose Berndt, die Julia und zu Ende des Ersten Weltkriegs die Christine in Schnitzlers *Liebelei.* 1926 war sie die Eboli in *Don Carlos,* 1928 die Frau Miller in *Kabale und Liebe.* Sie spielte unzählige Rollen der großen Weltliteratur. Wir Jungen konnten uns ihrer großen Persönlichkeit ebensowenig verschließen wie die Älteren: ihr eigenartiges Timbre behielt man lange noch im Ohr; man hat viel versäumt, hat man ihre elementare Kraft, von der Reinhardt gesprochen hat, nicht persönlich erlebt. Eine einfache und bescheidene Frau trotz allem, und beladen mit einem schweren Schicksal. Ihr Mann war Schauspieler am Burgtheater gewesen, mein Vater hat mir oft von ihm erzählt. Ganz plötzlich war er von einer Geisteskrankheit befallen worden, und die Medelsky verhinderte, daß er in eine geschlossene Anstalt kam. Sie behielt ihn jahrzehntelang bei sich zu Hause und opferte ihm ihr Leben und vielleicht auch einen Teil ihrer späteren großen schauspielerischen Entwicklung.

Linke Seite außen: Hugo Thimig, Burgtheaterdirektor 1912–1917
Linke Seite innen: Hugo Thimig als Truffaldino in Goldonis „Diener zweier Herren", 30. März 1888

Rechts: Arnold Korff spielte den Hofreiter, Lily Marberg die Genia: Uraufführung von Arthur Schnitzlers „Das weite Land" am 14. Oktober 1911. Regie führte Hugo Thimig. Arnold Korff, der legendäre Burgtheater-Bonvivant, wanderte in den zwanziger Jahren nach Amerika aus und spielte dort als letzte Rolle den Kaiser Franz Joseph im „Weißen Rößl"

Molière, Kleist, Goethe, Grillparzer, Hebbel, Shakespeare und Schiller standen ebenso im Repertoire wie der Kassenschlager „Alt-Heidelberg".

In diese Zeit und in dieses Burgtheater, in dieses Wien wurde ich indirekt in Leipzig hineingeboren. Drei Monate alt, brachte mich meine Mutter nach Wien, und ich wurde sehr bald von Vaters Burgtheaterkollegen begutachtet. Eine kleine Geschichte, die ich oft strapaziert habe, scheint mir heute typisch für die damalige Zeit des Burgtheaters: Mein Vater kam am Wiener Westbahnhof mit einem großen Schiffskoffer an. Schauspieler reisten damals mit ihren Kostümen, sogar mit Perücken und Requisiten. Er winkte einem Dienstmann: „Bringen Sie den Koffer ins Burgtheater!" „Burgtheater" stand auch unter seinem Namen groß auf den Koffer gemalt. Der Dienstmann sah ihn verwundert an, blickte auf den Koffer, dann auf ihn, dann wieder zurück: „Häussermann?" sagte er kopfschüttelnd. „Ham' ma' am Burgtheater keinen." „An so einem Theater bleibt man", sagte mein Vater, und er blieb dreißig Jahre lang.

Nach Kriegsausbruch hatte das Burgtheater einige Monate nur jeden zweiten Tag gespielt. Wohl waren die Hauptdarsteller vom Kriegsdienst freigestellt, Komparserie und Bühnenarbeiter aber stark dezimiert worden. Hugo Thimig ersuchte mehrmals um seine Ablösung, doch der Kaiser gab ihn nicht frei. Erst nach dem Tod Franz Josephs nahm Kaiser Karl Thimigs Rücktrittsgesuch an.

„Wir alle", schreibt zwanzig Jahre später die Schauspielerin Lilli Marberg, die Stiefmutter Hans Jarays, „haben ihm heiße Tränen nachgeweint." Im Jahr des Rücktritts starb nach 65jähriger Burgtheatertätigkeit Bernhard Baumeister.

Hugo Thimig hatte in langen Gesprächen mit Kaiser Karl, die in Baden bei Wien stattfanden, für seine Nachfolge vorgesorgt und den Dresdner Zeiß als neuen Direktor sowie Arthur Holz, den ersten ausschließlichen Regisseur am Burgtheater, für eine provisorische Leitung empfohlen. Gegen Holz revoltierten sofort die Regisseure Devrient, Reimers, Heine und Tressler, und Zeiß wurde schon vor seiner Bestellung abgesägt. Am 21. Februar 1917 schlug Thimig offiziell Arthur Schnitzler oder Hugo von Hofmannsthal vor. Doch auf direkte Intervention von Kardinal Piffl wurde überraschend Max von Millenkovich-Morold (1917–1918) zum Direktor ernannt. In einer großen Rede sprach Millenkovich programmatisch vom germanisch-christlichen Schönheitsideal – und wurde ein Jahr später in einer verfänglichen Situation mit einem weiblichen Burgtheatermitglied ertappt und – ein Opfer seiner eigenen Programmatik – entlassen.

ALEXANDER GIRARDI (1850–1918)

Er wurde von dem glücklosen Direktor Millenkovich 1918 engagiert, erhielt nur ein Bruchteil seiner gewohnten Gage und meinte: „Macht nichts, Herr Hofrat, goldene Backhendl kann' i' eh' net essen". Und nach seinen Rollenwünschen gefragt, sagte Girardi: „Ich spiel' alles, nur keine Mörder." Auf der ersten Probe im Burgtheater war der große Volksschauspieler Girardi benommen von der Größe der Bühne und des Zuschauerraums und hielt sich ganz hinten bei den Kulissen auf. Als Albert Heine ihm zurief, er solle doch endlich nach vorne kommen, sagt er: „Da brauch' ich an' Fiaker zum Vorfahren." Er debütiert als Fortunatus Wurzel im *Bauer als Millionär*, und mein Vater, der auch sein Ajaxerle war, hat mir schon als kleinem Buben erzählt, welch überwältigender Eindruck das war. Seine zweite Rolle war der alte Weyring in Schnitzlers „Liebelei". Girardi, der aus Graz kam und als Junge von seinem Vater zum Schlosserhandwerk gezwungen wurde, verließ nach dessen Tod fluchtartig die Werkstatt. Nach Lehr- und Wanderjahren holte ihn Marie Geistinger an das Theater an der Wien, und er wurde zum wahrscheinlich größten Volksschauspieler der Theatergeschichte. Wie oft bei großen Komikern ist seine private Atmosphäre tragisch überschattet. Bei Girardi war es die unglückliche Ehe mit Helene Odilon, die ihn in ein Irrenhaus einweisen lassen wollte. Zwei Rollen am Burgtheater mit insgesamt dreizehn Auftritten, dann erkrankte er schwer. Zwei Monate später war Alexander Girardi, an den Albert Bassermann ursprünglich den Ifflandring weiterreichen hatte wollen, verschieden. Seine große Freundin und Kollegin Katharina Schratt, die ihn auch zum Kaiser brachte, hatte Kaiser Franz Joseph einmal bewogen, Girardi zu einer Jause einzuladen. Der Kaiser war sehr enttäuscht, denn Girardi wartete nicht mit einem einzigen Spaß auf. Zum Abschied fragte Franz Joseph: „Warum waren S' denn so ernst, Girardi?" Worauf Girardi antwortet: „Jausen Sie einmal mit einem Kaiser, Majestät!"

Harry Walden, ein großer Schauspieler, der große Charmeur in der Zeit nach dem Ersten Weltkrieg

Alexander Girardi spielte hier in dieser Zeit den Fortunatus Wurzel in „Der Bauer als Millionär" und den alten Weiring in Schnitzlers „Liebelei". „Ein herrlicher Schauspieler!" stellte mein Vater oft fest, der mit ihm den Ajaxerle spielte.

Max Millenkovich engagierte auch die herrliche Alma Seidler: Im Jahre 1919 wurde sie von einem Kritiker als die Vertreterin jener jungen Burggarde begrüßt, die „wider die Mondscheinsonate und für den Tennisplatz" Zeugenschaft für zeitgemäßes, modernes Schauspiel ablegte. Das war vorgestern; gestern und heute ist sie die Alma mater des Burgtheaters. Kurz bevor die Österreichisch-ungarische Monarchie zusammenbrach, wurde sie ans Burgtheater engagiert. Ihr Vater, Dr. Ernst Ritter von Seidler, war der vorletzte Ministerpräsident der Monarchie gewesen. Ihre erste Rolle spielte sie im Burgtheater in jenen Tagen, als die Bleibtreu, die Medelsky, Tressler und Korff beim Wiener Bürgermeister Seitz vorsprachen, um die Versicherung dieses großen Österreichers zu erhalten, daß das Burgtheater auch in der Republik bleiben möge, was es war.

Diese Rolle hatte nur einen einzigen Satz: „Bist du glücklich, Helene?" Mein Vater übersprang das Stichwort, und die Seidler sprach diesen ihren ersten Satz am Burgtheater nicht.

Sie ist eine Kronzeugin der Burgtheatergeschichte dieses Jahrhunderts. In Wildgans' *Dies Irae* war sie die Taube, sie war Perdita in Shaws *Wintermärchen*, sie war dreimal „Käthchen": die Käthi in „Alt-Heidelberg", das Käthchen von Heilbronn und die Kathi in Nestroys „Zerrissenem". 1926 war sie neben der Wohlgemuth, neben Hartmann, Tressler, Heine und der Bleibtreu in der Festaufführung zum 150-Jahr-Jubiläum des Burgtheaters die Franziska in „Minna von Barnhelm". Hundertemale spielte sie die Hauptrolle in „Arm wie eine Kirchenmaus", hundertemale war sie die junge englische Königin in Sil-Varas „Mädchenjahre einer Königin". Sie hatte kein Rollenfach. Sie spielte das Fach der guten Rollen, dank des ungeheurem Talentreichtums, des großen Bogens, der all ihre theatergeschichtlichen Erfolge umspannte: „Das Mädel aus der Vorstadt", „Olympia", „Die heilige Johanna", die Rosalinde in Shakespeares „Wie es Euch gefällt", die Stella, und die Chri-

REINHOLD HÄUSSERMANN (1884–1947)

Diese Aufname entstand im Jahr 1926. Ich war damals zehn Jahre alt, mein Vater war bereits ebensolange am Wiener Burgtheater engagiert.

Ihm habe ich meine Liebe zu diesem Haus zu verdanken, durch ihn erlebte ich schon in frühester Kindheit Burgtheatergeschichte

Mein Vater war ein echter Burgschauspieler – und auch deswegen will ich etwas über ihn sagen. Das Burgtheater und Wien waren für ihn eins. Erst seine zweite Heimat, als er – von Hugo Thimig engagiert – ans Burgtheater kam, und dann seine erste und einzige. Er hat alle Phasen des Burgschauspielerdaseins durchschritten, und auch das ist ein Grund, um ihn – stellvertretend für viele – in ein Scheinwerferlicht zu stellen, das seine eigene Bescheidenheit nie gestattet hätte. Ich habe ihn in unzähligen seiner Rollen gesehen, und ich habe zu Hause die Rollen, klein oder groß, wenn er sie im Nebenzimmer arbeitete, mitgelernt. So kann ich noch heute den Hinzelmann im *Weißen Rößl,* den Valentin in der *Fahrt ins Blaue,* den Striese im *Raub der Sabinerinnen,* den Bürgermeister im *Hauptmann von Köpenick,* den Wirt in *Minna von Barnhelm* und seine Lieblingsrolle, den Ajaxerle im *Bauer als Millionär* auswendig.

Zeit- und Theatergeschichte vermischen sich ein bißchen in einer Begebenheit, die nur indirekt mit dem Burgtheater zu tun hat und die mir meine Mutter einmal erzählte. Es war nach dem Ersten Weltkrieg . . . ich war ein kleiner Bub . . . es war Weihnachten, und es gab keine Christbäume zu kaufen. Mein Vater ging in die Dekorationswerkstätte des Burgtheaters und ließ in einen Stock Tannenzweige einbohren, um einen kleinen Burgtheaterweihnachtsbaum nach Hause zu bringen. Es war Glatteis, und es gab keine Verkehrsmittel. Mein Vater nahm aus dem Burgtheaterfundus dicke Wollsocken, zog sie über die Schuhe und ging mit dem Tannenstock mehrere Stunden zu Fuß nach Hause. Ich habe sicher den Unterschied nicht gemerkt – aber ohne das Burgtheater – und ohne ihn – wären es halt keine Weihnachten gewesen. Er hat mich auch an der Hand auf die Burgtheaterbühne geführt, und die Tatsache, daß auch ich ein Burgschauspieler wurde, war ihm eine der großen und nicht allzu vielen Freuden in seinen 30 Burgtheaterjahren. Daß ich einmal in diesem Theater Direktor sein würde, hat er weder geahnt noch erlebt. Die Ahnung hätte ihn um den Schlaf gebracht. Ich habe mir während meiner langjährigen Direktionszeit immer wieder vorgestellt, wie er auf die verschiedenartigsten Probleme, mit denen man im Burgtheater konfrontiert ist, reagiert hätte. Vor allem auf jene, die Schauspieler betrafen, wie er einer war, die mit ersten Rollen an das Haus kamen und im Laufe der Jahre dann so im Ensemble aufgegangen und – wie er, glaube ich, fälschlicherweise oft meinte – vergessen waren. „Die Sicherheit und die Freude, am Burgtheater zu sein, sind teuer erkauft“, hat er einmal gesagt. Er hätte sicher nicht geglaubt, wie oft und wieviel man mir heute noch von dem Schauspieler Reinhold Häussermann erzählt, und welchen festen Platz er im theatergeschichtlichen Burgtheaterensemble zweier Jahrhunderte einnimmt.

stine in Schnitzlers „Liebelei". Später, in der Nazizeit, mußte ihr Mann, der Schauspieler und Regisseur Karl von Eidlitz, das Burgtheater und Österreich verlassen. Die Seidler war in diesen Jahren ein Symbol leiser, lauterer österreichischer Gesinnung.

Sie hat nie aufgehört, große Rollen groß zu spielen, und wenn sie eine kleine spielte, wurde die Rolle um sie größer. Als sie ihr 40jähriges Bühnenjubiläum feierte, komponierte Alexander Steinbrecher aus den in der Tonleiter enthaltenen Buchstaben ihres Namens A A Es E D E einen Alma-Seidler-Walzer. Albin Skoda, der eine große Theatersammlung besaß, schaute schon während der Jubiläumsfeierlichkeiten fasziniert auf das Notenblatt. – Es ist seither verschwunden.

„Ich bin doch eigentlich auf der Bühne spaßig und spiel so oft Wahnsinnige", hat sie einmal gesagt. Aber sie hat eben alles gespielt, weil sie alles konnte. Sie hat keine Feinde. Fred Hennings nannte sie „unsere vielgeliebte Königin", und Werner Krauß sagte: „Wenn ich den Iffland-Ring an eine Frau hätte weiterreichen können, dann wäre es Alma Seidler gewesen."

Über Initiative des Publizisten und Kritikers Rudolph Lothar und des österreichischen Gesandten in Bern, Baron von Musulin, absolvierte das Burgtheater ein großes Gastspiel in der Schweiz: mit Stücken von Grillparzer, Schnitzler, Hofmannsthal und Schönherr sollte die ungebrochene Kraft österreichischer Kultur dokumentiert werden.

Kaiser Karl beauftragte nun den Generalintendanten, Baron Andrian-Werburg, eine Lösung für die Burgtheaterdirektion zu finden. Im Sinne des zu diesem Zeitpunkt unrealistischen Kaisergedankens, die Probleme der Monarchie durch eine allen großen und kleinen Volksgruppen gewährte Autonomie im Rahmen eines Staatenbundes lösen zu können, sollte ein Zentraltheater als Symbol gemeinsamen Kulturlebens geschaffen werden. Ein Dreierdirektorium, bestehend aus dem österreichischen Dichter Hermann Bahr, dem Schauspieler Max Devrient und Major Robert Michel, einem Mann mit literarischer Ambition und militärischer Disziplin, brachte allerdings

Oben: Albert Heine, Direktor des Burgtheaters 1918–1921: Ein großer Schauspieler, eine begnadete Regisseurpersönlichkeit

Links: Alma Seidler spielte zu Silvester 1929 in Fodors „Wiegenlied" unter Franz Herterichs Regie die Rolle der Elisabeth

nur zwei Premieren zustande; die Direktion überdauerte acht Wochen. Vorher hatte das Triumvirat in Berlin eine Art Geheimplan mit Max Reinhardt ausgearbeitet, der den großen Theatermann an die Burg bringen sollte und den Schauspieler Alexander Moissi ab 1920 ans Burgtheater verpflichtet hätte. Ferner sprach man schon damals über die Konzeption der Salzburger Festspiele unter der Leitung von Max Reinhardt.

Die Verträge waren bereits unterzeichnet, als das Ende des Ersten Weltkrieges und des alten Österreich kam. Am 3. November 1918 wurde der Waffenstillstand unterzeichnet, am 11. November verzichtete Kaiser Karl auf den Thron, am 12. November wurde die Republik ausgerufen. „L' Autriche, c' est ce qui reste", stellte Clemenceau lapidar fest.

In einer Zeit, in der alles in Frage gestellt ist, bleibt die Existenz der Hoftheater unberührt. Nur das „k. k. Hof-" und der Doppeladler auf dem Theaterzettel werden gestrichen. Auf dem Burgtheater aber bleiben sie, und das Burgtheater bleibt. Am 1. November 1918 hatte Baron Andrian den Schauspieler und Regisseur Albert Heine vorsorglich zum neuen Direktor bestellt. Der Generalintendant hatte ihm zehn Minuten Überlegungszeit gegeben, und Heines Frau sagte nur: „Wem hast du das zu verdanken oder anzukreiden?"

Kaiser Karl, der das Burgtheater als seinen Besitz betrachtete, bestätigte in der letzten Regierungswoche Heine in seiner Funktion und nahm ihm das Versprechen ab, für den Fall, daß er und seine Familie zur Übersiedlung ins Ausland gezwungen werden sollten, über das Haus treulich zu wachen und es ihm nach seiner Rückkehr unverändert zurückzugeben.

Mit Heine (1918–1921) zog einer der großen Schauspieler und Regisseurpersönlichkeiten des Burgtheaters in die Direktionskanzlei. Ich kannte ihn noch gut. Sein kahler Schädel, der heute neben der Feststiege des Burgtheaters sehr realistisch in Bronze gegossen steht, wurde zum Nachkriegssymbol des Burgtheaterwiderstandes gegen eine verzweifelte Situation, gekennzeichnet durch Kohlenmangel, die große Grippeepidemie, die Flucht der Schauspieler, politische Unruhen, Putschversuche, Heimkehrer- und Arbeitslosendemonstrationen.

Ida Roland als Cleopatra in Heines Inszenierung von Shakespeares „Antonius und Cleopatra", 21. November 1935. Caesar war damals Raoul Aslan

Nach dem Parlamentsbrand von 1919 standen auf dem Balkon des Direktionstraktes Maschinengewehre; doch Heine lenkte das Burgtheaterschiff geschickt und sehr persönlich durch ein recht wildes Meer, dessen Brandung von außen immer wieder an das Haus schlug. Goethe, Anton Wildgans, Richard Beer-Hofmann, Georg Kaiser, August Strindberg standen nun auf dem Spielplan. Das französische Lustspiel „Die Fahrt ins Blaue", das jahrzehntelang am Spielplan blieb, entfachte einen Theatertumult, in dem sich die patriotischen Gefühle des Publikums gegen die Franzosen entluden.

In diesen Jahren verlassen Arnold Korff, Alfred Gerasch und Harry Walden das Ensemble. Heine engagiert Raoul Aslan, Ferdinand Maierhofer, Paul Pranger, Philipp Zeska und Karl Eidlitz, Valerie v. Martens, die spätere Frau von Kurt Götz – sie wird unter Anton Wildgans fristlos entlassen, weil sie eine Vorstellung versäumte, was wieder zur Folge hatte, daß Kurt Götz – bis 1932 – seine Stücke für das Burgtheater sperrte.

Albert Heine war mit einer eigenen Schillerinszenierung einmal so unzufrieden, daß er mit dem Dichter gleich alle Deutschen in die Hölle wünschte. Als Heine, der der Probe beigewohnt hatte, Hugo Thimig unten stehen sah, meinte er zu dem gebürtigen Sachsen: „Sie, Herr Hofrat, sind natürlich längst Wiener geworden."

Philipp Zeska erzählte, wie Heine ihm einmal nachdrücklich auseinandersetzte, daß nur er, der damals junge Zeska, die Rolle des Ruprecht im „Zerbrochenen Krug" spielen könne. In diesem Augenblick ging Zeskas Altersgenosse Volters vorbei. „Naja, jetzt hat die Rolle natürlich der Volters! Man kann's ja auch von der Ecke sehen." Und Emmerich Reimers rief er einmal vom Regiepult aus auf die Bühne zu: „Großartig, Emmerich! Großartig, fabelhaft, prächtig!" Und leise sprach er zu seinem Nachbarn: „Der Junge hätte beim Militär bleiben sollen!"

Er war ein echtes Original, dieser Albert Heine, der 1949 in seinem kleinen Haus an der Nordsee buchstäblich verhungerte, weil es keinen Weg gab, die ihm zustehende Pension von Österreich nach Deutschland zu überweisen. Er war ein

IDA ROLAND (1886–1951)

Am 27. März 1925 durfte ich, noch nicht neunjährig, zum erstenmal die Bühne des Burgtheaters betreten. Nicht als Kinderdarsteller, sondern als Sohn eines Burgschauspielers, der seinem Sohn einmal das Geheimnisvolle des Theaters während einer Probe zeigen wollte. Es war die Generalprobe von Max Dauthendeys *Spielereien einer Kaiserin.* Von dem Trakt, in dem die Herrengarderoben untergebracht sind (die allgemein die „Landtmannseite" heißt, weil das Café Landtmann ihr vis-à-vis liegt), führte mich mein Vater hinter dem Rundhorizont vorbei auf die gegenüberliegende Seite der Bühne, wo sich auf Bühnenhöhe die Damengarderoben befanden, die Volksgartenseite. Wir waren auf der „Damenseite" angelangt, da rauschte, von der Bühne herkommend, im Kostüm der Zarin Katharina eine merkwürdig schöne Frau vorbei. „Gnädige Frau", sagte mein Vater zu ihr, „das ist mein Bub, der heute zum erstenmal die Bühne sehen darf." Sie war nicht eilig, nicht hektisch. Es war kein „Star", der mir da über die Haare fuhr und sagte: „Jetzt hast du's noch gut, aber später einmal wirst du ja auch zum Theater gehen." Mein Vater wehrte ab, aber ihre großen Augen schauten mich an: „Sicher!" Sie ging in die Garderobe, in der heute die Wessely sitzt. „Wer war das?", fragte ich Vater. – „Die Roland!"

1919 schrieb der Wiener Kritiker Ludwig Ullmann über Ida Roland: „. . . Sie ist heute die einzige erotische Heroine oder heroische Erotikerin des deutschen Theaters. Die einzige, die – im Umriß der nämlichen Gestalt – bezaubern und erschüttern kann, die einzige, die über die geheimsten und adeligsten Affekte der Weiblichkeit so selbstverständlich zu disponieren und hinwegzuschreiten weiß. Das Ferment der ‚großen Kindlichkeit' ist dabei – das Überraschendste wohl nicht, aber das Bindendste . . ."

Ida Roland wurde in der Schauspielschule Otto in Wien ausgebildet. Als halbes Kind hatte sie einen raschen Aufstieg in Düsseldorf, spielte Gretchen und Klärchen, Hero und Thekla, Ophelia und Julia. Otto Brahm rief sie nach Berlin, und in der berühmten Aufführung des *Kaufmann von Venedig* spielte sie unter Max Reinhardt die Jessica.

Von Berlin ging sie nach München an die Kammerspiele. Dann kam Wien, und sie spielte am Deutschen Volkstheater mit dem Rekordhonorar von 600 Goldkronen pro Abend die *Zarin.* Von Wien aus gingen ihre Tourneen nach Berlin, München, Prag, Budapest, Hamburg, Leipzig und andere Städte Mitteleuropas. Aber auf die Dauer konnte sie dieses Wanderleben nicht befriedigen. Sie kam in Konflikt mit Direktoren und Regisseuren. Die Unternehmer suchten ihre Stargage durch Einsparungen bei Proben, Ausstattung und der Qualität der Schauspieler zu kompensieren.

Ein Gastspiel bezeichnete sie selbst als Traumgastspiel: *Emilia Galotti* mit Moissi als Prinzen, Bassermann als Marinelli, Steinrück als Odoardo. Die Roland war die Orsina.

Die Stimmen wurden lauter, die verlangten, daß Österreichs erste Schauspielerin an Österreichs erste Bühne gehöre. Aber das Burgtheaterensemble, so berichtete Coudenhove, stand geschlossen gegen den „Star" Ida Roland. Die Roland hatte unter ihren Kollegen wenig Freunde und wenig Feinde, aber sehr viele Bewunderer und sehr viele Neider. 1923 kam, nach langen Verhandlungen, der Vertrag zustande.

Als sie *l'Aiglon* spielen sollte, brach ein Sturm der Entrüstung los, innerhalb und außerhalb des Burgtheaters. Ida Roland wurde nahegelegt, auf die Rolle zu verzichten. Es dürfe nicht geschehen, daß das ehemalige Hof-Burgtheater, das der Dynastie alles zu verdanken hatte, ein Stück aufführte, das dem Hause Habsburg die Schuld am tragischen Schicksal des Herzogs von Reichstadt zuschiebt. Die Roland hatte sich in den Herzog von Reichstadt verliebt und bestand auf ihrer Rolle. *L'Aiglon* wurde aufgeführt – Ida Rolands Vertrag nicht mehr erneuert. „Wie die Politik sie aus dem Burgtheater verdrängte", erzählte Coudenhove, „so war es die Politik, die sie ins Burgtheater zurückführte. Über alle Opposition hinweg bestand Bundeskanzler Dollfuß auf ihrem Engagement . . ." Nach seiner Ermordung erfüllte Bundeskanzler Schuschnigg das Versprechen. Und so schloß die Roland ihre Theaterlaufbahn mit ihren Traumrollen, der Cleopatra und der Lady Macbeth, am Burgtheater ab.

Im Zweiten Weltkrieg hatte sie die technische Leitung der Propagandaarbeit für den 5. Paneuropa-Kongreß in der Emigration – in New York – übernommen. Da Österreich nicht zu den Alliierten zählte und sein Status umstritten war, war es nicht möglich, in Amerika für die notleidende Bevölkerung Österreichs zu sammeln und zu werben. Die Roland faßte den Entschluß, ein amerikanisches Hilfswerk für Österreich ins Leben zu rufen. Sie ging nach Washington, plädierte für Österreich und gründete das „American Relief to Austria".

Im Sommer 1946, nach sechsjähriger Abwesenheit, kehrte sie in ihre Heimat zurück und fand ihr Haus in Gstaad unversehrt wieder. Es war ein umgewandeltes Bauernhaus aus dem 18. Jahrhundert, teilweise ein Neubau. Sie war Bauherr, Bauführer, Baumeister in einer Person gewesen. Sie hatte eine Dekoration aufgestellt, die nicht niedergerissen werden mußte, und damit nach flüchtigen Kunstwerken auf dem Theater ein dauerndes geschaffen.

„Am 20. Februar 1951", berichtet Coudenhove, „verließ Ida Roland ihr Haus zum letztenmal." Über Aix-les-Bains, Avignon und Les Baux ging es nach Le Rayol.

Sie hatte seit November Herzbeschwerden gehabt, und am Ostermontag wurde sie von einem Herzkrampf befallen. Ohne ihr volles Bewußtsein wiedererlangt zu haben, starb sie am 27. März 1951. Sie wurde in einen weißen Burnus eingehüllt, einbalsamiert und liegt unter einer alten Esche begraben, bedeckt mit der Flagge Paneuropas.

MAX DEVRIENT (1858–1929)

Der junge Doyen des Burgtheaters, das Vorbild von Fred Hennings: Devrient war einer meiner ersten großen Burgtheatereindrücke: Philip in *Don Carlos*. Sein „So allein, Madame" klingt immer noch mit, wenn man Don Carlos sieht. Bei einer Vollversammlung des unzufriedenen Burgtheaterensembles in den zwanziger Jahren sagte Devrient: „Auf, zum Minoritenplatz!" Und das versammelte Ensemble folgte ihm zum Unterrichtsministerium. Devrient war eine absolute Respektsperson. Man hatte auch ein bißchen Angst vor ihm. Er hatte ein bestimmtes Klopfen, wenn er etwas in der Regiekanzlei wollte, und die Türe wurde dann schneller aufgemacht als sonst.

genialer Regisseur und ein ungeheuer persönlicher Schauspieler. Sein ständiger Probenfluch: „Himmelhund, verfluchter, ich erschlag dich mit einem Klosettdeckel!" ist ebenso in die Burgtheatergeschichte eingegangen, wie das so oft von Rosa Albach-Retty zitierte „Tempo, Tempo, Tempo!".

Die Presse ist nicht für Heine. Der Kritiker Oswald Brüll persifliert ihn folgendermaßen: „Aber Leute, Leute! Ihr seid ja auf den Kopf gefallen! Träge Herzen! Mich muß man fragen, wie es gemacht wird! Mich, Albert Heine, den Berliner! Ihr klebt ja an euren Gefühlen und Gefühlchen! Wollt immer dasselbe süßliche Menü fressen! Dialektik, daran hapert's bei euch! Ich, Albert Heine, spreche hundertneunzig Worte in der Minute, wenn es sein muß in Trochäen! Keine Beweglichkeit ist in euch! Ihr fürchtet das Neue, ich das Alte! Betrieb muß man machen, ihr Zartgetönte! Der Schlag soll euch treffen ...!"

Heine ist kein Diplomat; daß er das Burgtheater als zu großes Haus für bestimmte Stücke ablehnt, macht ihm keine Freunde. „Marmorsarkophag der Kunst, Steinkasten, eingerichtet in Maschinerie und Beleuchtung – ungefähr wie das Magdeburger Stadttheater, wobei es noch sehr fraglich ist, ob man Magdeburg nicht unrecht tut", sagte er und meinte, daß man der Burg ein intimes Haus angliedern sollte. Und es gelang ihm 1919, den elenden wirtschaftlichen Verhältnissen zum Trotz, dem Burgtheater erstmals ein „Filialtheater" zu erschließen: das Schönbrunner Schloßtheater, Pacassis entzückenden Barockbau. Wenn man dort auch – der fehlenden Heizungsanlage wegen – nur im Sommer spielen konnte.

Entscheidende Gegnerschaft ruft Heine mit dem Plan hervor, Max Reinhardt mit einem großen Teil seines Berliner Ensembles an die Burg zu engagieren. Das für 1921 vertraglich festgesetzte Massengastspiel, das sich alljährlich wiederholen sollte und zu dem sich die großen Schauspieler Reinhardts – Werner Krauß, Max Pallenberg, Paul Hartmann, Helene Thimig, Mady Christians, Walter Jansen, Agnes Straub, Hermann Thimig und Ernst Deutsch – mit großer Begeisterung und unter Verzicht auf adäquate Gagen verpflichtet hatten, ruft beim Wiener Ensemble und bei der Wiener Kritik einen Sturm der

Empörung hervor. „Wenn Sie mit Ihren Schauspielern kommen, wird das ganze Burgtheaterensemble gegen Sie sein, und es wird recht haben. Ich bin Ihr Freund, und ich werde auch gegen Sie sein. Denn das Burgtheater hat Schauspieler von einer Qualität, denen man dieses Massengastspiel nicht zumuten darf. Das Burgtheaterensemble würde dieses Gastspiel als Beleidigung empfinden. Kommen Sie allein, das ist der Wunsch von uns allen", sagte Felix Salten in Berlin zu Max Reinhardt und charakterisierte so die Wiener Stimmung.

Heine versuchte auch, das Deutsche Volkstheater dem Burgtheater anzuschließen, und als er scheiterte, trat er zurück und überließ seinem Nachfolger die Aufgabe, die unterschriebenen Reinhardt-Verträge zu lösen.

Ich habe mit Reinhardt in der Emigration auch über das Burgtheater gesprochen. Es schien, daß er keinerlei Ressentiments hatte, und sein Humor – ebenso wie sein Temperament grenzenlos – rückte die Bedeutung jener Zeit zurecht. Er hat davon erzählt, wie er ja auch darüber geschrieben hat. „Ich bin auf der Vierten Galerie des Burgtheaters geboren", sagte er, „dort erblickte ich zum erstenmal das Licht der Bühne." Er hatte noch alle Tonfälle der Schauspieler im Gedächtnis und meinte, er könnte sie aufzeichnen, wenn es für die Melodie des Sprechens Notenzeichen gäbe. Er verglich die Stimmen der Burgschauspieler mit einem „abgetönten Orchester". Obwohl er die Klassiker alle auswendig konnte, hat er sie sich immer wieder angesehen. Auf der Vierten Galerie fanden sich fast ausschließlich junge Leute. Erst herrschte stets ein heftiges Hin- und Herdrängen, eine eher feindselige Stimmung, ein „Kampf ums Dasein". Aber sobald es dunkel wurde, schmolzen alle zu einer geheimnisvollen Einheit zusammen. Man wurde willenlos mitgerissen. Es gab ein Ensemble der Schauspieler und ein Ensemble der Zuschauer.

Über die Leistungen der Schauspieler reflektierte Reinhardt: „Sonnenthal! Wie er auf der Bühne Schokolade trank – wie er seinen Hut auf die Erde stellte – das alles war so eindrucksvoll, daß es immer sofort von der an sich schon eleganten Aristokratie angenommen und als Regel anerkannt wurde. Und

GEORG REIMERS (1860–1936)

Georg Reimers kam am 1. September 1885 ans Burgtheater und debütierte als Trinobaut in *Der Sohn der Wildnis.* Er war Teiresias in der *Antigone,* der Kaiser Franz in *Der junge Aar,* Duncan in *Macbeth,* Maximilian in den *Räubern,* und er war Wallenstein. Er spielte mit in Molnárs *Schwan* und war in *So war Herr Brummel* Devrients Sohn.

Zu einem großen runden Geburtstag hatten wir uns alle auf der Burgtheaterbühne versammelt; die Nazizeit warf ihre Schatten voraus, und ein Professor der Germanistik feierte Georg Reimers als einen großen deutschen Schauspieler. Österreich kam in dieser Laudatio schlechtweg nicht vor. Der nächste Redner war damals Ernst Lothar. Er hatte ein vorbereitetes Manuskript, das er während der politischen Ansprache seines Vorredners kaum merklich zerriß. Lothar sprach frei und feierte den Österreicher Georg Reimers. „Du warst", so sagte er, „ein Schauspieler dieses Landes, dieser Stadt und dieses Hauses, und du warst mein Herr, wenn du meinen Diener spieltest, und immer ein Diener, wenn du auf der Bühne ein König warst."

Lewinsky! Er spielte immer die Schurken und war einer der feinsten, wertvollsten Menschen. Ein großer, leidenschaftlicher Büchersammler." Dann Gabillon, Baumeister und der alte Thimig, dessen Rollen Reinhardt zu Beginn seiner Schauspielerlaufbahn dargestellt hatte. Und die Wolter, Devrient, die Hohenfels, die Schratt, die er später in Karlsbad kennenlernte. „Es gab einige Schauspieler für die kleinsten Rollen, die sich in ihrer ganzen Burgtheaterlaufbahn nie auf der Bühne gesetzt hatten."

Auch Reinhardt ist im Burgtheater kein einziges Mal gesessen. Auf der Galerie waren die Vorbilder weit entfernt und unerreichbar. Man mußte da oben selbst mitspielen und sich alles ergänzen, was man nicht sehen und hören konnte. Und gerade das war für Reinhardt der Hauptreiz und die allerbeste Schule. „Ich atmete mit den Schauspielern", sagt Reinhardt, „weinte, lachte, liebte, haßte, tötete, starb mit ihnen. Und wenn der Vorhang fiel, schlug ich jauchzend in die Hände, glücklich, daß das ganze prächtige, stürmische und erschütternd aufregende Leben nur ein Spiel war. Es war meine zweite Kindheit."

Das Burgtheater blieb weiter das große, repräsentative Schauspielhaus deutscher Sprache, und das Deutsche Volkstheater war die Heimstatt moderner Interpretationen, die von der Jugend enthusiastisch besucht wurden.

Über seine Verhandlungen wegen der Übernahme der Burgtheaterdirektion erzählte Reinhardt wenig. Das war für ihn weit weg, weiter als vieles andere, das damals im Hollywoodexil noch sehr lebendig war. Aber er schloß manchmal mit einem beinahe entschuldigenden Lächeln nicht ganz aus, daß er mit der Gründung „seiner" Josefstadt für das Burgtheater eine Alternative bieten wollte. Die Tatsache, daß er seine großen Berliner Schauspieler an die Josefstadt bringen konnte und brachte, genau das, was das Burgtheater ihm verwehrte, machte die Josefstadt während seiner Direktionszeit, erst zum anderen und dann zum ersten Wiener Theater. Seine großen Schauspieler Feldhammer, Klitsch und Onno waren Publikumslieblinge, die großen Gastspiele von Moissi, Bassermann, Kortner waren zentrale Theaterereignisse. Aber die Josefstadt unter der Führung Max Reinhardts hatte ihren Anspruch als das Theater der besten, der homogensten Aufführungen angemeldet und behauptete ihn. Natürlich spielte die Josefstadt Belangloses – aber *wie* sie es spielte. Dazwischen immer wieder Klassiker, immer wieder Neues, wechselwirkend mit Reinhardts Berliner Theatern und den Salzburger Festspielen. Reinhardt sprach in Amerika wiederholt von der Josefstadt als seinem liebsten Theater.

Albert Heine in der Rolle des Caliban in Shakespeares „Der Sturm", 1931

FIGURINE ZU „MEDEA“
Entwurf von Daffinger

DER DICHTER FÜR DAS THEATER

In der Republik Deutsch-Österreich gibt es nun die Staatstheaterverwaltung, die mit der gleichen Machtvollkommenheit ausgestattet ist wie die k. k. Hoftheaterintendanz. Ihr Leiter ist Sektionschef Dr. Adolf Vetter, der nach Heines Abgang den Dichter Anton Wildgans (1921–1922) zum Burgtheaterdirektor beruft. Nach den Erfahrungen mit Heine glaubt Vetter, besonders behutsam sein zu sollen. Der ehemalige Richter Wildgans müßte dem organisatorisch schwierigen Mechanismus des Burgtheaters gewachsen sein. Der Lyriker Wildgans wird in Österreich umjubelt, der Dramatiker Wildgans hat sich in der Burg bestens bewährt, und außerdem ist er Österreicher und daher in seinen finanziellen Forderungen weitaus bescheidener als jeder Theaterpraktiker, den er aus Deutschland hätte beziehen können. Mit vierzig Jahren ist er dazu einer der jüngsten Direktoren bisher.

Davon beseelt, dem Burgtheater seinen ihm „einzig gemäßen hohen Stil, der in der Tradition des Hauses wurzelt", nach der Überwindung des Naturalismus zurückzugeben, nimmt er die Berufung sofort an.

Als eine schwere Hypothek empfand Wildgans den bereits abgeschlossenen Vertrag mit Max Reinhardt. In einem Brief an Sektionschef Dr. Vetter nannte der neue Direktor den Vertragspartner Reinhardt einen „gerissenen Auslagenarrangeur aus Preßburg". „Nicht das Theater ist für den Dichter da, sondern der Dichter für das Theater."

An Reinhardt selbst schrieb Wildgans höflicher: „... Vor allem möchte ich feststellen, daß es hier am Burgtheater niemanden gibt, der Max Reinhardt in seiner ganzen Bedeutung für das moderne Theater nicht erkennen und schätzen würde ..." Aber es ging eindeutig aus Wildgans' Haltung hervor, daß er dem Max-Reinhardt-Projekt ablehnend gegenüberstand. Eine uneingeschränkte Kampfansage. Reinhardt drohte bei Nichteinhaltung der Abmachung mit einer Schadenersatzklage von über drei Millionen Kronen. Daraufhin bot man an, er möge ohne seine Berliner Schauspieler an die Burg kommen, dort *Danton* und im Schönbrunner Schloßtheater *Dame Kobold* mit Burgtheatermitgliedern inszenieren. Einigen prominenten Burgschauspielern hatte man zur Beruhigung heimlich einen dreimonatigen Saisonurlaub und eine Gagenzulage von 20.000 Kronen zugesichert. Diese Schauspieler waren Hedwig Bleibtreu, Lotte Medelsky und Albert Heine, der nach seiner Direktionszeit als Schauspieler weiter im Verband des Burgtheaters geblieben war.

Nach Verhandlungen seines Anwalts trat Max Reinhardt vom Vertrag zurück; es wurde ein viertägiges Gastspiel seines Berliner Ensembles vereinbart. Dieses Gastspiel fand am 13. September 1922 im Redoutensaal der Hofburg statt: „Clavigo" – mit Helene Thimig, Alexander Moissi, Wilhelm Dieterle, Fräulein Losse und Hermann Thimig in den wesentlichen Rollen – wurde ein echter, großer Erfolg.

Fünf Tage vorher war der zweite ständige Spielort des Burgtheaters, das Akademietheater, mit „Iphigenie" eröffnet worden. Die Eröffnung fand praktisch vor leerem Hause statt, da die Öffentlichkeit wegen eines Streikes der Drucker und Setzer von dem Ereignis nicht informiert werden konnte.

In seiner Rede über Anton Wildgans zur 80. Wiederkehr des Geburtstages des Dichters sagte Ernst Lothar auf der Bühne des Burgtheaters: „Weniger bekannt scheint mir, daß der Lyriker und Hymniker Wildgans, den die Übelwoller mit dem Fallstrick ‚theaterfremd' einfingen, um ihm den Genickfang zu geben, ein seiner Bestimmung gewachsener Burgtheaterdirektor war. Auch hierbei berufe ich mich auf einen Tatzeugen, auf Max Reinhardt nämlich, den Wildgans – um das Star-, Stagione- und hiervon bedingte Zufallsrepertoire auszuschalten – nur unter der Bedingung zu verpflichten gedachte, daß er sich dem Burgtheater unterordne. Und obschon ich ein Reinhardt-Mann war und bleibe und die Bindung des größten damals wirkenden deutschen Regisseurs an dieses Haus selbst dann für segensreich gehalten hätte, wenn die von einem abscheulichen Imperator geforderte bedingungslose Unterwerfung nicht geschehen wäre, hatte ich die Konsequenz zu bewundern, die hier das Maß unbeirrbar setzte und auch Reinhardt beeindruckte. ‚Er hat etwas gegen mich', diagnostizierte er, ‚aber seine Motive sind aller Ehren wert wie er selbst.' "

Der österreichische Dramatiker und Lyriker Anton Wildgans war zweimal Direktor des Burgtheaters, 1921–1922 und 1930–1932

Reinhardt selbst beschloß diese Burgtheaterepisode aus der amerikanischen Distanz mit einer kritisch-versöhnlichen Geschichte: „Als man mich vor Abschluß des Vertrages fragte, ob ich noch einen Wunsch in bezug auf das Burgtheater hätte, sagte ich: ‚Nur noch eine Kleinigkeit. Man müßte natürlich aus diesem Haus heraus.' " Verzweifeltes Erstaunen. Reinhardt meinte, das Burgtheater wäre im Theater an der Wien besser aufgehoben. Er wußte sicher, wie unrealistisch dieser Vorschlag war, aber auch in bezug auf kühne Ideen über das Theater traf zu, was er in anderem Zusammenhang einmal sagte: „Ich spiele so gern."

Wildgans hat in dem Schauspieler Max Paulsen eine starke Stütze für den eigentlichen Theaterbetrieb, und Paulsen widmet sich dieser Aufgabe voll und ganz. Der Direktor ist in Auseinandersetzungen mit der Theaterverwaltung so verstrickt, daß sie einen Großteil seiner Arbeitszeit und Arbeitskraft beanspruchen. Zwischen Wildgans und Paulsen gibt es aber bald darüber Prioritätsstreitigkeiten, wer von den beiden die Idee hatte, das Akademietheater für die Burg zu gewinnen, und auch sonst wird das Verhältnis immer gespannter.

Wildgans glaubt die Schwierigkeiten im Ensemble dadurch bedingt, daß bereits bei Schlenther die Gewohnheit eingerissen war, Schauspielern monatelange Urlaube zu bewilligen. Der Film war inzwischen aufgekommen, und die Situation am Burgtheater wurde immer schwieriger.

HEDWIG BLEIBTREU (1868–1958)

Sie hieß im Burgtheater „Allmutter". „Der mußt du die Hand küssen", hat mein Vater zu mir gesagt, als ich zum ersten Mal mit ihr spielen durfte. Sie war im Stück meine Tante, und ich habe in den wenigen Probewochen, glaube ich, viel von ihr gelernt. Sie war für mich das Burgtheater schlechthin.

Am 1. Juni 1893 wurde sie engagiert, am 10. Juni debütierte sie als Klärchen in *Egmont.* 1896 war sie die Elisabeth in *Maria Stuart* und die Königin im *Hamlet*, 1900 Klytämnestra in der *Orestie.* Sie war mit Max Paulsen, Schauspieler und Direktor des Hauses, verheiratet.

Ich erinnere mich noch an ihre großartige Frau Wolffen in Gerhard Hauptmanns *Biberpelz.* Nach der Vorstellung nahm sie meinen Vater und mich im Taxi mit nach Währing – wir hatten den gleichen Heimweg. Die Tatsache, daß sie damals eine Knackwurst „aus dem Papierl" aß, wirkte nach ihrer tief beeindruckenden Leistung etwas desillusionierend auf einen theaterbegeisterten Zuschauer, der sie echt bewunderte. Anderseits weiß ich noch heute, daß es mir doch sehr imponierte, wie wenig die Bleibtreu aus sich machte.

1893 war sie die Gräfin Terzky in *Piccolomini* gewesen, und knapp 50 Jahre später die Schwiegermutter in Lorcas *Bluthochzeit.* Sie war eine von jenen Hofschauspielerinnen, denen man noch die Pferde ausgespannt hat, und sie war eine von jenen Burgschauspielerinnen, die nach dem Zweiten Weltkrieg mithalfen, die Trümmer aufzuräumen.

Von der Bühne des Ronacher-Exils rief sie während einer Jubiläumsvorstellung ins Publikum, man möge den Wiederaufbau des Burgtheaters am Ring beschleunigen, damit sie die Eröffnung noch miterlebe. Der damalige Finanzminister Dr. Reinhard Kamitz anwortete aus seiner Loge mit einem lauten „Ja". Als Hedwig Bleibtreu starb, wurde sie auf der Bühne aufgebahrt. So untheatralisch sie in ihren großen Burgtheaterrollen war, so schlicht und ergreifend wirkte die Totenfeier.

DER SCHATTEN MAX REINHARDTS

In Wien wurde damals die erste Wiener Messe eröffnet, in Deutschland hörte man vom ersten Auftritt der SA, Hofmannsthal vollendete eben sein Lustspiel „Der Schwierige", als sich Wildgans – müde der wirklichen und eingebildeten Hemmnisse – anschickt, zurückzutreten.

Die Wildgans-Nachfolge ergibt sich beinahe automatisch. Max Paulsen (1922–1923) übernimmt das Amt des Burgtheaterdirektors. Er, der später unter dem Namen Peter Petersen im Film auftrat und vom Burgtheaterdirektor Paulsen nichts mehr wissen wollte, gilt in der langen Reihe seiner Vorgänger und Nachfolger als guter Direktor. Ich habe ihn manchmal in der Straßenbahn getroffen, wir hatten den gleichen Weg von der Inneren Stadt in den achtzehnten Bezirk: Ein Herr auch im Altwerden, der eine enorme Zinnsoldatensammlung besaß und damit die Schlachten großer Kriege nachstellte.

Auch Paulsen hat mit Schwierigkeiten zu kämpfen. Er stößt Franz Herterich vor den Kopf, dem er die eben erst unter Wildgans errungene Regisseurwürde entziehen möchte. Herterich will klagen. Paulsen, der einen jungen Regisseur aus Norddeutschland engagieren möchte, spricht mit diesem über die Besetzung eines Stückes. Der mit dem Burgtheater nicht vertraute Regisseur wünscht sich eine Idealbesetzung: die schon längst verstorbenen Schauspieler Mitterwurzer, Kainz, Sonnenthal und die Wolter. „Na dann", beschloß Paulsen Gespräch und Engagement, „dann ist es wohl das beste, wir fahren zur Rollenverteilung auf den Zentralfriedhof!"

Paulsen war mit Hedwig Bleibtreu verheiratet, daher verließ die Bleibtreu für die Zeit seiner Direktion das Burgtheater. Das war sein Wunsch, und ich habe oft daran gedacht, als ich Burgtheaterdirektor wurde und meine Frau – Susi Nicoletti – von sich aus sofort den gleichen Entschluß bekanntgab.

Eines Tages verlangte Else Wohlgemuth von Paulsen die Höchstgage, die ihr der Direktor aus künstlerischen Gründen nicht konzedieren wollte. Daraufhin teilte sie ihm mit, daß sie ihren Vertrag aus diesem Grunde nicht mehr verlängern würde. Bei ihrem letzten Auftreten in dieser Saison erschien Paulsen mit einem Strauß roter Rosen in ihrer Garderobe, um sich korrekt und als Gentleman zu verabschieden. Überrascht sagte ihm Else Wohlgemuth, damals schon mit Graf Thun-Hohenstein verheiratet, daß sie das Burgtheater keineswegs zu verlassen gedenke, da sie vom Generalintendanten bereits einen lebenslangen Vertrag mit der Höchstgage erhalten habe. Paulsen küßte der Gräfin die Hand und verließ Garderobe und Burgtheater, das er erst Jahrzehnte später wieder betreten sollte.

Seine Nachfolge stand bereits fest. In den Wiener Salons wurde nicht nur Politik, es wurden da auch Burgtheaterdirektoren gemacht. Kreise, die sich um Bankleute und Industrielle scharten und von diesen gesellschaftlich und mitunter auch politisch manipuliert wurden, wandelten sich nach dem Krieg analog den neuen Gegebenheiten.

Der Bankmann Camillo Castiglioni, der mit der Burgschauspielerin Iphigenie Buchmann verheiratet war, führte ein großes Haus; in diesem Kreis verkehrte auch Max Reinhardt, dessen Mäzen Castiglioni – CC genannt – war. Der Julius-Meinl-Generaldirektor Dr. Kurt Schechner wiederum sammelte um sich Künstler und Politiker; Berta Zuckerkandl, selbst Übersetzerin und Schwägerin Clemenceaus, jugendlich bis ins hohe Alter („Der ganze Fratz ist siebzig Jahre alt", sagten ihre Freunde), empfing hauptsächlich Literaten. Im Mittelpunkt stand dort Dr. Egon Friedell. Alma Mahler-Werfel, grande dame der Jahrhundertwende, mit Gustav Mahler, dann mit dem Architekten Walter Gropius und zuletzt mit Franz Werfel verheiratet, spann in Schönheit ihre Fäden um das Wiener Parkett.

Unter diesen Kreisen, die einander nicht störten, gab es einen kleineren, jenen des Bankdirektors Langstein. Langstein war mit der Sängerin Stella Eisner verheiratet.

Ich war später oft bei Langsteins eingeladen und traf immer interessante Menschen aus der Opern-, Theater- und Finanzwelt. Jene Persönlichkeiten, die mit dem Dirigismus in kulturellen Fragen zu tun hatten, fehlten dort nie. Es war eine Karrierenindikation, bei Langsteins eingeladen zu werden. „Er

Links: Max Paulsen, Direktor des Burgtheaters 1922–1923, war später unter dem Namen Peter Petersen sehr erfolgreicher Filmschauspieler. Nach dem Zweiten Weltkrieg gehörte er wieder dem Ensemble der Burg an
Rechts, im Kasten: Else Wohlgemuth, verehelichte Gräfin Thun-Hohenstein, spielte im Jahr 1936 die Titelrolle in Grillparzers „Sappho". Phaon war Fred Liewehr

war schon bei Langstein", sagte man, und das hieß soviel wie: „Der hat's geschafft!" Franz Herterich war mit Stella Eisner befreundet, im Salon Langstein wurde seine Burgtheaterdirektion vorbereitet.

Damals war die Inflation in Deutschland auf ihrem Höhepunkt, ein Dollar war um 4,2 Billionen Mark zu haben. In Österreich wurden die Heimwehr und der Republikanische Schutzbund gegründet. Eisenstein drehte in der Sowjetunion den Film „Panzerkreuzer Potemkin". In diese Zeit fällt der Beginn der Direktion Herterich (1923–1930).

Im Burgtheater notierte man nicht ohne ironischen Akzent, daß es gerade Herterich war, den Paulsen als Regisseur so bekämpft hatte. Franz Herterich hatte die Mariazeller Passionsspiele geleitet und war durch seine Inszenierung von Werfels „Troerinnen" sehr positiv aufgefallen. Der Kritiker Jacobsen schrieb darüber, sie sei ein Beispiel „höchst entwickelter Theater- und Kulturübung, die auch gegen Reinhardt gehalten, sowohl im Glanz als im äußeren und inneren Wert von niederschlagender Wucht sei".

Herterich ist jung, unverbraucht und von unbeugsamem Optimismus. Ich habe oft mit ihm gesprochen, er war ein guter Freund meines Vaters und mein erster Regisseur am Burgtheater. „Häusermandl", hat er immer gesagt, „du wirst einmal auf dieser Bühne stehen." Er hat das Seine dazu getan, und ich habe ihm nicht nur deshalb viel zu verdanken. Er war ein wirklicher Herr, ein kluger, sehr gebildeter Mann, der aus einer Künstlerfamilie kam, viel über das Burgtheater wußte und trefflich erzählen konnte.

ELSE WOHLGEMUTH (1881–1972)

Wunderschön – das war dominierend. Sie kam aus Berlin, und sie war und blieb ein Liebling. Ein Liebling mit Distanz. Man rühmte die florentinische Schlankheit ihres hohen Wuchses. Sie war sozusagen die geborene Königin des klassischen Repertoires. Meine erste Maria Stuart, die Gräfin Orsina, meine erste Genia im *Weiten Land.* Sie war Monna Vanna, sie war die Leonore im *Fiesco,* die Desdemona . . . Sie war die Minna von Barnhelm bei der Festaufführung anläßlich des 150jährigen Jubiläums des Burgtheaters 1926 und die Leonore von Este beim *Tasso*-Gastspiel in Weimar. Ich habe mit der Wohlgemuth einige Male gespielt. Bei aller Distanz war sie herzlich, menschlich, in jedem Sinn eine große Frau, eine große Dame. 1935 spielte ich 19jährig den 19jährigen Marchbanks. Sie war die Candida. Man schrieb, ich wäre viel zu jung, und sie erklärte mir, daß dies ein alter Burgtheater-Irrtum sei. Sie wäre viel zu alt. In Burgtheater-Maßen war sie es nicht, obwohl es damals bei meinem Abgangssatz „In hundert Jahren werden wir gleich alt sein" zu einem unüberhörbaren Schmunzeln im Publikum kam. In der Pause hatte der Shaw-Übersetzer Siegfried Trebitsch bereits das Urteil über uns gesprochen: „Bavaria und der Zwerg." Als Hitler nach Österreich kam, mußte die Wohlgemuth, die zur Überraschung aller „arisch blutleer" war, Österreich verlassen. Sie hat mir nach dem Krieg erzählt, wie sie auf der Flucht nach Italien in Salzburg bei der Gestapo vorgeladen war und beim Eintritt in das Gestapo-Hauptquartier quasi mit dem Leben abgeschlossen hatte. Ihr Mann, Graf Emmerich Thun, begleitete sie. Die Türe wurde geöffnet, und er hielt sie einen Augenblick zurück. „Meine liebe Else", sagte er, „dies ist einer der wenigen Augenblicke im Leben, wo der Herr vorgeht."

Wenige Monate nach Franz Herterichs Amtsantritt wurde die österreichische Währung stabilisiert, der Schilling trat an die Stelle der Krone, und zu beiden Seiten der Rampe wurde man nun gewahr, wie wenig man verdiente, um es in Gold anzulegen. Die einsetzenden Wirtschaftskämpfe erschüttern das Gefüge der Burg mehr als der Zusammenbruch der Monarchie, wie es überhaupt bezeichnend für das Burgtheater ist, daß es stets schon neben den politischen Ereignissen des Landes und der Welt sein Eigenleben führt. Politik spielte im Repertoire immer eine Nebenrolle. Die Wirtschaftssituation mußte man zur Kenntnis nehmen. Jedes neue Engagement, jede Gagenerhöhung mußte vom Ministerrat genehmigt werden. Die Direktive des damaligen Finanzministers Kollmann lautete: „Net kost's, was kost', meine Herren, sondern kost's, was wert is!".

Unter Herterich kam 1923 Fred Hennings an die Burg.

Franz v. Papen-Pawlowski war sein „bürgerlicher" Name. Herterich engagierte ihn ans Burgtheater, und er spielte mit Rosa Albach-Retty ein Zweipersonenstück, „Tageszeiten der Liebe". Max Devrient war sein großes Vorbild. Er war mit der großen Operettendiva Mizzi Günther verheiratet und Jahre hindurch ein Bohemien, der manchmal nicht genau wußte, wo er in der Früh aufwachte. Herterich gab ihm einmal ein Entlassungsgesuch, das Hennings ihm geschickt hatte, zurück, und dieser konnte sich nicht erinnern, daß er es geschrieben hatte. Er war Alba in „Don Carlos", der Herzog im „Tasso", auch in der Weimarer Festvorstellung, der Präsident in „Kabale und Liebe", der Erzherzog Matthias im „Bruderzwist". Er spielte Oscar Wilde, Molnar und Schnitzler, und er trat oft vor den Vorhang, um den Dank des Autors auszusprechen. Das ist ein altes Burgtheatergesetz: der sogenannte Abendregisseur, der nicht mit dem Regisseur identisch ist, sondern nur „Dienst" macht, tritt im Frack mit Orden vor den Vorhang und sagt: „Ich habe die Ehre, den Dank im Namen des Autors auszusprechen." Er kommt dann noch einmal allein, dann erst mit dem Autor, dann erst der Autor allein. Ursprünglich war das eine Art Schutzmaßnahme für den Autor, um ihn vor der Ungunst des Publikums zu schützen. Seine dreizehnte Schnitzlerrolle war der Unterrichtsminister Professor Flint im „Professor Bernhardi". In der großen Duoszene im zweiten Akt erlitt er 1965 einen leichten, an derselben Stelle 1967 einen schweren Schlaganfall. Der nun über Achtzigjährige ist wie ein großer alter Offizier – mit Haltung immer dabei. Er hat nie aufgehört zu arbeiten und zu denken. Seine wissenschaftlichen Werke legen dafür Zeugnis ab. Aber der Hofrat, der Professor, der Kammerschauspieler, der Schriftsteller, der Baron und der Topograph sind für ihn kleine und größere Rollen. Zuerst und zuletzt ist er ein Burgschauspieler, auch wenn er manchmal davon gar nicht mehr so viel wissen will. Er ist ein Beispiel dafür, wie man mit seinem Leben umzugehen hat und wie man mit seinem Alter befreundet sein kann. Er hat selbst viel über das Burgtheater geschrieben, und auch in dem, was ich mit diesem Burgtheaterbuch versuche, stammt manches direkt oder indirekt von ihm. Er hat mich mit väterlicher Freundschaft ein langes Stück Lebens begleitet. Er ist nicht nur ein Teil meines Burgtheaterbuches, er ist ein Teil des Burgtheaters.

Er hat immer „Burscherl" zu mir gesagt, das ist bis heute so geblieben. Er war mein erster Bühnenvater, 1933 im Akademietheater, er hat dafür gekämpft, daß ich die Rolle, die für mich auch im Zusammenhang mit dem Burgtheater so entscheidend war, dann wirklich spielte, und er war mein großer Freund – viel mehr als ein Bühnenvater. In den verhängnisvollen Jahren der Nazizeit, deren Anfang ich in Österreich miterlebte, hat er geschützt und geholfen, wo er nur konnte. Es ist nicht übertrieben, wenn ich glaube, daß er mir das Leben gerettet hat.

Oben: Direktionsbesprechung im Burgtheater: Dr. Karl Ratislaw, Franz Herterich, Regisseur Rosenthal, Erhard Buschbeck und Hermann Röbbeling

Links: Fred Hennings spielte 1929 mit Alma Seidler in Fodors Erfolgsstück „Arm wie eine Kirchenmaus"

Im Jahre 1926 hatte das Haus sein 150jähriges Jubiläum mit einer Aufführung der „Minna von Barnhelm" begangen, in der die Wohlgemuth, die Seidler und die Bleibtreu, Paul Hartmann, Otto Tressler, Raoul Aslan und Albert Heine spielten. Im Akademietheater gab man Raoul Auernheimers Festspiel „An der Wiege des Burgtheaters", das die Kanditatur Lessings als Burgtheaterdirektor zum Inhalt hat. Der Presseklub Concordia, eigentlich der Herausgeber des „Neuen Wiener Journal", Lipowitz, stiftete einen Burgtheaterring, der erstmals Arthur Schnitzler und Auguste Wilbrandt-Baudius zuerkannt wurde und bis 1934 (der letzten Ringverleihung) Hermann Bahr, Gerhart Hauptmann, Karl Schönherr, Ludwig Fulda und den

Schauspielern Max Devrient, Georg Reimers, Hedwig Bleibtreu und Else Wohlgemuth verliehen wurde. Unter den Gratulanten zum Burgtheaterjubiläum stellte sich Gerhart Hauptmann mit folgenden Worten ein: „Das Burgtheater war der Monsalvatsch, wo man den Gral dramatischer Kunst aufbewahrte, der Burgschauspieler war Gralshüter, durch die höchste Weihe der Kunst geadelt!"

Übrigens gab es – neben dem Ring – seit dem Jahre 1922 eine weitere Einrichtung, um Persönlichkeiten, die sich um das Burgtheater besonders verdient gemacht hatten, auszuzeichnen: die Ernennung zum Ehrenmitglied. Wie in der Oper seit einem halben Jahrhundert gang und gäbe, wurde diese Möglichkeit nun auch der Burg eröffnet. Anlaß war das vierzigjährige Bühnenjubiläum Max Devrients; zugleich mit ihm wurden auch Hugo Thimig, Georg Reimers und Auguste Wilbrandt-Baudius zu Ehrenmitgliedern ernannt. Wie in der Oper erfolgte die Ernennung im Einverständnis mit der Bundestheaterverwaltung seitens der Direktion eher nach eigenem Ermessen. Erst anläßlich der 150-Jahr-Feier wurden offizielle Richtlinien ausgearbeitet: nur sehr prominente, verdienstvolle Ensemblemitglieder, und auch diese erst nach langjähriger Zugehörigkeit zum Haus, sollten dieser hohen Ehre teilhaftig werden können. Die Zahl der lebenden Ehrenmitglieder soll ein Zehntel des gesamten Mitgliederstandes nicht übersteigen. Der Titel darf übrigens weder in Wort noch Schrift verwendet werden, wenn die Träger bei Veranstaltungen mitwirken, „die mit der Würde des Titels unvereinbar wären", also wenn sie etwa in Operetten, Varietés, Kabaretts auftreten.

Während Herterich in der Burg residierte, hatte Castiglioni das alte Theater in der Josefstadt für Max Reinhardt erworben, der es mit Castiglionis Geld nach dem Muster des Teatro fenice adaptierte. 1924 wurde die „Neue Josefstadt" mit bedeutenden Berliner Schauspielern eröffnet. Das Mäzenatentum Castiglionis erlaubte Reinhardt, über ökonomische Erwägungen hinwegzugehen. Zur selben Zeit begann Dr. Rudolf Beer im Raimundtheater und im Deutschen Volkstheater modernes Theater zu machen: Er spielte den ganzen Bogen – von der „Dreigroschenoper" bis zu Pirandellos „Sechs Personen suchen einen Autor". Wie weiland Sellier trägt Beer dem Unterrichtsministerium die Pachtung des Burgtheaters an.

Das Angebot Beers, das Burgtheater zu pachten, hatte seine Wirkung nicht verfehlt. Man ging nun daran, den Kreis des Stammpublikums zu erweitern. Vorher hatte man bereits einen ersten Versuch unternommen, das Burgtheater auf Gastspielreise durch die Bundesländer zu schicken. In Wien wurde die Theatergemeinde gegründet, die ihren Mitgliedern zu ermäßigten Preisen den Besuch von zwanzig Vorstellungen pro Saison an verschiedenen Theatern sicherte. Dieses System schlug ein und erweiterte tatsächlich den Umfang des ständigen Zuschauerkreises. Das Stammpublikum von heute rekrutiert sich teilweise noch immer aus den Mitgliedern dieser Theatergemeinde und ihren Nachkommen. Die Abonnements wurden vererbt und gingen von den Eltern auf die Kinder über.

Herterichs Schwierigkeit bestand nun darin, ein altes und ein neues Publikum mit einem Spielplan zu konfrontieren, der möglichst allen Wünschen gerecht werden sollte und den Erfordernissen der Burg angemessen war. Er hielt sich an Laubes Rezept, einen goldenen Mittelweg zu gehen. „Drei bis vier Klassiker, zwei bis drei literarisch hochstehende Novitäten, zwei sogenannte Ausstattungsstücke, einige Volksstücke und leichtere Ware", die sich im Akademietheater ja immer als Kassenmagnet erwiesen hatten. Von Shaws „Lady Windermeres Fächer" bis zu Max Mells „Nachfolge-Christi-Spiel", von Molnárs „Spiel im Schloß" bis zu Grillparzers „Traum ein Leben", von Bahrs „Kinder" bis zum „Wallenstein", von Schönherrs „Herr Doktor, haben Sie zu essen?" bis Franz Werfels „Paulus unter den Juden", von Saßmanns „Metternich" bis zu Goethes „Faust" brachte er ein durchaus wohlausgewogenes Programm.

Der „Faust" hatte alle Aspekte einer Sensation, da Herterich die für das Burgtheater von Richard Beer-Hofmann geschaffene, nicht unumstrittene Bearbeitung beider Teile für einen

„Über allen Zaubern Liebe“, Calderons Drama mit Musik von Eduard Künnecke wurde vom Ensemble des Burgtheaters im Großen Konzerthaussaal in Wien aufgeführt. Die Circe war damals Else Wohlgemuth, Raoul Aslan der Ulysses

Abend zur Aufführung brachte. Franz Herterich baute den technischen Apparat aus, installierte zwei Probebühnen und gewann den bekannten Komponisten Franz Salmhofer als Bühnenmusiker.

Die Bühnenmusik am Burgtheater war oft ein entscheidendes Erfolgsmoment. Zwei wesentliche Komponisten, die sich diesem Theaterteil verschrieben haben, waren der erwähnte Franz Salmhofer und Alexander Steinbrecher: Beide eigenständige Komponisten, waren ihre Bühnenkompositionen immer vom Geist und Sinn der Aufführung getragen und ordneten sich wohl nicht unter, aber ein. Sicherlich an die hundert Aufführungen wurden von Salmhofer in mehr als einem Sinn begleitet.

Mein alter Freund Xandl, den ich nach dem Krieg via Sender Rot-Weiß-Rot wiederfand, ist mir und unserer gemeinsamen Burgtheatervergangenheit treu geblieben. Er ist ein echter österreichischer Mensch, ein Musiker, der weit über den begrenzten Rahmen des Burgtheaters hinaus wirkte. Hätte ihn eine beinahe Raimundsche Bescheidenheit nicht daran gehindert, er hätte eine Weltkarriere gemacht.

In den letzten Jahren wird die Handschrift Kurt Werners als Bühnenmusiker immer deutlicher. Klingenberg hat ihn dem Burgtheater fest verbunden.

Herterichs Ausstattungschef Remigius Geyling erfand die bewegte Projektion: Eine Illusion ziehender Wolken oder bewegten Wassers war ein Novum, und die nach langwierigen Versuchen gelungenen projizierten Rundhorizonte erwiesen sich als äußerst wirkungsvoll und ersparten Ausstattungskosten. Erstmals unter Herterich wirkten neben Geyling und Alfred Roller fallweise herangezogene Bühnenbildner wie Oskar Strnad, Harry Täuber, Erwin Lang, Joseph Franz und Eduard Wimmer an den Inszenierungen mit. Die Betonung der Persönlichkeit des Bühnenbildners war neu.

Trotz aller pekuniärer Schwierigkeiten gelang es Herterich, eine Reihe von Schauspielern zu engagieren, von denen viele aus der späteren Burgtheaterentwicklung nicht wegzudenken sind: Willy Thaller, Hilde Wagener, Fred Hennings, Alfred Lohner, Eduard Volters, Viktor Braun, später Ewald Balser und Vera Balser-Eberle, Paul Hartmann, Werner Krauß, Ulrich Bettac, schließlich Julia Janssen, Elisabeth Kallina, Ebba Johannsen, Lily Karoly, Wilhelm Heim, Wolf Albach-Retty und Ida Roland.

Alfred Rollers Inszenierungen sind heute schon beinahe legendär. Stephan Hlawas schöpferische Phantasie hatte später in seinen Bühnenbildern ihren großen künstlerischen Nieder-

OTTO TRESSLER (1871–1965)

Er kam sozusagen „mit dem ersten Autobus“ ans Burgtheater. 1896 debütierte er in Bauernfelds *Bürgerlich und romantisch.* Er hatte die letzten Jahre von Johann Strauß erlebt und stand in 383 Rollen 6540mal auf den Brettern des Burg- und Akademietheaters. Er war Clavigo, Nathan, Fiesco, Peer Gynt und Cyrano. Er war ein Schauspieler mit vielerlei Fähigkeiten: vom Scherenschnitt über die singende Säge bis zur Bildhauerkunst reichten seine Talente: Ein echtes Sonntagskind des Burgtheaters. Er war drei Jahre am Burgtheater, als Josef Kainz engagiert wurde, dessen Totenmaske er abgenommen hat.

Gleichzeitig mit der Todesnachricht traf Tresslers letzter Brief bei mir ein: „Lieber Freund Ernstl! ... Danke meinen Kolleginnen und Kollegen herzlich. Ich wünsche allen viel Schönes und möchte denen, die meine Freunde sind, sagen, daß mich ihre Zuneigung glücklich machte und macht ... An mein geliebtes Burgtheater, meine von Kainz vererbte schöne Garderobe denke ich oft. Ob ich alles noch einmal sehen darf?“

schlag gefunden: Ein echter Burgtheaterkünstler, der 1976 sein eigenes Jubiläum feiert: Sein 200. Burgtheater-Bühnenbild! Teo Otto war ein Beispiel für jene, die nicht nur mit großen Mitteln arbeiten konnten; seine Bühnenbildschöpfungen waren oft Abstraktion und vermittelten mit geringem Aufwand den Geist der Dichtung, wie zum Beispiel in Shakespeares Königsdramen-Zyklus.

Während meiner Direktionszeit war Lois Egg am Werk großer Dichtungen, und ohne ihn wäre es nicht gelungen, die wichtigen Bühnenbildakzente, die Oskar Kokoschka und Fritz Wotruba setzten, zu realisieren. Er war viel mehr als ein Ausstattungschef: Er war ein guter Geist dieser Jahre. Auch der große Clemens Holzmeister kam wieder. Während der Direktion Rott war Fritz Judtmann das Bühnenbildgewissen des Burgtheaters gewesen.

Immer wieder war der Geschmack und die Phantasie von Erni Kniepert eine große und entscheidende Hilfe für den Regisseur und den Schauspieler.

In jüngster Zeit sind auch zahlreiche ausländische Bühnenbildner am Burgtheater tätig.

Eine Burgtheateraufführung der Zeit Franz Herterichs – 8. Mai 1925, Peer Gynt – ging übrigens in die Kriminalgeschichte ein. Philipp von Zeska berichtet darüber in seinem Buch „Spektakel muß sein“: „Peer Gynts Schiff war eben mit Hilfe der Bühnentechnik untergegangen, aus den Wogen tauchte der junge Philipp Zeska in seiner Rolle als ‚fremder Passagier‘ auf und rief sein: ‚Ich komme betreffs des Leichnams!‘ Da knallten Schüsse, und während einige Zuschauer in der Nähe der Rangloge, wo die Schüsse gefallen waren, entsetzt aufschrien, dachte der übrige Teil des Publikums zunächst wohl an einen besonders drastischen Inszenierungseffekt. Der Vorhang fiel, und in der Loge verhaftete man die Mazedonierin Nincia Carniciu, die den nach Österreich geflohenen Fodor Panizza nach einem lange vorbereiteten Plan in der makaberen Szene des Schiffsuntergangs ermordet hatte. Sei es, daß ein Teil des Publikums die Zusammenhänge nicht erfaßt hatte, sei es, daß man sich einfach die Fortsetzung des Stückes nicht entgehen lassen wollte, jedenfalls forderte lebhaftes Händeklatschen aus dem Zuschauerraum die Fortsetzung der Aufführung. Man spielte weiter, allerdings ohne daß Zeska den zuletzt gesprochenen Satz ‚Ich komme betreffs des Leichnams' wiederholt hätte, und auch die Schlußworte der Szene: ‚Man stirbt nicht mitten im fünften Akt' unterblieben."

Aber in diesem Jahr 1925 hat sich im Burgtheater nicht nur Kriminalgeschichte ereignet. Es waren nicht weniger als 30 Premieren angesetzt: „Peer Gynt" mit Otto Tressler, Shaws „Candida" mit der Wohlgemuth und Schillers „Demetrius"-Fragment. Und damals versuchte Direktor Herterich auch, einen offiziellen und mit pekuniären Vorteilen verbundenen Titel durchzusetzen: den Titel Kammerschauspieler.

Schauspieler des Kaisers zu sein – und das war man nur als Mitglied des Burgtheaters –, galt in der Monarchie an sich schon als Auszeichnung; damals war die Ernennung zum Hofschauspieler das Nonplusultra einer Karriere gewesen – in den Augen des Publikums einem Adelsprädikat gleich. Als sich die junge Republik beeilte, alle derartigen Titel auszuschalten, schufen sich die Wiener einen zwar privaten und inoffiziellen, aber in seiner gesellschaftlichen Relevanz überaus wirksamen Ersatz: ihre „Burgschauspieler" rangierten standesmäßig vor allen anderen.

Der Vorstoß Herterichs brachte nun nicht ganz den gewünschten Erfolg. Bundespräsident Hainisch schuf in dieser Zeit wirtschaftlicher Katastrophen auf Grund eines Ministerratsbeschlusses 1926 schließlich nur den „Kammer-Titel für darstellende und ausübende Künstler auf dem Gebiet der Musik und darstellenden Kunst", der nicht auf die Mitglieder von Burgtheater und Staatsoper beschränkt und mit keinerlei finanziellen Zuwendungen verbunden ist, zur Zeit seiner Schaffung aber – zumindest was das Burgtheater betraf – sogar als Ausgleich für die Ablehnung allgemeiner Gagenerhöhungen gesehen wurde. Die ersten „Österreichischen Kammerschauspieler" waren Maria Mayen, Maria Mayer, Raoul Aslan und Willy Thaller (alle seit dem Jubiläumsjahr 1926).

Der Kammertitel wird regelmäßig vom Bundespräsidenten

WILLY THALLER (1854–1941)

Einer der großen Volks-Burgschauspieler, einer der großen österreichischen Schauspieler überhaupt, kam spät ans Burgtheater: Willy Thaller debütierte am 5. Januar 1924 in den *Katakomben* von Davis. Er war der Weinberl im *Jux*, der Schöllhofer im *Groben Hemd* und der Steinklopferhanns in Anzengrubers *Die Kreuzelschreiber.* Im hohen Alter machte er noch jeden Tag seinen Kopfsprung in den Faaker See. Ich erinnere mich noch sehr gut an ihn. Einmal durfte ich das Knechtl in Schönherrs *Erde* mit ihm spielen. Ich sah ihn als Hauptmann von Köpenick und als alten Doria im *Fiesco.* Er war eine der originellsten Persönlichkeiten, ein österreichischer Nörgler von Berufung und Format. Das Denkmal Girardis nannte er aus solchen Erwägungen heraus die „steinerne Lüge", und wie einer seiner Direktoren, Hermann Röbbeling, ihn bei einer Feier mit Girardi und Tyrolt verglich, strahlte ihm der Unmut aus den Augen. In den zwei Jahrzehnten, die er am Burgtheater wirkte, war er ein Inbegriff österreichischer Schauspielkunst. Ein Rollen- und Menschengestalter, der zu den großen Glücksfällen des zweihundertjährigen Hauses zählt.

verliehen, ist aber bis heute nicht so recht in das Bewußtsein der Öffentlichkeit gedrungen: Selbst in Wien weiß man nie so genau, wer Kammerschauspieler ist und wer nicht. Wer „Burgschauspieler" ist, weiß man allerdings immer.

In einer Zeit, in der, wie er später selbst sagte, „die ehedem so blühende französische Produktion auffallend ins Stocken geraten war, England spießbürgerliche Höhere-Töchter-Literatur bot, Berlin im Snobismus extremer Dramatik, Moskau in äußerlichem Konstruktivismus verharrte und nur Wien allein auf dem Boden seines etwas konservativen Geschmacks stand", hat Herterich solides Theater gemacht. Vielleicht war es zu solid, zu konservativ und zu wenig um den Einfall bemüht. Ich erinnere mich an Vorstellungen, die ich als Bub gesehen habe und die oft nicht dazu angetan waren, ein echtes „Burgtheatergefühl" zu vermitteln oder aufkommen zu lassen. Herterich war konziliant und ging mit der Zeit den Weg des geringeren Widerstandes.

Vielleicht ist es mehr als eine Anekdote, wenn man erzählt, daß Raoul Aslan und Paul Hartmann einmal zu einer Probe für ihre Duoszene nicht aufzutreiben waren und Herterich kurz entschlossen die Rolle Aslans las, der Inspizient jene von Paul Hartmann. Als sie fertig und die beiden Schauspieler immer noch nicht gekommen waren, meinte Herterich zum Inspizienten: „Na, machen wir's halt noch einmal, dann sitzt die Szene!"

Die Kritik setzte ein; jene Kritiker, die ihn gestützt hatten, griffen ihn nunmehr an. „Franz Herterich sieht auf Photos heldisch und kühn aus", schrieb Ernst Decsey, „er besitzt ein deutsches Konquistadorenprofil, man schlösse auf einen Haudegen, auf einen Georg Frundsberg, einen Florian Geyer. Aber im Gespräch erlischt die Härte seiner Züge, eine gewisse Milde breitet sich über ihn aus, auch über den Klang seiner Stimme und ihre süddeutsche Weichheit, und unversehens spricht man mit keinem Frundsberg, sondern mit ... einem, man möchte sagen: beamtlich gedrückten Mann."

Die Unzufriedenheit mit den Abnützungserscheinungen der Direktion führte zu einer Palastrevolution, bei der sich neun Schauspieler als prominent erklärten und Herterich stürzten. Die „Prominenten" verlangten Herterichs Rücktritt, ohne das Ensemble von ihrem Vorhaben verständigt zu haben, und gingen mit dieser Erklärung in die Öffentlichkeit. Eines Tages wachte Franz Herterich auf und las in der Zeitung, daß er zurückgetreten wäre. Eine Abordnung von Schauspielern, denen auch mein Vater angehörte, wollten Herterich zum Bleiben bewegen. Doch der siebenjährige Burgtheaterkrieg hatte den Direktor müde gemacht. „Was nützt's", meinte er, „es steht ja schon in der ‚Freien Presse'!"

Diese Direktionszeit war eine relativ lange in der Geschichte des Burgtheaters. Sie hat trotz großer Mängel sehr wesentliche Akzente im Schauspielerischen, im Organisatorischen und im Bühnenbildnerischen gesetzt. Der Spielplan war aufgelockert bunt – und ging doch wieder an den Erscheinungen der Zeit mit einer seltsamen Burgtheaterautomatik vorbei.

Es waren die Jahre, in denen Hitler „Mein Kampf" schrieb, Stalin nach Lenins Tod den Machtkampf in der UdSSR gewann, Trotzki verbannt wurde, Ignaz Seipel österreichischer Bundeskanzler war. 1927 ging der Justizpalast in Flammen auf, Charles Lindbergh flog als erster über den Ozean. Robert Neumann vollendete seine Literaturparodie „Mit fremden Federn". Sigmund Freud schrieb die „Zukunft einer Illusion", und Wagner-Jauregg bekam den Nobelpreis für Medizin. In Wien wird das Reinhardtseminar eröffnet. Im Rücktrittsjahr Herterichs schreibt Robert Musil am „Mann ohne Eigenschaften", Joseph Roth am „Hiob", Karl Heinrich Waggerl an „Brot". Der österreichische Unterrichtsminister heißt Heinrich Srbik. Seine Phantasie hatte sich an Wildgans' „Rede über Österreich" entzündet, in ihm den Traum von einem Burgtheater erweckt, das in diesem trüben, von politischen Spannungen geladenen, von einer neuen Weltwirtschaftskrise bedrohten Jahr wieder, wie er hoffte, zu einem Symbol österreichischen Wesens und österreichischen Geistes für die ganze Welt werden soll. Fred Hennings hat es nicht allzu schwer, den von ihm verehrten Anton Wildgans ein zweites Mal auf den Burgtheaterthron zu heben. Ich erinnere mich an eine nächtliche Diskussion, in der mir Hennings die Beweggründe dafür bei

RAOUL ASLAN
(1886–1958)

Was für die Comédie Française Louis Jouvet war, war für die Burg Raoul Aslan. Ab 1. September 1920 lief sein Vertrag, und am 3. September debütierte er als Orest in *Iphigenie auf Tauris*. Raoul Aslan, von dem man unendlich viel Geistreiches und Anekdotisches erzählt, ist ein feststehender Burgtheaterbegriff. Seine Persönlichkeit erzwang vom ersten Augenblick an Respekt und Distanz. Anton Wildgans fragte ihn anläßlich einer Gagenverhandlung, wofür er so viel Geld brauche. Aslan meinte, daß er von Geld nichts verstünde. „Ich bin doch ein Kind, Herr Direktor", sagte er entschuldigend. „Ja, aber ein armenisches", antwortete Wildgans. Einmal kam es zu einer kleinen Kontroverse zwischen dem Regisseur Gründgens und Aslan, der den Jacques in *Wie es euch gefällt* spielte. „Wir scheinen so verschiedene Auffassungen zu haben", meinte Gründgens, „und doch verbindet uns so viel. Wo liegt der Unterschied?" „Das will ich Ihnen sagen, Herr Gründgens", sagte Aslan. „Ich komme von Byzanz über Wien nach Salzburg. Und Sie direkt aus Düsseldorf."

Das änderte nichts an der künstlerischen Wertschätzung, die beide füreinander hatten. Aslan war 1928 der Hamlet und der „zweiteilige" Mephisto des Burgtheaters. Er war 1933 der Benedict in *Viel Lärm um nichts* mit Lilli Darvas. Die Musik schuf Erich Wolfgang Korngold.

Ich habe oft mit Aslan gespielt. In den dreißiger Jahren war ich sein Schüler im *Faust* und in Max Mells *Nachfolge-Christi-Spiel* sein Hundsbub. Mell hatte bei der Uraufführung des Stückes darauf bestanden, daß der Schloßherr, den Aslan spielte, von sich sagte, er sei fünfzig Jahre alt. Das war Mell für die Rolle wichtig. Aslan weigerte sich, so alt zu sein, ließ sich aber von Mell von der Notwendigkeit des Alters der Figur langsam überzeugen. „Gut", konzedierte er, „aber im Augenblick, wo ich sagen werde: ‚Bin nun fünfzig Jahre', müssen sämtliche Räuber auf der Bühne hellauf lachen."

Aslan sagte solches nie, ohne den Humor für seine eigenen Schwächen zu haben. Das machte ihn liebenswert, und deshalb waren seine vielleicht besten Rollen, so merkwürdig das klingen mag, große komische: *Ein Glas Wasser, Ein großer Mann privat, Die beiden Klingsberg, Mädchenjahre einer Königin.*

Aslan beherrschte das Repertoire des Burgtheaters seiner Zeit, er war Coriolan und Othello, er war Richard II., er war Marquis Posa, er war Rudolf in der Lothar-Inszenierung des *Bruderzwist,* er war der Tasso in der legendären Burgtheateraufführung in Weimar. Seine Textunsicherheit war so sprichwörtlich wie seine geniale Gabe der improvisierten Nachdichtung im Falle des „Hängens". Mir blieb als Cherubin im *Tollen Tag* der Mund offen, mit welcher Bravour er als Graf Almaviva die ihm entfallenen Sätze neu formulierte. Einmal hatte man für ihn eine Souffleurstaffette hinter der Bühne eingerichtet, weil er laut Inszenierung mit sehr viel Text über die ganze Bühne zu gehen hatte und den weit entfernten Souffleur nicht hören konnte. Fünf Studenten waren aufgeboten, die mit Taschenlampen im Dunkel der Hinterbühne den Text mitlasen und soufflierten. Einmal ging eine Taschenlampe aus, und nach dem Akt kam der verzweifelte Student zu Aslan und entschuldigte sich, daß er seine Stelle im Dunkel nicht habe lesen können. „Jetzt spielen wir dieses Stück schon vierzigmal", räsonierte Aslan, „und Sie können es immer noch nicht auswendig!"

Er war ein echter Gegner des Nationalsozialismus und hatte deshalb damals auch große Schwierigkeiten. Und er war ein gläubiger und praktizierender Katholik.

Nach dem Krieg wurde er als der Erste Schauspieler des Hauses Direktor des Burgtheaters. Schon sehr krank, spielte er immer noch, und das war er auch am Schluß seines Lebens: minutenweise immer noch der große Aslan, der aus ihm sprach.

„Türkenblut", Rotwein mit Sekt gespritzt, auseinandergesetzt hat. Er, der alternde Burgschauspieler, wollte mir, seinem jüngeren Kollegen, vielleicht eine Art Rechenschaftsbericht geben, möglicherweise auch, weil er wußte, daß mein Vater ein Gegner seiner Prominentenaktion zum Sturz Herterichs gewesen war.

Seine Hauptargumente waren die wirtschaftlich verzweifelte Situation von Wildgans und die Notwendigkeit, den zwar keineswegs alten, aber kranken Dichter zu versorgen. Das war auch der Grund, warum Wildgans die Berufung annahm. Man garantierte ihm eine von der Dauer seiner Direktionstätigkeit unabhängige Pension. Die drückende Sorge um seine Existenz, die Sicherung seiner Familie, bestimmte Wildgans ein zweites Mal, in und an den Ring zu gehen. Er versucht dort fortzusetzen, wo er neun Jahre vorher aufgehört hatte. Er brachte Franz Werfels „Das Reich Gottes in Böhmen", Georg Kaisers „Die Bürger von Calais", Franz Theodor Csokors „Die Gesellschaft der Menschenrechte", Hofmannsthals „Salzburger großes Welttheater" und Schnitzlers „Der Gang zum Weiher", Zuckmayers „Hauptmann von Köpenick", Shakespears „Sturm" und Hauptmanns „Winterballade", Ibsens „Kronprätendenten", Shakespears „Maß für Maß" und „Richard II.".

Wie in seine erste Direktion die Gründung des Akademietheaters, so fällt in seine zweite die Gründung des Burgtheaterstudios. Die Initiative geht von zwei Schauspielern aus: von Karl Eidlitz und Philipp Zeska. Die damalige „Junge Burg" hat die Förderung junger, im normalen Betrieb nicht spielbarer Autoren, wie auch die Betreuung junger Ensemblemitglieder mit großen Rollen zum Ziel.

Das Studio des Burgtheaters im Akademietheater hatte Bernard Shaws „Androklus und der Löwe" auf sein Programm gesetzt. Der große irische Dichter schrieb damals – 1931 – an das Studio: „. . . Von allen Tragödien, die das Theater hervorruft, ist die rührendste und mißlichste die der Jugend, die unaufhaltsam den mittleren Jahren entgegenreift, immer älter wird und schließlich, ohne eine Möglichkeit, darüber hinwegzutäuschen, alt ist. In jedem anderen Beruf können wir mit dem

Oben: „Anatol" von Arthur Schnitzler, Jänner 1932 im Akademietheater. Von links nach rechts: Raoul Aslan, Ebba Johannsen und Emmerich Reimers
Rechte Seite oben: Eines der erfolgreichsten sentimentalen Stücke des ersten Jahrhundertdrittels: Meyer-Försters „Alt Heidelberg". Die Rolle des Prinzen Karl Heinz stellte damals Ullrich Bettac dar, Kathi war Alma Seidler (1928)
Rechte Seite unten:
Hans Brahm verstand es, in seiner Inszenierung des Werfel-Dramas „Juarez und Maximilian" wirkungsvoll Massenszenen zu arrangieren (1929)

englischen Dichter fröhlich ausrufen: ‚Laßt uns vereint ins Alter geh'n, das Leben ist trotz allem schön.'

Der Schauspieler jedoch kann das nicht behaupten. Es mag fünfzigjähriger Erfahrung bedürfen, einen Romeo oder eine Julia vollendet zu spielen. Die einzigen Vorstellungen von ‚Romeo und Julia', die ich aber erträglich fand, wurden von Mädchen und jungen Männern in den Zwanzigern gespielt . . .

Trotzdem ist es ein Ding der Unmöglichkeit, erstrangige Klassikervorstellungen von anderen Künstlern dargestellt zu sehen als von solchen, die jahrelang zusammengespielt haben.

Wie können nun diese Gegensätze ausgeglichen werden?

In meiner Praxis wurde dieses Problem einmal zu lösen versucht; zwar nicht im Theater, sondern in einer politischen Gesellschaft, der ich angehörte und deren Führer so fähig waren, daß die jüngeren Mitglieder keinerlei Stellung erlangen konnten, weder in der Leitung der Gesellschaft, noch im Rahmen der großen Rednerveranstaltungen, die ihre gemeinnützige Arbeit darstellten.

Sie gründeten deshalb eine sogenannte ‚Kinderstube', aus der alle Mitglieder, sobald sie ein bestimmtes Alter überschritten hatten, mitleidlos ausgeschlossen wurden. Sie bildeten ein eigenes Komitee, hielten ihre Zusammenkünfte ab, veröffentlichten selbstverfaßte Spottgedichte, blieben aber in vollstem Ausmaße Mitglieder ihrer Muttergesellschaft. Der Versuch war durchaus von Erfolg gekrönt, und meiner Meinung nach sollte er an jedem Theater, das ein mehr als zehnjähriges Ensemble hat, wiederholt werden.

Als ich hörte, daß am Wiener Burgtheater Ähnliches versucht werden soll, war ich sehr erfreut, und ohne zu zögern stellte ich den jungen Aspiranten meine Komödie ‚Androklus und der Löwe' zur Verfügung, damit sie die Feuerprobe bestünden. Ich hoffe, ihrem Beispiel wird in ganz Österreich und Deutschland gefolgt werden; denn ich bin sicher, daß nur auf diese Weise die alten Ensembles erhalten bleiben und sogar beliebt werden können. Ich würde es nur begrüßen, wenn sie erhalten blieben, denn ohne sie kann der Schauspieler niemals ein hochqualifizierter Spezialarbeiter, sondern nur ein gelegentlicher Handlanger werden, den man heranwinkt, wenn man ihn gerade braucht, um ihn dann wie ein Taxi abzufertigen."

Um die Unterhaltungsliteratur im Akademietheater kümmert sich Wildgans nicht allzusehr. Die Komödie „Die kleine Katharina" von Alfred Savoir wird ab Dezember 1930 zum großen Publikumserfolg und läßt wegen ihrer Pikanterien Vertreterinnen von Frauenverbänden gegen das Stück protestieren. Man empfiehlt Wildgans, das Stück abzusetzen. Der schwerkranke, aber keineswegs resignierende Direktor nimmt Empfehlungen „von oben" nicht zur Kenntnis. Am 17. April 1931 wird Wildgans fünfzig. Während ihm das Publikum impulsiv huldigt, während Festredner zündende Ansprachen halten, antichambrieren beim Generaldirektor der Bundestheaterverwaltung, Schneiderhahn, Direktors-Kandidaten.

Als Wildgans davon erfährt, demissioniert er; sein Widerstand ist gebrochen. Monatelang hatte er sein Büro, das in ein Krankenlager verwandelt war, kaum verlassen. Sein letzter Kampf für das Burgtheater war der um eine möglichst schonende Gagenkürzung der Schauspieler und gegen den entstandenen Plan, Burg und Oper aus Ersparungsgründen wenn nicht zu schließen, so doch zusammenzulegen.

Im Parlament wurde damals der Vorschlag gemacht, das Burgtheater in ein Kino umzuwandeln. Es war das Jahr, in dem Arthur Schnitzler starb, Karl Renner Präsident des Nationalrates wurde und die größte Bank des Landes, die Creditanstalt, zusammenbrach. Durch einen Wahlsieg der Republikaner wurde die Monarchie in Spanien beseitigt, und Japan besetzte die Mandschurei.

Einer der großen Erfolge der zweiten Direktion Wildgans bleibt das Gastspiel zu Goethes 100. Todestag in Weimar, obwohl er es anfangs abgelehnt hatte und froh schien, als es an der Kostenfrage zu scheitern drohte. Aber Weimar, das sich ein Goethefest ohne das Burgtheater nicht vorstellen konnte,

DAS BURGTHEATER AM MICHAELERPLATZ

J. W. Frey

Links: Albert Heine (Lykos), Paul Hartmann (Timon) und Franz Höbling (Kairon) spielten in Ferdinand Bruckners „Timon", 1932
Rechts: In Karl Schönherrs Arzttragödie „Herr Doktor, haben sie zu essen?" agierten unter der Regie Otto Tresslers Hans Marr und Wilhelm Heim (1930)

garantierte finanzielle Unterstützung. Mein unmittelbarer Nachfolger als Burgtheaterdirektor, Paul Hoffmann, erzählt heute noch von jenem grandiosen Eindruck, den er und seine deutschen Kollegen von dieser Aufführung hatten. „Wir hatten nichts erwartet", meinte Hoffmann. „Vom Burgtheater hörten wir als von einem alten pathetischen Theaterunternehmen, und da blieb uns richtig der Mund offen, als wir diese großartige, moderne Burgtheateraufführung des Tasso, von Albert Heine hinreißend inszeniert, sahen." Stefan Hlawa hatte fabelhafte Dekorationen geschaffen, Raoul Aslan war Tasso, Fred Hennings der Herzog, Else Wohlgemuth die Leonore, Ebba Johannsen die Sanvitale und Ewald Balser der Antonio. In Weimar hingen schon vereinzelt Hakenkreuzfahnen, und die Burgschauspieler ihrerseits fürchteten, nur Unverständnis zu begegnen. „Die schönste Tasso-Aufführung, die ich je gesehen habe und noch sehen werde", sagte der große Dichter Thomas Mann damals.

Wildgans war nicht mehr in der Direktion des Burgtheaters, als sein Ensemble triumphal heimkam. Er gab seine Fehleinschätzung freimütig zu, aber nicht ohne in seinen Folgerungen aus Weimar der heimischen Finanzbürokratie wegen ihrer Knausrigkeit, der Presse wegen ihrer Ungerechtigkeit, den Schauspielern wegen ihrer kräftevergeudenden Gastspielambitionen und den vergangenen und künftigen Direktoren wegen der Unart der Gastspielarrangements die Leviten gelesen zu haben und dem Burgtheater die Tradition des Hauses als immerwährende Verpflichtung ans Herz zu legen. „Vermöchte denn jemand im Ernste zu glauben, daß der Weimarer Triumph möglich gewesen wäre, wenn Anschütz, Sonnenthal, Baumeister, Mitterwurzer, um nur einige zu nennen, im Burgtheater nur als Gäste aufgetreten wären? Und umgekehrt, wären sie nicht wirklich tot und ausgelöscht, wenn sie nicht in der hohen Natürlichkeit, in der Kunst der gehämmerten Sprache, in der geistigen Charakteristik der Besten von den Heutigen fortlebten? So aber bilden sie mit diesen und hoffentlich mit vielen Künftigen jenes ewige Ensemble des Burgtheaters, das durch weise Auswahl zu bereichern und jung zu erhalten jedes, aber auch jedes Opfer wert ist."

KRÖNUNG ODER WURSTELPRATER

Von all den voreiligen Kandidaten, die sich schon seit einem Jahr um die Wildgans-Nachfolge bemüht hatten, kommt, wie das eigentlich in der Geschichte des Burgtheaters immer wieder der Fall war, keiner zum Zug. Immer wieder glauben viele, dazu berufen zu sein, gerade Burgtheaterdirektor zu werden, wohl wissend, wie viele andere sich gleichzeitig bewerben, und kaum einer akzeptiert die Tatsache, daß es doch immer nur einer werden kann.

Hier mag vielleicht der richtige Ort sein, sich ein wenig zu besinnen, was das eigentlich ist: Burgtheaterdirektor; darüber nachzudenken, welche Voraussetzungen man dafür mitbringen sollte.

Warum strebt dieser oder jener Kandidat die Burgtheaterdirektion an, in der sicheren Voraussicht, daß er sehr bald – berechtigt oder unberechtigt – scheitern, daß er einer langsamer oder schneller einsetzenden gegnerischen Pressekampagne ausgesetzt sein wird? Es scheint also, daß es zwischen Beruf und Berufung in diesem Amt etwas Unwägbares, Undefinierbares gibt, das das Theaterblutbild verändert: den Burgtheatervirus. Gerade in letzter Zeit ist wiederholt darüber gesprochen und geschrieben worden, wie denn der „Burgtheaterdirektor par excellence" „aussehen", wie er „sein" müßte. Es gibt keine Regel dafür, wie es auch keinen Beweis für die Theorie gibt, daß jede Zeit den Burgtheaterdirektor hat, den sie verdient.

Einige Merkmale lassen sich aber sehr wohl ableiten, die jeder aufweisen muß, der dieses Haus – zwischen „Burg" und Theater – zu führen hat: Er muß bereit sein, dieses Haus sogar gegen seine Schauspieler zu verteidigen, wie er ebenso bereit sein muß, seine Schauspieler gegen das Burgtheater in Schutz zu nehmen. Er muß zur rechten Zeit reden, und – was noch wichtiger ist – er muß zuhören können. Er muß delegieren können. Er muß nicht nur *für* das Haus, sondern praktisch *im* Haus leben. Die täglichen Theaterkatastrophen müssen ein Stück seines inneren Spielplans sein. Er muß literarisch gebildet sein, muß das Wiener Parkett kennen und in der Lage sein, zwei Stunden des Tages dazu zu verwenden, Gegenaktionen und Intrigen abzuwehren und sie vor allem nur äußerlich zu dramatisieren. Er muß – und das ist das Wichtigste – wissen, daß ihn diese Position physisch und psychisch derartig belastet, daß er dadurch ernsten gesundheitlichen Schaden nehmen kann. Um all dies zu bewältigen, muß er Humor haben. Einfach: Es muß ihm Freude machen, Freude zu machen.

Wildgans war also zurückgetreten. Der damalige Unterrichtsminister Dr. Czermak sandte einen unverdächtigen Mann, einen gewissen Hofrat Karpath – er war Musikkritiker und hatte ein sehr erfolgreiches Kochbuch verfaßt –, nach Deutschland mit dem Auftrag, einen neuen Direktor mit erwiesener Bühnenpraxis und Geschäftstüchtigkeit zu finden. Seine Wahl fiel – zum Erstaunen vieler – auf den Leiter des Thaliatheaters und des Schauspielhauses in Hamburg, Hermann Röbbeling. Röbbeling (1932–1938) übernahm in jenem Jahr das Burgtheater, in dem Engelbert Dollfuß österreichischer Bundeskanzler wurde, in dem Schönberg seine Oper „Moses und Aaron" vollendete und Hindenburg gegen den Kandidaten Adolf Hitler als Reichspräsident wiedergewählt wurde. Im gleichen Jahr starb Anton Wildgans.

Röbbeling, zu dem ich eine besondere und sehr egoistische Beziehung habe, weil er mich als Schauspieler an das Burgtheater engagiert hatte, war ein echter Theaterdirektor – mit allen Vorzügen und allen Fehlern. In Hamburg war er in seinen beiden Theatern unangefochtener Alleinherrscher gewesen. Nach seiner Berufung an die Burg sagte er: „Es ist die Krönung meines bisherigen Lebenswerkes." Kurz vor seinem Tod aber meinte Wildgans zu seinem Freund Hennings: „Das ist der Sieg des Wurstelpraters über den Geist des Burgtheaters."

Röbbeling ist in jeder Beziehung ein neuer Mann: Ein Sachse wie er im Büch'l steht; der Vergleich mit dem Theaterdirektor Striese drängt sich mehr als einmal auf. Die Anekdoten über ihn sind Legion. Aber er hat Humor, er hat Energie, und er hat eine echte Theaterpranke. Er war früher Schauspieler. Meine Mutter, die einmal in einem kleinen Sommertheater mit ihm engagiert gewesen war, hat oft von seinem Ehrgeiz und davon erzählt, daß er als junger Mensch immer nur alte Männer gespielt habe. Ich erinnere mich, daß er während einer Wil-

Links: Weihnachtspremiere 1933: „Der Kaiser von Amerika" von G. B. Shaw. Otto Tressler, Franz Höbling, Paul Pranger, Rosa Albach-Retty, Ebba Johannsen, Maria Mayer und Werner Krauß (von links nach rechts)
Rechte Seite oben: Julia (Nora Gregor) kniet vor dem toten Romeo (Fred Liewehr): Das Shakespeare-Stück wurde im Jahr 1936 neuinszeniert. Auf dem Bild sind Franz Höbling, Maria Mayer, Heinz Woester, Felix Steinböck und Gisela Wilke erkennbar
Rechte Seite unten (innen): Der große Paul Hartmann
Rechte Seite unten (außen): Maria Eis und O. W. Fischer in Ferdinand Bruckners „Elisabeth von England", 1949

helm-Tell-Vorstellung sich aus Wut über mangelnde Präzision kurzerhand einen Bauernmantel überwarf, einen Bart umhängte und in der Rütli-Szene von einem Schauspieler zum andern gehend den Bart lüftete und jeden einzelnen anzischte: „Spiel'n Sie anständig, ich bin der Direktor!"

Er bringt in den beiden Häusern im ersten Jahr bereits zweiundvierzig Premieren heraus. Daß dabei manche Schauspieler sehr oft an einem Abend in beiden Häusern auftreten, ist keine Seltenheit. „Röbbelings Galeere", nannte Hennings damals die Burg. Mein Vater mußte einmal vom ersten Akt in der Burg – bei früherem Beginn – zum ersten Akt ins Akademietheater und zum dritten Akt wieder in die Burg. Gleich zu Beginn findet Röbbeling mit Saßmanns „1848", Sil-Varas „Mädchenjahre einer Königin" – in der Titelrolle Alma Seidler – und mit Mussolini-Forzanos Napoleondrama „Hundert Tage" – mit Werner Krauß – drei äußerst zugkräftige Stücke. Er forciert österreichische Dichter: Arthur Schnitzler, Anton Wildgans, Karl Schönherr, Max Mell, Richard Billinger, Hermann Heinz Ortner, Josef Wenter. Nach einer Idee Franz Theodor Csokors faßt er die Weltliteratur in einem Zyklus zusammen, in dem jede Nation mit einem Drama vertreten ist: „Die Stimmen der Völker im Drama" bringen ihm nicht nur Erfolg, sondern auch Orden ein. Österreich ist mit Grillparzers „Bruderzwist in Habsburg" vertreten, der ersten Inszenierung Ernst Lothars – mit Raoul Aslan als Rudolf einer der ganz großen, immer wieder zitierten Burg-Erfolge.

Die erste Burgtheater-Premiere unter der Direktion Röbbeling war Ferdinand Bruckners „Timon" (Januar 1932). Die Titelrolle verkörperte der bedeutende Paul Hartmann. Er war *der* Ferdinand, *der* Karl Moor und *der* Fiesco, *der* Max Piccolomini meiner Jugend. Viele von uns sind damals seinetwegen *ins* Theater gegangen. Und nicht zum geringen Teil bin ich seinetwegen *zum* Theater gegangen. Ich erinnere mich, daß ich als Schottengymnasiast im Jahre 1930 einmal eine Schularbeit mit einem Nichtgenügend nach Hause brachte und ängstlich meinem Vater erst in der Nacht zur damals bei schlechten Noten obligatorischen Unterschrift hinlegte. Am nächsten Tag brachte ich das Heft zurück. Thema der Arbeit war „Menschen und Charaktere" gewesen, und ich hatte versucht, über Schauspieler zu schreiben, schrieb über Paul Hartmann. Die Verblüffung des Professors war nicht größer als meine, als wir entdeckten, daß statt der Unterschrift meines Vaters jene Paul Hartmanns unter dem durchgestrichenen Nichtgenügend stand. Und daneben hatte Hartmann vermerkt: „Sehr gut!" Nach einem Heurigenbesuch hatte mein Vater seinen Freund Hartmann noch mit zu uns nach Hause gebracht, dort das Schularbeitsheft gefunden. Auf diese Weise war es zu dieser kleinen Geschichte gekommen, die in meiner

Rechts innen: Ewald Balser als Peer Gynt, 8. Juni 1935
Rechts außen: Werner Krauß in Mussolini-Forzanos Napoleonstück „Hundert Tage", April 1933

MARIA EIS (1896–1954)

„Die Wolter hat man im Kostüm der Iphigenie begraben, mich werden sie als Frau Peschta hineinlegen", sagte Maria Eis, und meinte eine Rolle, die sie über hundert Mal am Burgtheater und am Akademietheater gespielt hatte: die Frau Peschta aus *Ein Kamel geht durch das Nadelöhr* von František Langer. Wenn man persönlichen Humor und außerordentliches Talent als Burgtheatersynthese vereinigt sehen kann, dann bei Maria Eis. Sie war Pragerin, kam 1932 unter Röbbeling ans Burgtheater. Sie war die Elisabeth in *Elisabeth von England* und in *Maria Stuart.* Sie war die Medea und die Sappho. „Wie stehen denn die großen Schauspielerinnen des Burgtheaters zu ihnen?" wurde sie einmal gefragt. „Mit dem Rücken", antwortete sie.

Merkwürdig, wenn man sich diese Zeit vergegenwärtigt, die man ja selbst miterlebt hat. Ich habe ein paarmal mit der Eis gespielt. Sie war eine fabelhafte, große Kollegin. Ich war ihr Vorwitz, als sie die Frau Welt bei einem Gastspiel des Burgtheaters in Paris darstellte. Sie war ihrer Zeit immer um einen Schritt voraus. Sie war zwei Jahrzehnte lang modernes Burgtheater. Die Zeit holte sie viel zu früh ein, und so kamen wir um viele große Rollen, die sie noch gespielt hätte. Und sie ersparte sich vielleicht manche Enttäuschung, die ein längerer Burgtheaterweg mit sich bringt.

NORA GREGOR (1901–1949)

In der Ehrengalerie des Burgtheaters hängt ein Bild von Nora Gregor. Sie ist im Exil in Chile gestorben, und die Tatsache, daß sie nie mehr am Burgtheater spielen würde, war ein schwerer Schatten am Burgtheaterhimmel. Sie spielte die Schönheit in Hofmannsthals *Salzburger Großem Welttheater,* aber wäre der Zauber eine allegorische Figur, so wäre es auch die Gregor gewesen. Die *Agnes Bernauer,* die Julia in *Romeo und Julia,* im Akademietheater – ich glaube, hunderte Male – die weibliche Hauptrolle im *Weißen Flieder.* Sie schrieb mir einmal nach einer *Candida*-Vorstellung, daß ich ihr als Marchbanks gefallen habe, und meinte, ich würde einmal die beste Julia der deutschen Bühne werden. Sie hatte natürlich den Romeo gemeint, und sie hat mich oft gebeten, den Brief ausbessern zu dürfen. Ich erinnerte mich, daß ich bei jeder Vorstellung des *Verschwender,* wo ich der Bediente Fritz war, schon lange vor meinem Auftritt in der sogenannten „Ersten Gasse" stand, um Nora Gregor als Cheristane zu sehen. Mein alter, längst verstorbener Freund Hans Hitzinger stand neben mir. Wir waren alle sehr verliebt in sie. Sie kam von Reinhardt und gewann das Burgtheater im Zuschauerraum und auf der Bühne im Sturm. Sie war eine bezaubernde Kollegin, war in ihrer Ausstrahlung, ihrem Charme und diesem unwägbaren Etwas, das eben ihren Zauber ausgemacht hat, einmalig.

Gymnasialzeit großgeschrieben war und die mein Deutschprofessor mit viel Humor und etwas Bewegung quittierte.

Als eben 1933 das repräsentative Stück für Frankreich, Edmond Rostands „Cyrano de Bergerac", geprobt wurde, entstand in Österreich die innenpolitische Katastrophensituation. Der Rücktritt der drei Nationalratspräsidenten signalisierte das Ende der Demokratie. Wenige Wochen vorher hatte Hitler in Deutschland die Macht ergriffen. Es war keineswegs Absicht, sondern schicksalshafte Ironie, daß in diesen Tagen Mussolini-Forzanos „Hundert Tage" auf der Bühne des Burgtheaters gegeben wurde.

Röbbeling hat dem Ensemble wichtige Kräfte zugeführt: Fred Liewehr, Hans Wengraf, Hermann Thimig, Heinz Woester, Felix Steinböck und Maria Eis, die bereits von Wildgans vertraglich verpflichtet worden war.

Die Eis war aus Hamburg gekommen, wo sie bei Röbbeling engagiert gewesen war. Als sie um Freigabe für das Burgtheater bat, sagte er lachend: „Da ham Se aber Pech, Maria, ich geh' nämlich auch dorthin!"

Röbbelings Zyklus „Stimmen der Völker im Drama" war kaum ein Pendant zu der dramatischen Entwicklung der Welt in diesen Jahren. Hindenburg hatte Hitler zum Reichskanzler ernannt, die ersten Judenboykotte fanden statt, und man sprach von Konzentrationslagern. Deutschland trat aus dem Völkerbund aus. Roosevelt wurde Präsident der USA. Dollfuß wurde ermordet, Mussolini ließ italienische Truppen am Brenner aufmarschieren, Tschiang-kai schek vertrieb die Japaner aus Südchina. Alban Berg starb, Deutschland und Japan schlossen einen Antikominternpakt, Eduard VIII. wurde König von Großbritannien und dankte im selben Jahr ab.

Röbbeling gelingt es damals, Werner Krauß jährlich mehrere Monate an die Burg zu binden. Ernst Deutsch kam und spielte in „Disraeli" und „Teufelsschüler". Albert Bassermann spielte den Wallenstein, den Striese im „Raub der Sabinerinnen", ferner den „Volksfeind" von Ibsen (alles 1932!).

An Bassermann als Striese erinnere ich mich besonders deswegen, weil mein Vater diese Rolle viele Jahre hindurch

gespielt hatte und sie zugunsten des großen Gastes abgeben mußte. Das war am Burgtheater so üblich: ein Schauspieler „besaß" eine Rolle; sie konnte ihm nicht „weggenommen" werden, außer wenn das Stück neu inszeniert wurde. Im Falle dieses Gastspieles aber wurde eine Ausnahme gemacht. Wenige Tage nach der Premiere wurde Bassermann heiser, und mein Vater mußte für ihn „einspringen". Der bekannte Wiener Kritiker Siegfried Geyer witzelte darüber: „Wenn der Bassermann heiser ist, ist der Häussermann basser."

Paul Wegener gastierte als König Philipp. Otto Preminger – damals erfolgreicher Leiter der Josefstadt –, Josef Gielen, Ernst Lothar und Herbert Waniek waren wesentliche Regisseure.

In der „Tragödie des Menschen" von Imre Madách verlangte Röbbeling als Regisseur vom Bühnenbildner, er möge ihm ins vorchristliche Rom eine wunderschöne Peterskirche hinstellen.

Während der Proben zu Schillers „Räubern" befahl er einem Statisten, sich dem Darsteller des Kosinsky auffallend gestikulierend zu nähern. Der Schauspieler wurde nervös und fragte, was das denn solle. „Nun", meinte Röbbeling, „da ist eener aus Ihrem Dorf, der hat Sie erkannt!"

Röbbeling startete eine große Werbekampagne für das Burgtheater und erweiterte den Abonnentenkreis neuerlich. Über die vielen Anekdoten vergißt man oft die Konsequenz Röbbelings in der Theaterführung, seinen Sparsinn und seine echte Theaterleidenschaft hervorzuheben. Ich erinnere mich an ihn, wie er bei einer Premiere, von einer Reise kommend, beinahe kniend in seine Loge schlich. Er hatte in der Schnelligkeit nur die Smokingjacke angezogen: um die Pepitahose zu wechseln, war nicht mehr genug Zeit gewesen.

Anekdotisch ging auch 1938, im politischen Sturmwind der Machtübernahme durch die Nazis, die Direktion Röbbeling zu Ende. Der Schriftsteller Mirko Jelusich, als kommissarischer Leiter des Burgtheaters eingesetzt, wies Röbbeling aus dem Haus, und als dieser auf dem Weg aus dem Burgtheater Maria Kramer traf, antwortete er auf ihre Frage: „Wie geht es?" lakonisch: „Mal rauf, mal 'runter."

Röbbelings Frau Frieda, die sich mehr um das Burgtheater kümmerte, als den Schauspielern, vor allem den Schauspielerinnen, lieb war, erzählte über den Abgang ihres Mannes: „Um zehn hat er mich noch aus dem Büro angerufen, um viertel elf schon vom Automaten aus."

Die Funktionsperiode Jelusichs dauerte nicht lange: vom 12. März bis 6. Juli 1938. Am 11. März, als Schuschnigg sein „Gott schütze Österreich" gesprochen hatte, spielte die Burg den „Geizigen" von Molière mit Werner Krauß – am nächsten Tag begann die interimistische Jelusich-Periode.

HERR GOEBBELS IST VERSTÄNDNISLOS

Das Burgtheater ist in Gefahr. Man weiß nicht, ob es unter die Oberhoheit von Propagandaminister Goebbels oder Hermann Göring kommt. Gustaf Gründgens hat mir einmal erzählt, wie all das aus Berliner Sicht aussah. Gründgens, damals Generalintendant des Staatstheaters Berlin, wurde über Auftrag von Göring dringend nach Wien gerufen. „Das kann nur eines bedeuten", sagte er zu seiner engsten Mitarbeiterin, Gustl Mayer, „das Burgtheater". Und so war es auch. „Was tun?" fragte Gründgens. „Auf keinen Fall nach Wien gehen. Krank werden." Gründgens legte sich ins Bett, ließ sich in dem Stück, das er gerade spielte, durch seinen Kollegen Aribert Wäscher vertreten. „Was wird das aber nützen, Chef?" fragte Gustl Mayer, „wenn die wollen, kommen Sie doch nicht darum herum." „Lehren Sie mich die nicht kennen", sagte Gründgens, „in spätestens einer Woche ist das vorbei, und sie haben einen anderen." So war es auch.

Lothar Müthel, langjähriges Mitglied des Reinhardt-Ensembles und nach außen hin linientreu, wurde nun zum neuen Burgtheaterdirektor bestellt. Vorher aber gab es noch eine Premiere – „Julius Cäsar", den Carl Ebert, ein Gegner des Regimes, inszeniert hatte. Werner Krauß war Cäsar, ich selbst spielte Lucius, den Knaben des Brutus. Nach einer Probe begleitete ich Carl Ebert in sein Hotel. Als er merkte, wie offen er mit mir sprechen konnte, sagte er, er würde bei der nächsten Probe nicht mehr da sein. Er flüchtete noch in derselben Nacht, nachdem er es abgelehnt hatte, eine Loyalitätserklärung für den Nationalsozialismus zu unterschreiben.

Einige Mitglieder des Burgtheaters fielen den Gesetzen des Regimes zum Opfer: Else Wohlgemuth, Hans Wengraf, Ernst Arndt, Fritz Strassni, Lily Karoly und Nora Gregor, die mit Ernst Rüdiger Starhemberg verheiratet war.

Müthel bereitete seine Direktion vor. Bekanntlich besteht seit Gründung des Burgtheaters durch Joseph II. ein Verbot für die Schauspieler, den Applaus des Publikums persönlich entgegenzunehmen. Immer wieder stand diese alte Tradition zur Diskussion, so auch im Jahre 1938, unmittelbar vor der „Reichstheaterwoche".

In eines dieser Gespräche mischte sich Raoul Aslan: „Herr Müthel, es werden nächste Woche drei Theater im Burgtheater spielen: das Staatstheater aus Berlin unter der Oberhoheit von Herrn Reichsminister Göring, das Deutsche Theater aus Berlin unter der Oberhoheit von Herrn Reichsminister Goebbels und das Wiener Burgtheater. Und da werden die Zuschauer am ersten Abend sagen: ‚Jetzt müssen wir beweisen, wie gut das Staatstheater aus Berlin war, denn in der Loge sitzt ja der Göring, und sie werden die Schauspieler fünfunddreißigmal vor den Vorhang jubeln. Und sie werden am zweiten Abend sagen: ‚Jetzt müssen wir beweisen, wie gut das Deutsche Theater war, denn in der Loge sitzt ja der Goebbels. Und es wird 45 Vorhänge geben. Und am dritten Abend wird das Burgtheater spielen. Und es wird besser sein als das Staatstheater und das Deutsche Theater, aber in der Loge wird niemand sitzen, und die Zuschauer werden sagen: ‚Für wen sollen wir denn applaudieren?' Und es wird das Burgtheater vielleicht nur 13 Vorhänge haben. Wenn es aber beim Vorhangverbot bleibt, dann wird man sagen: ‚Das Staatstheater hat 35 Vorhänge gehabt, das Deutsche Theater hat 45 Vorhänge gehabt, das Burgtheater aber hätte mindestens 55 Vorhänge gehabt.' " – „Ich fürchte, Herr Aslan", antwortete Müthel, „der Herr Reichsminister Goebbels wird dafür kein Verständnis haben." Aslan darauf: „Wenn Sie sagen, daß Herr Goebbels dafür kein Verständnis hat, haben Sie sicherlich recht, verehrter Herr Müthel."

Im August hat Müthel einen schweren Autounfall, und Ulrich Bettac übernimmt die Direktion (1938/39), nachdem Hennings abgelehnt hat. In dieser Saison wird das Akademietheater, das Jelusich abstoßen und durch das Theater in der Josefstadt ersetzen wollte, umgebaut. Für die 50-Jahr-Feier des neuen Hauses inszeniert Karl-Heinz Stroux den „Don Carlos". Weil der Reichsstatthalter Order gegeben hat, den eigentlichen Festanlaß zugunsten einer nationalsozialistischen Demonstration in den Hintergrund treten zu lassen, wird ostentativ der notorische Gegner des Nationalsozialismus im Burgtheater, Raoul Aslan, mit der Rolle des König Philipp besetzt, zumal

Oben: Fred Liewehr als Mortimer und Käthe Dorsch als Maria Stuart in Schillers Drama, 1939
Unten: Philipp Zeska inszenierte im Herbst 1939 Anzengrubers „Kreuzelschreiber“ mit Willy Thaller als Steinklopferhans und Eduard Volters als Huber

Goebbels Aslans Marc Anton als „larmoyantes Frauenzimmer“ klassifiziert hatte.

Im Mai 1939 wird Lothar Müthel (1939–1945) definitiv Direktor – am gleichen Tag, da das Ostmarkgesetz die österreichischen Bundesländer in Reichsgaue umwandelte.

Hennings, der Chefdramaturg Erhard Buschbeck und viele andere bestätigten, daß Müthel den Spielplan frei von Parolen der Zeit gehalten hat. Zu Hermann Thimig sagte er in den ersten Tagen nach der Direktionsübernahme: „Wir kommen doch alle von Reinhardt.“ Das Burgtheater wurde seine große Liebe. Müthel war ein guter Direktor, der in der Nazizeit sehr viel Schlimmes verhindert und gutes Theater gemacht hat.

Er engagierte Käthe Dorsch, Heinz Moog, Horst Caspar, Maria Holst, Gusti Huber, Paul Hörbiger, Susi Nicoletti und Curd Jürgens.

Die Gusti Huber hatte ich als junger Burgschauspieler im Volkstheater gesehen, bewundert und verehrt. Sie spielte die „Unentschuldigte Stunde“ und war Stadtgespräch. Einmal sah ich sie im Vorzimmer der Direktion sitzen. Röbbeling wollte sie engagieren, aber es kam nicht dazu. Müthel holte sie ans Burgtheater. Sie war eine erste Schauspielerin und spielte während des Kriegs – unter vielen anderen Rollen – die Julia. Ich habe sie nicht mehr am Burgtheater gesehen. Sie ging nach dem Krieg nach Amerika und hat dort nach großen Erfolgen die Bühne verlassen. Sie wollte nicht mehr. Ich habe sie eingeladen, ans Burgtheater zurückzukommen – aber sie kam nicht.

Das große Engagement Müthels war Horst Caspar. Ein exzeptioneller Schauspieler, eine große Persönlichkeit, die, wie jene versichern, die ihn gesehen haben oder die mit ihm spielten, an Kainz erinnerte. Caspar war der Tasso des Burgtheaters in diesen Jahren, der Oswald in den „Gespenstern“ und der Graf Friedrich Günther in der „Goldenen Harfe“ von Gerhart Hauptmann. Er war mit Antje Weisgerber verheiratet, dem berühmten Gretchen von Gustaf Gründgens, die in diesen Jahren am Burgtheater große Aufgaben erhielt. Horst Caspar ist für eine ganze Schauspielergeneration ein Begriff geworden,

WERNER KRAUSS (1884–1959)

Franz Herterich hat ihn ans Burgtheater berufen. Dieser wahrhaft dämonische Schauspieler – ob ihn der eine oder der andere dafür hielt oder nicht, ist egal – war wahrscheinlich der größte deutschsprachige Schauspieler unserer Zeit. Am 17. Mai 1928 debütierte er als Neithardt von Gneisenau, von 1933 bis 1944 und von 1948 bis 1959 war er Mitglied des Burgtheaters. Er war dort der Wilhelm Voigt im *Hauptmann von Köpenick*, war Borkmann und Falstaff, war Jago in *Othello* und Malvolio in *Was ihr wollt*. Er war König Lear und der *Kaiser von Amerika*.

Am Tag, an dem Hitlers Truppen Österreich besetzten, spielte er den Harpagon in Molières Komödie *Der Geizige*. Einmal, quasi als Ausflug in das Konversationsstück, spielte er die Hauptrolle in einem Schauspiel: *Der Stärkere* mit Else Wohlgemuth. Ich war sein Sohn, Regie hatte damals Dr. Rosenthal, der zugleich auch Dramaturg am Burgtheater war. Rosenthal sagte mir noch am Tag nach der Generalprobe, wie ungeschickt ich immer herumstünde: „Wie ein wandelndes Metronom." Krauß hörte das und unterbrach ihn: „Meine Frau fand ihn sehr gut." Seine Frau war die entzückende Schauspielerin Maria Bard. Und Krauß selbst hat mir Mut gemacht. Meine erste Rolle im großen Haus war der Prinz von Wales in *Richard III*. Ich war erst im letzten Augenblick besetzt worden und hatte die Rolle praktisch ohne Probe übernommen. Als ich bei der öffentlichen Generalprobe ziemlich hilflos das Hochrufen der Statisten über mich ergehen ließ, wovon ich nicht verständigt war, löste sich aus dem Dunkel eine merkwürdige Gestalt, auf dem Haupt eine Netzhaube, kam tänzelnd auf mich zu, und bevor dieses Wesen den Shakespeare-Text: „Willkommen, Mylord, in Landen Eures Herzens" sprach, sagte er leise zu mir: „Werner Krauß, sehr erfreut."

Es gibt unzählige Anekdoten um und über ihn, die alle seiner Phantasie und Genialität Rechnung tragen.

Monatelang, bevor er den Mephisto spielte, gab er sich in einen Schuh Einlagen, so daß er sich auch privat an das Hinken gewöhnte. Alkoholisiert soll er einmal, als Cäsar verkleidet, über die Wiener Ringstraße gegangen sein, kurz bevor er ihn am Burgtheater spielte. Und manchmal trat er auch in Stücken auf, in denen er gar nicht spielte.

Vom Heurigen nach Hause gekommen, drehte er einmal irrtümlich statt der Nachttischlampe die Höhensonne auf und zog sich schwere Verbrennungen zu. Kurz bevor er starb, besuchte ich ihn mit dem damaligen Wiener Vizebürgermeister und Kulturstadtrat Hofrat Hans Mandl. Mandl deponierte den Ehrenring der Stadt Wien. Krauß erkannte niemanden mehr, die Agonie hatte begonnen, und die Stunden des großen Werner Krauß waren und wurden gezählt.

Am 20. Oktober 1959 wurden seine sterblichen Überreste, wie er es gewünscht hatte, ganz untheatralisch den Flammen übergeben. Er hatte sich Reden verbeten und wollte nur, daß auf einer Blockflöte eine Hirtenmelodie geblasen werde. Den Ifflandring, den er von der Bundestheaterverwaltung erhalten hatte, gab er an den großen österreichischen Schauspieler Josef Meinrad weiter. Ich werde den Augenblick der Testamentseröffnung, bei der die letztwillige Verfügung von Werner Krauß bekannt wurde, nicht vergessen. Meinrad las den an ihn gerichteten Brief und schluchzte wie ein kleines Kind. Es wurde sehr still, und noch einmal zogen die großen dämonischen Gestalten des Werner Krauß an uns vorüber.

Wir wußten, was das deutschsprachige Theater verloren hatte. Und wir wußten, schon in jenen Oktobertagen des Jahres 1959, daß wir noch in einem Jahrzehnt – und wahrscheinlich auch noch später – sagen würden: „Ja, wenn das der Krauß gespielt hätte!"

Im Kasten: Die letzte Rolle des großen Schauspielers Werner Krauß war der König Lear, 1958. Links Heinz Woester als Kent
Rechts: Torquato Tasso: Horst Caspar in der Titelrolle. Leonore Sanvitale war Gusti Huber, Leonore d'Este Alma Seidler, Raoul Aslan der Herzog (1942)

sein früher Tod hat eine entscheidende Lücke in dieser Schauspielergeneration hinterlassen.

Müthel spielt Hebbels „Gyges und sein Ring" und „Genoveva", Grillparzers „Sappho", Goethe, Schiller und die österreichischen Autoren Raimund, Ortner, Wenter, Max Mell, Richard Billinger.

Als Hitler – am 11. Juni 1939 – zum ersten und einzigen Mal als „Führer" die Burg besuchte, stand „Einen Jux will er sich machen" auf dem Programm. Hermann Thimig als Weinberl mußte seine aktuellen Couplets ändern; Goebbels hatte sie verboten.

Man spielte nun Ibsen, Bernard Shaw und das klassische Repertoire. Während der „Maria Stuart"-Premiere kam es nach der Gartenszene zu einem Eklat, als Maria Eis als Elisabeth – aus Protest gegen das Auftreten von Käthe Dorsch in der Rolle der Maria, die Else Wohlgemuth jahrzehntelang gespielt hatte – ostentativ Beifall erhielt. Die Dorsch, die nie Nationalsozialistin war und durch ihre Beziehung zu Göring und dessen Frau Emmy Sonneman viel Gutes tun konnte, wurde ungerechterweise zum Anlaß des Skandals. Die Dorsch reagierte nach der Vorstellung beim Bühnentürl sehr temperamentvoll. Ich hörte, wie sie den um Autogramme Bittenden sagte: „Das werdet ihr euch erst verdienen müssen!"

Die politische Situation auf der Welt hatte sich zugespitzt. Im März 1939 besetzen deutsche Truppen die Tschechoslowakei; am 1. September 1939 marschieren deutsche Truppen in Polen ein. Fast alle männlichen Ensemblemitglieder, zu denen jetzt auch Paul Hörbiger und später Oskar Werner (ab 1941) gehören, sind vom Wehrdienst befreit. Das Ensemble rückt enger zusammen. In diesen Zeiten wird die Kollegialität größer geschrieben: Die Albach-Retty bittet Müthel beispielsweise, eine ihr zugedachte Rolle Lotte Medelsky zu belassen.

Das Burgtheater – abseits der großen Welttragödie – feiert Feste. Goebbels wollte damals Berlin, Gauleiter Baldur von Schirach Wien zum Zentrum deutscher Kultur machen. Es kam zu künstlerischen Kraftproben. Zu Ferdinand Raimunds 150. Geburtstag (1940) und zu Grillparzers 150. Geburtstag (1941) gab es in Wien Festwochen.

1942 wird eine „Hebbel-und-Wien"-Woche und eine Gerhart-Hauptmann-Festwoche zu dessen 80. Geburtstag veranstaltet. Der greise Hauptmann ist anwesend, und von Berlin her hagelt es Proteste gegen die Ehrung dieses „Erzpazifisten" und

Links: Eine der Lieblingsrollen meines Vaters war Ajaxerle in Raimunds Zaubermärchen „Der Bauer als Millionär". Karl war in der Aufführung vom 9. Jänner 1942 Alexander Trojan, das Lottchen meine spätere Frau Susi Nicoletti

Rechte Seite oben: Im Jahr 1942 wurde zum achtzigsten Geburtstag des Dichters am Burgtheater eine Gerhart-Hauptmann-Festwoche abgehalten. Im Spielplan standen damals drei seiner Dramen. „Iphigenie in Aulis" wurde erst 1943 inszeniert. Helmut Krauß, Ewald Balser, Käthe Braun (Iphigenie), Fred Liewehr und Sigmar Schneider spielten wesentliche Rollen.

Rechte Seite unten: Kotzebues „Die beiden Klingsberg": Das Bild zeigt Viktor Braun, Paul Pranger, Raoul Aslan und Fred Liewehr. Die Premiere war am 4. 10. 1941

den „Wiener Kunstliberalismus". Als Wien auch noch eine Verdi- und Mozartfestwoche veranstaltet, wird am Tag der Kapitulation der 6. Armee vor Stalingrad von Goebbels ein nicht mehr zu umgehendes Festwochenverbot erlassen. Dennoch: Familienfeste werden weiterhin abgehalten. Hedwig Bleibtreu feiert 1943 ihr 50jähriges Burgtheaterjubiläum, Hugo Thimig 1944 seinen 90. Geburtstag. Die Anzahl der Premieren aber muß wegen der sich immer mehr verschärfenden Materialnot von 22 (etwa in der Saison von 1938/1939) auf zwölf in der Saison von 1943/1944 reduziert werden.

Die vorletzte Premiere vor Kriegsende ist Josef Wenters „Kaiserin Maria Theresia" mit Hedwig Bleibtreu in der Titelrolle. Das Stück endet mit den Worten: „Es ist genug!". Bald darauf verfügt Goebbels die Schließung aller Theater.

Nach dem Krieg erzählte mir mein Vater eine kleine Geschichte, die die damalige Zeit bezeichnend beleuchtet. Einige Gegner des Regimes, darunter mein Vater, Hermann Wawra und der Komponist Friedrich Wildgans (Sohn von Anton Wildgans) trafen sich wieder einmal heimlich im Burgtheater, und ein Kollege brachte die Nachricht, daß ein Gesinnungsfreund im Akademietheater verhaftet worden wäre. Auffallend schnell verschwand Friedrich Wildgans. Hatte er die Nerven verloren? War er ängstlich geworden? War Gefahr im Verzug? Ziemlich ratlos saßen die Kollegen da. Nach einer halben Stunde stürzte Wildgans herein. „Alles in Ordnung!" meldete er. „Es ist nichts passiert. Der Kollege ist da."

KÄTHE DORSCH (1890–1957)

Sie kam 1939 ans Burgtheater. Die große Dorsch in Berlin wurde zur großen Dorsch am Burgtheater. Ihr Debüt während der Reichstheaterfestwochen – am 5. Juni 1939 – als Maria Stuart stand unter mißverständlichen politischen Vorzeichen. Sie blieb bis 1944 und kam 1946 wieder. Sie spielte Schnitzlers *Weihnachtseinkäufe*, sie war die Cäcilie in Goethes *Stella*, die Olivia Geis in Zuckmayers *Des Teufels General*, die Ella Rentheim in Ibsens *John Gabriel Borkman*, die Orsina in der *Emilia Galotti*. In der Spielzeit 1955/56 war sie die Gräfin in Christopher Frys *Das Dunkel ist licht genug*. Ich spielte seinerzeit ebenfalls in der Maria-Stuart-Vorstellung, und ich sah sie nach dem Krieg oft auf der Bühne. Die Frau Alving in Ibsens *Gespenster* steht für viele Frauengestalten, denen sie zutiefst Menschliches gab. Die Elisabeth in *Maria Stuart* mit der Wessely als Maria war ihre letzte große Burgtheaterrolle, bevor sie einem Krebsleiden erlag. Sie war hoffnungslos krank, als ihr die Ärzte erlaubten, diese Rolle beim Burgtheatergastspiel in Berlin doch noch einmal darzustellen. Die Dorsch, die als Mensch immer Hilfestellung gab, war voll von Humor und Lebenskraft. Sie hat dieses Leben ausgefüllt, so wie es sie erfüllt hat. Käthe Dorsch starb am 25. Dezember 1957.

Gusti Huber in Bókays „Ich liebe vier Frauen“, 1943

Wildgans war ins Akademietheater gelaufen, um festzustellen, was passiert war.

Er war ein mutiger Mann, dieser Friedrich Wildgans – und ein echter Künstler. Das Zusammengehörigkeitsgefühl im Burgtheater war auch über diese kleine Begebenheit hinaus echt. Man wußte, wem man vertrauen konnte. Man wußte auch, wer auf der Seite der starken, immer schwächer werdenden Bataillone stand. Und man wußte vor allem, vor wem man Angst haben mußte. Doch da gab es im Burgtheater kaum jemanden. Sicherlich war ähnliches auch an anderen künstlerischen Institutionen zu finden; wir erfuhren in Amerika, daß Heinz Hilpert in der Josefstadt nach Erhalt der Todesnachricht von Max Reinhardt eine Gedenkfeier abhielt, und verspürten etwas von der Wiener Theateratmosphäre dieser Zeit.

Die Theatersperre wird in der Burg gelegentlich durch Vortragsabende, Schiller-, Goethe-, Kleist-, Grillparzer- und Lessingstunden durchbrochen. Am letzten Spieltag treten noch die Bleibtreu und Aslan in „Die beiden Klingsberg“ auf, ein Stück, das Kotzebue eineinhalb Jahrhunderte vorher den Wienern als maliziöses Abschiedsgeschenk hinterlassen hatte. Im März 1945 fällt die erste Bombe auf das Burgtheater. Am 12. April bricht aus ungeklärter Ursache ein Brand aus, der nicht gelöscht werden kann, weil die Feuerwehr den abziehenden Kampftruppen folgen muß. Genau wie vor einem Monat vor der zusammenstürzenden Oper, stehen jetzt Schauspieler und Publikum vor dem brennenden Haus und weinen. Alle hatten sie versucht, zu löschen, dies oder jenes zu retten. Mein Vater hatte aus unserer gemeinsamen Garderobe im zweiten Stock meine Schminkkassette, die den Krieg über im Burgtheater verblieben war, „gerettet“. Im Konversationszimmer der Burg, dem einzigen Raum, der noch halbwegs brauchbar war, legte Lothar Müthel die Leitung des Burgtheaters in die Hände seines ersten Schauspielers Raoul Aslan (1945–1948). Im Angesicht des zerstörten Burgtheaters war dies ein rein symbolischer Akt – bis Erhard Buschbeck die Idee hatte, in Laubes altem Stadttheater, dem nachmaligen „Ronacher“, das Exilburgtheater zu etablieren.

Das Burgtheater im Ronacher (1945-1955)

NACHKRIEGSZEIT

Nachdem die sowjetische Besatzungsmacht gebieterisch die Wiederaufnahme des Spielbetriebes gefordert hat, hebt sich kaum zwei Wochen später erstmals am 30. April 1945 der Vorhang. Vor einem einfachen schwarzen Samthintergrund spielt man Grillparzers „Sappho". Die Programmzettel hatte Buschbeck eigenhändig geschrieben und angeklebt. Das ausverkaufte Haus erlebte den Spielbeginn gleich zweimal. Der sowjetische Marschall Tolbuchin kam zu spät, man mußte den Vorhang fallen lassen und noch einmal anfangen.

„Das Burgtheater ist eine Idee", sagte Aslan in seiner Vorrede, „und diese Idee ist verkörpert in seinem Publikum. Damit diese Idee jedoch bleibt, muß sie wirken und Zeugenschaft ablegen." Was Raoul Aslan, seine Regisseure Herbert Waniek, Adolf Rott, Leopold Lindtberg und Walter Felsenstein, das Ensemble und das technische Personal in den ersten Nachkriegsjahren leisten, ist heute kaum faßbar. Sie überwinden ungeheure Schwierigkeiten und Beschränkungen, Strom- und Brennstoffmangel, Transportmiseren, Hunger und Kälte. Auf drei Bühnen – neben dem Akademietheater hat man auch den Redoutensaal übernommen – wird ohne Ferien durchgespielt: Lessings „Nathan" mit Aslan, Molnárs „Liliom" mit Paul Hörbiger, der Seidler und der Eis, „Hamlet" mit dem aus Berlin zurückgekehrten Albin Skoda, der auch den Franz Moor in den „Räubern" spielt. Die erste große Inszenierung nach dem Krieg ist Hofmannsthals „Jedermann" mit Aslan in der Titelrolle, Maria Eis als Buhlschaft, Balser als Tod, der Bleibtreu als Glaube und der Seidler als Gute Werke. Im Redoutensaal geht Scribes „Ein Glas Wasser" mit Aslan als Bolingbroke und Rosa Albach-Retty als Herzogin von Marlbourough über die Bühne.

Bis zum September 1946 hat man an insgesamt 425 Spieltagen mehr als tausend Aufführungen zustande gebracht. Im Herbst 1946 präsentiert sich das „Ronacher" auch wieder in seiner ursprünglichen Gestalt: die rückwärtige Bühnenhälfte, bis dahin abgemauert und einem an der hinteren Hausfront etablierten Nachtlokal überlassen, ist damals rückerworben worden.

1946 feiert die Burg zugleich Aslans 60. Geburtstag und sein 25jähriges Burgtheaterjubiläum; er wird zum Ehrenmitglied ernannt – die einzige Ehrung, sagt er selbst, der er sich dankbar verschuldet fühlt. Sein Gesundheitszustand wird indes immer schlechter. Nach einem weiteren Jahr, in dem er sich äußerst intensiv um den Wiederaufbau des „alten" Hauses bemüht, bittet er um die Entlassung aus seiner Position, in die er seinem eigenen Bekenntnis zufolge „nur aus der Not heraus eingesprungen" ist; sie wird ihm erst im Frühjahr 1948 gewährt. Schon 1945 hatte Aslan das Ensemble um Hilde Mikulicz und Solveigh Thomas bereichert; 1946 kamen Albin Skoda und Gusti Wolf ins Ensemble; im Jahr 1947 folgten unter anderen Josef Meinrad und Judith Holzmeister, 1949 Annemarie Düringer, 1951 Inge Konradi.

Judith Holzmeister ist eine legitime Rollennachfolgerin der Else Wohlgemuth. Aber bei ihr geht es sehr oft in moderne Bezirke. Ihr früherer Ehemann Curd Jürgens inszenierte mit ihr den „Kammersänger", und heute spielt sie neben großen klassischen Rollen auch in den Stücken Thomas Bernhards. Bezaubernd war ihre Roxane in „Cyrano de Bergerac"; großartig die Erinnerung an ihre Beatrice in „Viel Lärm um nichts". Annemarie Düringer habe ich vermutlich zum ersten Mal als Marie in „Armut" von Anton Wildgans gesehen. Nach mehreren Jahren am Burgtheater verließ sie das Haus und kam unter meiner Direktion zurück. In „Heinrich V." war sie die französische Königin, sie war Strindbergs „Fräulein Julie", sie war die Winnie in der trauergekleideten Elektra von O'Neill und spielte (mit Peter Mosbacher) die weibliche Hauptrolle in O'Neills „Strohhalm".

Als ich nach dem Krieg aus den USA nach Wien zurückkehrte, besuchte ich die Burgtheaterkollegen im Ronacher. Eben wurde Arthur Schnitzlers „Liebelei" probiert, und Aslan stand auf der Bühne. Er unterbrach die Arbeit, und ich wurde sehr herzlich begrüßt und nach alten Kollegen gefragt, die nun in Amerika lebten. „Aus Amerika zurück – und gar nicht

Oben links: Roxane in „Cyrano de Bergerac", Emilia Galotti, Sappho und Andromache, aber großartig auch in Thomas Bernhards „Ein Fest für Boris": Klassisch und modern – Judith Holzmeister
Oben rechts: „Sie hat's im Nacken", zitierte ein Wiener Kritiker einmal Franz Grillparzer, als Hilde Mikulicz die Rolle der Erny in „Ein treuer Diener seines Herrn" spielte. Die Mikulicz war Gretchen und Soveigh, Ophelia und Bianca, Königin Elisabeth im „Carlos" . . .

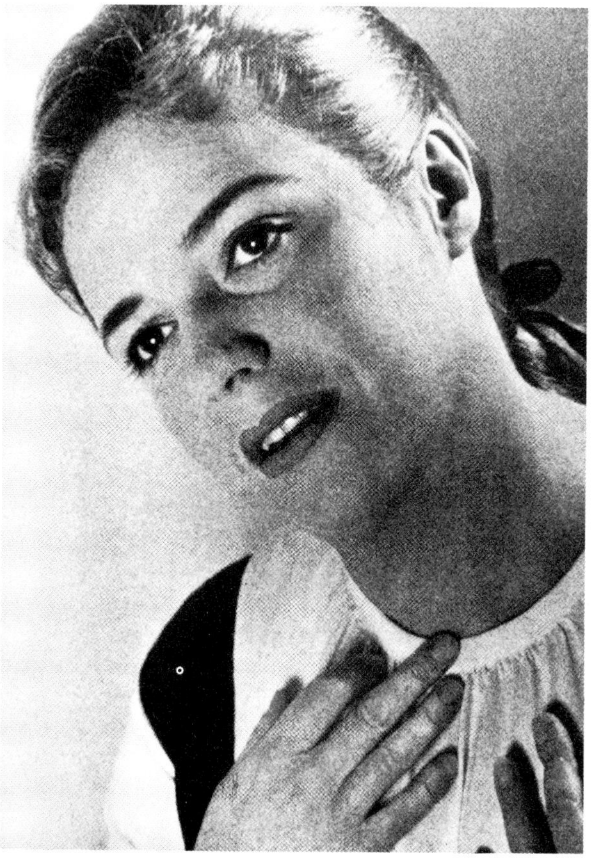

Unten links: Gusti Wolf hat am Burgtheater zahllose Rollen verkörpert. Gerne denke ich an ihren drolligen, temperamentvollen Puck in Shakespeares „Sommernachtstraum". Federzeichnung von Teo Otto, 1953
Unten rechts: Die Rosl im „Verschwender", Toinette im „Eingebildeten Kranken" und Fenisa in „Die kluge Verliebte", eine innige Christine in der „Liebelei", oder, wie hier, das Gretchen im „Urfaust": Inge Konradi

DER ABBRUCH DES ALTEN BURGTHEATERS

Aquarell eines unbekannten Künstlers

Erhard Buschbeck hatte die Idee, nach der Zerstörung des Hauses am Ring dem Burgtheater im ehemaligen Varieté Ronacher ein Exil zu schaffen. Zehn Jahre lang verblieb das Ensemble in diesem Haus, an dessen Stelle einst das Stadttheater stand, in dem Heinrich Laube nach seinem Abgang von der Burg Direktor war

verroht", meinte Eidlitz, und Aslan, der sich hauptsächlich nach der großen Komikerin Gisela Werbezirk erkundigte, nahm mich beiseite und sagte: „Du bist etwas pausbäckig geworden, du willst doch hoffentlich nicht wieder am Burgtheater spielen, du hast doch so eine schöne Stellung bei diesen Amerikanern?" „Ich möchte nicht spielen, aber gerne inszenieren", antwortete ich. Bei Reinhardt in Amerika hätte ich einiges gelernt. „Da habe ich eine Idee", sagte Aslan, „die Frau . . ." und er nannte den Namen einer Kollegin, „hat mir ein dänisches Stück empfohlen. Sie will die Hauptrolle spielen. Es ist ein sehr schlechtes Stück, sie ist eine sehr schlechte Schauspielerin. Wenn du auch jetzt noch Regie führst, dann hätte ich sozusagen drei Fliegen auf einen Schlag."

Aslan wurde vergeßlich. Auch beim Spielen. Als sein Gedächtnis abnahm, besuchte eine Abordnung von Schauspielern den damaligen Unterrichtsminister Dr. Felix Hurdes und stellte ihm die Situation vor. „Aber der Aslan macht's doch so gern", war die Antwort des Ministers, der sehr wohl um die Schwierigkeiten wußte.

Da wäre es nun an der Zeit, das Wort „Schwimmer" zu erwähnen, deren bedeutendster einer Aslan gewesen ist. Schwimmer sind in der Bühnensprache jene Schauspieler, die ihre Rolle häufig oder sogar nie im Kopf haben und der Hilfe des Souffleurs bedürfen: Das „Schwimmen" hat nichts mit der sonstigen schauspielerischen Qualifikation zu tun; gerade die renommiertesten Bühnengrößen haben sich darin besonders hervorgetan. Was natürlich keineswegs heißt, daß alle „Schwimmer" großartige Schauspieler sind. Das Publikum reagierte seit altersher verblüffend generös darauf; einst, als viele die Stücke ohnehin beinahe auswendig konnten, kam es nicht selten vor, daß jemand aus dem Parkett helfend einsprang.

Auch heute ist man geneigt, einen „Hänger" eher mit Schmunzeln als mit Verärgerung zu quittieren. Ein Schauspieler, der sich besonders bravourös aus der Affäre ziehen kann, durfte und darf auf Extraapplaus rechnen. Die Zahl der Schwimmer-Anekdoten zieht sich quer durch die gesamte Theatergeschichte und hat die Popularität der Betroffenen eher erhöht als geschwächt.

ÜBER „SCHWIMMER“ UND „HÄNGER“

Das Burgtheater hat da niemals eine Ausnahme gemacht, ja es soll manchmal sogar auch in dieser Richtung einsame Spitze gehalten haben. Ende des 18. Jahrhunderts witzelte man in Deutschland, Freiherr von Braun habe einen jungen Deutschen, der mit seiner besonderen Textsicherheit prahlte, trocken abgewiesen: „Dann, mein Lieber, dann passen Sie gar nicht in mein Ensemble! Bei uns lernt niemand eine Rolle.“

Damals war am Burgtheater auch der Schauspieler Friedrich Wilhelm Ziegler engagiert. Bei einer Reprise soll er nun nicht nur seinen Text vergessen haben, sondern auch, welche der umherstehenden Damen seine Tochter mimte.

Der alte Weidmann zog einmal – während einer Geisterbeschwörung – magische Kreise um den Souffleurkasten, und zum Gaudium der Zuschauer extemporierte er: „Wenn den da drin der Teufel holt, sind wir alle verloren!“

Heinrich Laube bemühte sich unermüdlich, seine Schauspieler auf Textsicherheit zu trainieren. Der junge Bernhard Baumeister, der niemals gerne auswendig lernte, fürchtete den Zorn des Gestrengen und versteckte überall in den Kulissen Schwindelzettel. Noch im Alter machte er zuweilen, statt sich um den Souffleur zu bemühen, im Jambenrhythmus einfach leise „Bla, bla, bla“. Josef Kainz, wie Adolf Sonnenthal stets absolut textsicher und übergenau, rügte ihn leise, fassungslos. „Macht nix“, meinte Baumeister nur gemütlich, „da glauben die Zuschauer doch eh nur, es ist wieder die schlechte Akustik vom neuen Haus.“ Als er es einmal dann doch ernst nehmen wollte, erkundigte er sich knapp vor seinem Auftritt beim Inspizienten nach seinem ersten Satz, stürzte eilfertig auf die Bühne und rief tönend: „Helft mir vom Pferd.“ Das Pferd hatte er jedoch im Eifer vergessen. Für seine tüchtigen Leistungen in dieser Hinsicht erhielt er zu seinem 25jährigen Bühnenjubiläum vom Ensemble eine Schwimmhose.

Direktor Dingelstedt vertrieb einmal einige junge Schauspieler vom Souffleurkasten mit der süffisanten Bemerkung: „Weg hier, dieser wichtige Platz ist für die wirklichen Hofschauspieler reserviert!“ Die „Wirklichen“ waren Baumeister und Ludwig Gabillon, der jenem im Schwimmen um nichts nachstand.

Laube und Wilbrandt bestätigten in ihren Erinnerungen die gesamtdeutsche Erfahrung, daß es kaum „Schwimmerinnen“ gibt. So sah auch Gabillon mit Neid auf seine Gattin Zerline, die zwar nie emsig lernte, aber jeden Text mit aufreizender Sicherheit beherrschte und unerbittlich die bei den männlichen Kollegen auftretenden Gedächtnislücken registrierte. Er selbst lernte schwer und vergaß leicht, und jedesmal, wenn er sich Laubes Worte besonders zu Herzen nahm: „Ein Schauspieler, dem die Worte nicht ohne Schwierigkeit gegenwärtig sind, ist wie ein Soldat, der schießen soll und der mit dem Laden nicht fertig wird“, ging es ihm besonders schlecht.

Manche Schauspieler nehmen Textlücken besonders ernst. Fred Hennings, der stets ohne Einflüsterungen gespielt hatte, erlitt 1960 einen regelrechten Schock, als er bei Anouilhs „Becket“ zum erstenmal nach mehr als 40 Bühnenjahren den Faden verlor. Er suchte postwendend um seine Pensionierung an. Er blieb dann doch, denn: „Direktor Haeusserman erklärte in seiner überlegen-spöttischen Art: Wenn jeder, der einmal hängt, in Pension ginge, müßte ich das Theater zusperren.“

Hennings' Kollegen Otto Tressler und Raoul Aslan waren da weit weniger empfindlich. Tressler erzählte übrigens mit doppeltem Behagen von Hängern seiner Kollegen: Als Ernst Hartmann im „Fiesco“ als Maler Romano auf Verrinas Frage, wer er sei, zu antworten hatte: „Ich bin ein Maler schlechtweg“, fiel ihm das Wort „schlechtweg“ absolut nicht ein; die Souffleuse bestand aber darauf und flüstere es immer lauter, bis Baumeister-Verrina einsprang. Er wies gebieterisch auf Hartmann-Romano und rief: „Schlecht! Weg!“

Auch Tressler versprach sich oft. Im „Peer Gynt“ hatte er zu sagen: „Daß Gott zu lohnen und zu strafen die Böcke sondert von den Schafen.“ Er aber sagte: „. . . daß Gott zu strafen und zu lohnen . . .“ Noch als alter Herr freute er sich königlich darüber, daß ihm damals ein passender Reim einfiel: „. . . die Erbsen sondert von den Bohnen.“

Der souveränste Schwimmer der jüngeren Vergangenheit war unbestritten Raoul Aslan. Ihm wurden deshalb zahlreiche Anekdoten, die eigentlich auf seine Vorgänger gemünzt waren,

„Kabale und Liebe“ in glanzvoller Besetzung: Aslan war Kalb, Balser der Präsident

in die Schuhe geschoben. Aber selbst wenn man diese in Abzug bringt, bleiben noch genügend auf seinem eigenen Konto. Sogar in seinen vielgespielten Paraderollen brachte er es fertig, den Text zu verlieren, wie etwa im „Anatol“, wo er seinem Freund Max berichtet: „. . . sie zu meinen Füßen. Ihr Kopf liegt in meinem Schoß . . .“ Der Rest war vergessen. „Ich phantasiere auf dem Flügel“, sollte es weitergehen, und der Souffleur beginnt hilfreich: „Ich phan-tas . . .“, worauf Aslan aufatmend vollendet: „. . . Ich fand das rechte Wort nicht.“

Die Souffleure hatten sich daran gewöhnt, lauter und lautest zu flüstern, wenn Aslan auf der Bühne stand. Als Lothar Müthel Burgtheaterdirektor wurde, fragte er Aslan einmal: „Sagen Sie, stört Sie denn das laute Soufflieren nicht?“ Aber Aslan fragte schlicht zurück: „Stört den Kapitän das Geräusch der Schiffsschraube?“

Womit er allen „Schwimmern“, die es gibt und noch geben wird, aus der Seele gesprochen haben mag.

ÜBER SOUFFLEURE

Am 19. 9. 1909 schrieb das „Neue Wiener Tagblatt“ u. a.:

Die Bedeutung des Souffleurs für das künstlerische Wirken des Schauspielers ist daraus zu ersehen, daß sich zur Bezeichnung der Abhängigkeit vieler Bühnenkünstler vom Einsager bestimmte Wörter eingebürgert haben. Ist ein Schauspieler durch seine Unsicherheit im Text der Rolle genötigt, sich unablässig in der Nähe des Souffleurkastens zu bewegen, so heißt es von ihm, daß er ‚schwimme‘, gerät er ganz ins Stocken, so sagt man, er ‚hänge‘, und für die Hilfsbereitschaft eines Schauspielers, der einem gedächtnisschwachen Kollegen beispringt, indem er an seiner Stelle rasch das Wort nimmt, gibt es die Bezeichnung ‚die Pause übernehmen‘. Es muß aber bemerkt werden, daß sich die Schauspieler zu solchem Akt der Kollegialität nicht leicht entschließen, weil sie, wenn sie ‚die Pause übernehmen‘, leicht für den Schuldigen, nämlich für denjenigen, der aus dem Text der Rolle gefallen ist, gehalten werden. Die Verantwortung für Unterbrechungen im Spiel ist ja keine geringe, weil schon eine Pause von nur einer halben Minute dem Publikum sehr lang erscheint, also peinlich wirkt.

Auf einer unserer vornehmsten Bühnen stieß einst eine Szene, die in einer Laube spielte, auf Schwierigkeiten. Zwei berühmte Schauspieler hatten dort ein Gespräch zu führen. Plötzlich verloren beide das Gedächtnis. Da hatte einer einen guten Einfall. ‚Setzen wir uns in den Schatten!‘ sagte er zum andern. Dann hoben beide den Tisch aus der Laube und rückten ihn in die Nähe des Souffleurkastens, wo sie nun ihr Gespräch leicht fortsetzen konnten . . .

GIELEN – BUSCHBECK – VIERTEL – LOTHAR

Im Ensemble wurde nun die „Nachfolge Aslan" eifrig diskutiert; Ernst Lothar war der Kandidat – nicht nur des damaligen Leiters der Bundestheaterverwaltung, Dr. Egon Hilbert, der viele Direktionsagenden selbst wahrnahm, sondern des größten Teils des Burgtheaterensembles. Lothars Tätigkeit als Regisseur, der seinerzeitige große Grillparzer-Erfolg und seine mehrjährige Direktionsführung im Theater in der Josefstadt, sein geistiger und ideologischer Standpunkt schienen ihn für das Amt zu prädestinieren. Man wußte auch, daß Lothar kurz vor der Machtübernahme durch die Nazis mit Bundeskanzler Dr. Kurt Schuschnigg bereits über die Bundestheaterdirektion verhandelt hatte. Dr. Egon Hilbert hatte Lothar – der noch, gleich mir, im amerikanischen diplomatischen Dienst stand – über alles auf dem laufenden gehalten und ihn eingeladen, im Akademietheater Eugene O'Neills „Trauer muß Elektra tragen" zu inszenieren. Da Lothar für die Inszenierung nicht offiziell zeichnen konnte, wurde auf dem Programmzettel Karl Eidlitz genannt. Das Stück wurde ein besonderer Erfolg, und Hans Weigel schrieb damals, in Kenntnis der Interna: „Der auf dem Zettel genannte Regisseur Karl Eidlitz war mit Ernst bei der Sache."

In einer denkwürdigen Vollversammlung des Ensembles, bei der Lothar vorgeschlagen werden sollte, hielt Adolf Rott eine Brandrede gegen ihn: Ein Amerikaner, praktisch noch in Uniform, als Direktor des Burgtheaters würde niemals den Konsens der Russen finden. Wir saßen bei Lothar, als Hilbert uns das Scheitern des Vorhabens mitteilte. „Es war eine der schrecklichsten Versammlungen, die ich im Burgtheater je erlebt habe", sagte uns Susi Nicoletti damals.

Das Ensemble hatte vier prominente Vertreter nominiert, die nach einem neuen Direktor Ausschau halten sollten, aber auch deren Vorschlag war zuerst Ernst Lothar gewesen. Der damalige Vizekanzler und nachmalige Bundespräsident Dr. Adolf Schärf erzählte mir viel später, daß diese vier Vertreter gemeinsam bei ihm mit dem „Vorschlag Lothar" erschienen wären, in den darauf folgenden Tagen jedoch jeder einzeln bei ihm vorsprach und durchblicken ließ, daß er selbst eigentlich der richtige Direktor sein würde. Hilbert machte sich weiter auf die Suche.

Der neue Direktor wurde in Josef Gielen (1948–1954) gefunden. Gielen hatte am Burgtheater vor dem Krieg inszeniert und die Emigration am Teatro Colon in Buenos Aires überlebt. Zwischen 8. März und 15. Oktober 1948 war Erhard Buschbeck provisorischer Leiter.

Während die Presse Aslan, dem Lordsiegelbewahrer des Burgtheaters, feierliche Abschiedsartikel widmete, nahm Buschbeck unauffällig die Direktionsgeschäfte wahr. Unter ihm inszenierte Lindtberg Hofmannsthals „Turm", der einstige Direktor Max Paulsen Carl Zuckmayers „Des Teufels General" mit Ewald Balser in der Hauptrolle. Im Akademietheater und später im Burgtheater spielte man Theo Lingens Lustspiel „Theophanes" mit Susi Nicoletti, Judith Holzmeister, Hermann Thimig, Curd Jürgens und O. W. Fischer.

Ich kenne O. W. Fischer noch aus dem Reinhardt-Seminar, und ich habe ihn nach dem Krieg zum ersten Mal im Burgtheater als Oswald in Ibsens „Gespenstern" gesehen. Er war der St. Just in „Dantons Tod", er war (1947) der Anatol, und er spielte (1951) den Francis Leroy in Zuckmayers „Gesang im Feuerofen". Mit O. W. Fischer ist es schwierig: er glaubte an das Medium Theater nicht mehr und wandte sich dem Massenmedium Film zu, aber sein Wunsch, Theater zu spielen, bricht doch immer wieder durch. Auf Tourneen spielte er Hunderte Male den *Schwierigen* auf deutschen Bühnen, und er spielt Schnitzler im Fernsehen. Wie seine geheime Sehnsucht die Wissenschaft, die Philosophie ist, so ist zweifellos sein „realer" Komplex das Theater. Auf dem Theater reizt ihn nicht, was man ihm anbietet. „Sturm" von Shakespeare würde er spielen, den Wallenstein. O. W. Fischer und das Theater reden und spielen im Augenblick aneinander vorbei. Seine Persönlichkeit und seine künstlerische Überzeugung stehen außer Streit und ihm im Weg.

Wenige realisieren heute, daß Jürgens mehr als ein Jahrzehnt Burgschauspieler war und es noch ist. Er debütierte am 30. November 1940 als Benvolio in „Romeo und Julia". Seine

Links: Erhard Buschbeck – das Gewissen des Burgtheaters
Rechts: Josef Gielen, Direktor des Burgtheaters 1948–1955

großen Burgtheaterstationen begaben sich unter Berthold Viertel, dessen Regiearbeit er sich zutiefst verbunden fühlt. 1949 war er der Tom in Tennessee Williams „Glasmenagerie", 1951 Stanley Kowalski in „Endstation Sehnsucht". 1952 spielte er den Trigorin in Tschechows „Möwe", und unter meiner Direktion setzte er wesentliche moderne Akzente in Osborns „Richter in eigener Sache". In der Burgtheater-Erstaufführung von Brechts Galilei gab er die Titelrolle. Curd Jürgens fühlte sich dem Burgtheater zugehörig, auch wenn die Umstände es längere Zeit hindurch nicht erlaubten, daß er ein echtes Mitglied war. Wenn er nach Wien kommt, führt – ob er will oder nicht – sein erster Weg ins Burgtheater. Und nun, da er seine Memoiren schreibt, wird das Burgtheater zweifellos den gebührenden Platz in seiner Entwicklung zugewiesen erhalten. Ich finde, daß Jürgens gerade im Zusammenhang mit dem Burgtheater in keiner Weise ein Star ist oder sein will. Er schätzt, er liebt die Kollegen, er ist dort immer noch und immer wieder zu Hause, und sein Wunsch, innerhalb eines Ensembles gutes Theater zu machen, wird ihn ans Burgtheater zurückbringen.

Den Namen Buschbeck habe ich schon als Kind gekannt. Ich war sieben Jahre alt, als mein Vater eines Tages beim Mittagessen erzählte, er wäre im Burgtheater gefragt worden, ob ich in einem der kommenden Stücke einen kleinen Jungen spielen würde. Meine Eltern waren mit Recht dagegen, aus mir ein Theaterkind zu machen; Vater hatte sogleich nein gesagt, aber der Kuriosität halber gebeten, mir schriftlich ein Vertragsangebot zu machen. Und ich erhielt das Angebot mit der Unterschrift: Erhard Buschbeck.

„Der ist aber doch gar nicht Direktor", sagte ich altklug, und mein Vater antwortete: „Nein. *Der* ist mehr . . ."

So war es. Erhard Buschbeck war 40 Jahre lang – so paradox es klingen mag – der ruhigste Motor des Hauses. Die Maschine lief – und man hörte sie nicht. Er war der Freund der Schauspieler, die geachtete Autorität für das künstlerische und technische Personal, der Sachwalter der Dichter, die Säule der Direktion und die rechte Hand des jeweiligen Direktors, seines Vorgängers wie seines Nachfolgers. Und er war immer da. Jeden Tag und jeden Abend. In diesen 40 Jahren haben Millionen Menschen den Vorhang des Burgtheaters, den Buschbeck selbst zu Beginn jeder Abendvorstellung dirigiert hat, aufgehen sehen. Aber all dies zusammen würde noch kein Bild von der Persönlichkeit Buschbecks geben. Es war der österreichische Mensch Buschbeck, der diesem Haus sein Leben verschrieben hatte, war das Burgtheater, dessen Gewissen, Integrität und Sicherheit Buschbeck war.

Einmal rief er die bedeutende Schauspielerin des Volkstheaters, Dorothea Neff, an und fragte sie, ob sie am Burgtheater die Marthe Schwerdtlein spielen wolle. Die Neff sagte sofort zu und wollte über Probentermine sprechen: „Wann soll das sein?" Darauf Buschbeck: „In einer halben Stunde. Auerbachs Keller spielt schon."

Alma Seidler erzählt, daß Buschbeck sie einmal bat, die Rolle der Jugend in Raimunds „Bauer als Millionär" zu übernehmen, da die besetzte Darstellerin erkrankt sei. Die Seidler sagte erstaunt und betroffen: „Aber Herr Buschbeck, ich spiel' doch im ‚Bauer als Millionär' das Lottchen." Buschbeck: „Ja, ja, aber die kommen ja nie gleichzeitig vor."

Dahinter stand die große Weisheit, daß das Theater ohne Improvisation, wenn man will, ohne „geplante Improvisation", nicht funktioniert. Buschbeck schaffte diesen Spielraum, und er beherrschte ihn. „Wenn einmal gar keiner im Theater ist", sagte er, „oder wenn im Burgtheater statt einer Vorstellung ein bunter Abend stattfindet, dann geh' ich in Pension."

Es wurde erzählt, daß dieser große Phlegmatiker in den 43 Jahren seiner Burgtheatertätigkeit nur ein einziges Mal losgebrüllt habe, und das, als er eben zornrot einen jungen Schauspieler aus dem Direktionsbüro hinauswarf. „Einen Monat erst am Burgtheater, und will schon Urlaub haben." Der Hinausgeworfene war sein Sohn Gandolf.

Wander Bertoni hat eine Büste von Erhard Buschbeck geschaffen, die im Foyer aufgestellt ist. Vielleicht wäre sie dem

bescheidenen Mann mit der notorischen Virginia im Mund zu prominent, zu dominierend – einfach zu groß gewesen. Da sie nicht groß genug sein kann, ist sie gerade recht. Als Buschbeck am 2. September 1960 im 72. Lebensjahr starb, fragten wir uns alle, wie das Burgtheater ohne ihn weitergehen könne. Und wir dachten, er hätte gesagt: „Es wird schon weitergehen. Es geht immer weiter." Recht hätte er gehabt.

Im Herbst 1948 übernahm Josef Gielen nach Erhard Buschbeck die Direktionsgeschäfte. Während Gielen zur Feier des 50jährigen Jubiläums des Moskauer Künstlertheaters „Anna Karenina" auf die Burgtheaterbühne brachte, flog Raoul Aslan als Repräsentant des Burgtheaters zu den Feiern nach Moskau.

Unter Gielen kam Werner Krauß an die Burg zurück; Käthe Gold, Liselotte Schreiner wurden fest verpflichtet. Attila Hörbiger und Paula Wessely, Inge Konradi und Johanna Matz wurden neuengagiert, und Maria Becker wurde Gast.

Die Hörbigers: Attilas bzw. Pauls Vater war Wissenschaftler: Der Begründer der Welteislehre. Attila hat sich in diesem Zusammenhang den Professorentitel erfolgreich gewünscht. An schauspielerischer Kraft und durch eine einmalige Persönlichkeit überstrahlt Paula Wessely die Theaterdynastie der Hörbigers. Sie sind alle Sterne am Burgtheaterhimmel, aber keine „Stars".

Attila ist ein großer Schauspieler geworden. In Berlin durch Reinhardt geformt, nach Filmkarriere, nach der Josefstadt: am Burgtheater viele, viele unvergeßliche Abende. Ein großartiger Petruccio, ein unvergeßlich-kraftvoller Peer Gynt, ein souveräner Rudolf von Habsburg, ein bis ins letzte menschlicher Fortunatus Wurzel.

Ein Facettenreichtum, der vom Konversationsstück über Nestroy und Raimund zu Shakespeare und Lessing, zu Goethe und Schiller reicht. Ein ganz moderner Schauspieler der guten,

Rechts oben: Von links nach rechts: Maresa, Christiane und Elisabeth: die drei Töchter des großen Schauspieler-Ehepaares Attila Hörbiger und Paula Wessely sind mit dem Burgtheater eng verbunden. Glänzende Schauspielerinnen, liebenswerte Menschen

Rechts unten: Idol von Theater- und Kinobesuchern, Max Reinhardts unvergessenes Gretchen, eine echte, große Burgschauspielerin: Paula Wessely

Unten: In Ferdinand Raimunds „Alpenkönig und der Menschenfeind" waren Attila und Paul Hörbiger Gegenspieler „und hatten doch nur eine Seele im Leib"

alten Schule, ein heutiger Darsteller, der gestern und vorgestern nicht vergessen hat.

Paula Wessely – Attila Hörbiger: ohne Salzburg nicht zu denken. Sie Reinhardts liebstes Gretchen, er sein liebster Jedermann.

Attila war einmal sehr böse auf mich. Er hatte „Faust" I in Salzburg gespielt, und für „Faust" II hatte man eine andere Besetzung gewählt. Er kam und meinte, er hätte genügend Verdienste um Salzburg gehabt, um diese Nachricht nicht aus der Zeitung zu erfahren. Er hat ganz recht gehabt. Ich entschuldigte mich und bedauerte die Indiskretion. „Nein, nein", sagte er, „so einfach ist das nicht. Ich bin wirklich bös, und wir wollen einige Zeit vorübergehen lassen, bevor wir wieder miteinander reden." Ich war sehr betrübt, weil ich ihn sehr liebe. Nach einigen Tagen traf ich ihn vor dem Burgtheater und wollte mich unbemerkt an ihm vorbeischleichen. „Ernstl", rief er strahlend, „was ist denn mit dir?" Ich grüßte ehrerbietig und verschreckt. „Was hast denn? Was bist denn so komisch? Ah, ich weiß schon. Wegen des ‚Faust, Zweiter Teil'. Geh, da mach dir keine Sorgen – ich hab das inzwischen gelesen."

Sein älterer Bruder Paul: ein Filmliebling, aber erst in zweiter Linie. In erster Linie ein großer Schauspieler. In Berlin bei Reinhardt, in Wien zweimal am Burgtheater. „Bauer als Millionär" im Krieg – und im Alter wieder zurück ans Burgtheater. Manchmal noch in seinen Filmklischees verhaftet, findet er zu seiner ursprünglichen großen Gestaltungskraft zurück. „Alpenkönig und Menschenfeind" mit seinem Bruder Attila im Burgtheater macht Freudsche Dimensionen transparent. Manchmal gilt als schrullig, was nur persönliche Eigenart ist. Ein echter Volksschauspieler mit der Betonung auf allen Silben.

Die Kinder: Elisabeth Orth – sie wollte Protektionismus von vornherein durch Namensänderung ausschalten. Eine echte Wessely-Hörbiger-Persönlichkeit im positiven Sinn. Keine Kopie. Eigenständigkeit, Kraft, Intelligenz. Ihre Heilige Johanna, ihre Nora sind Höhepunkte, auch für das Burgtheater. Ihre große Zukunft hat schon lange begonnen. Sie ist mit

dem Burg- und Kammerschauspieler Hanns Obonya verheiratet, der im Burgtheaterensemble eine wertvolle Farbmarkierung auf dem Weg vom Vordergrund zum Hintergrund des Charakterdarstellers ist.

Christiane – hat das Burgtheater wieder verlassen, hat ihren persönlichen Charme und Zauber mit großem Talent vereint und wurde nach anfänglichem Unglücklichsein eine wichtige Schauspielerin. Man hatte ihr Protektion vorgeworfen. Sie ging ein Jahr nach Deutschland und kam beruhigt und erfolgreich zurück. Sie war im Burgtheater die Recha im „Nathan", sie war – aus Salzburg importiert – das Gretchen. Nicht alle hatten ihr die Kerkerszene zugetraut. Sie hat sich immer wieder durchgesetzt. Sie hat es immer wieder geschafft.

Maresa wollte und sollte nicht zum Theater gehen. Ich bin zu einem Teil schuld daran, daß sie es tat. Sie hat mir auf der leeren Bühne des Burgtheaters an einem Nachmittag ein paar Sätze des Gretchens vorgesprochen. Da war echte Persönlichkeit, echte Menschlichkeit zu spüren – da leuchtete etwas auf, was dem Theater nicht verlorengehen sollte. Das Reinhardt-Seminar kam, große Rollen in Berlin und in Hamburg. Und dann das Burgtheater. Klingenberg, der sie auch vom Fernsehen kannte, brachte sie. Sie war das Käthchen von Heilbronn, die Recha, die Christine in der *Liebelei.* Ihr Partner im Leben und manchmal auf der Bühne ist Dieter Witting – jung, begabt, persönlich.

Am Anfang und am Schluß Paula Wessely, die große Schauspielerin. Mehr sollte man eigentlich gar nicht sagen, aber man kann ihren Ton nicht vergessen. 1936 spielte sie die Heilige Johanna. Ich sagte ein paar Sätze als der Knappe des Dunois und hatte zu melden, daß sich der Wind gedreht hat. Er hatte sich mit Paula Wessely sternstundenlang im Burgtheater gedreht. Die Wessely verließ das Burgtheater wieder. Sie fühlte sich nie als echte Burgschauspielerin. Das war keine Kritik, es war ein unwägbares anderes, das in ihrem Berufsleben immer mitklang. Es war nicht zuletzt Max Reinhardt, der sie immer begleitet. Nach dem Krieg holte Hilbert sie ans Burgtheater zurück. Viele Sternstunden folgten und folgen. Wenn das Burgtheater das Theater der großen Persönlichkeiten ist, dann ist auch die Wessely eine große Burgschauspielerin.

Als Inge Konradi die Heilige Johanna im Volkstheater spielte, hat sie echte Tränen geweint. Als sie die Jugend im „Bauer als Millionär“ spielte und sang, konnte ich die Tränen nicht zurückhalten. Mit der Rolle der Braut in Garcia Lorcas „Bluthochzeit“ (1951) kam diese Vollblutschauspielerin ans Burgtheater. Die Kritik war anfangs einschränkend. Aber jeder wußte, daß hier ein elementares Talent sich seinen Platz erobern würde. Zwischen Original und Persönlichkeit entschied sie sich für beides. Gerne erinnere ich mich auch an ihre Fenisa in Lope de Vegas „Kluge Verliebte“. Ich habe sie gefragt, was ihre liebsten Rollen wären: „Die Lerche“ von Anouilh, sagte sie, und die Christine in Schnitzlers „Liebelei“. Die Inge Konradi hat etwas sehr Seltenes, sie hat einen aktiven Humor. Sie kann unendlich komisch sein, und sie kann vor Lachen weinen. Sie ist oft entfesselt, sie spielt sich manchmal selbst an die Wand. Aber sie kann genauso still sein, um zuzuhören, und im nächsten Augenblick ausbrechen. Sie ist zeitlos, als Christoferl im „Jux“ war sie 15 Jahre hindurch 15 Jahre alt. Auch sie hat Freude und Leid des Burgtheaters kennengelernt. Ihre Rosl im „Verschwender“ gehört zum Burgtheater wie sie selbst. Sie ist – wenn es in solchen Bezirken überhaupt Komparative gibt – eine Burgtheatervollblutschauspielerin.

Ein wesentlicher Partner der Konradi – besonders in Nestroy- und Raimund-Stücken, ist Josef Meinrad. Trotz seiner exemplarischen Nestroy-Interpretationen ist Meinrad

Ein „Nestroy-und-Raimund-Traumpaar“: Josef Meinrad und Inge Konradi. Im Jahre 1956 spielten sie Nestroys „Jux“

Josef, wie er sich unterschreibt, keineswegs ausschließlich ein Volksschauspieler. Er ist ein großer Schauspieler, der Meinrad. Nicht, daß das ein Widerspruch wäre, aber er ist eben einer, den man nicht kategorisieren kann. Seit 1947 ist er am Burgtheater, und 1974 ist er – wirklich nur „sozusagen" – in Pension gegangen. Er ist und bleibt wesentlicher Bestandteil des Hauses. Sein Jim in der „Glasmenagerie", sein Theodor im „Unbestechlichen", sein Kapuziner im „Wallenstein", der Zettel im „Sommernachtstraum", der Vater in den „Sechs Personen" sind ebenso gültig wie sein Weinberl, sein Herr von Lips, sein Fabian in den „Beiden Nachtwandlern", sein Färber und dessen „Zwillingsbruder" und sein Schnoferl im „Mädel aus der Vorstadt". Lindtberg hat einmal einen Essay über Meinrad als Fluellen in „Heinrich V." geschrieben. Das war nicht seine größte, aber vielleicht eine seiner besten und symptomatischesten Rollen. Sein „Jubelzorn" war hin- und mitreißend. So ist er.

Ich erinnere mich an eine Probe bei den Bregenzer Festspielen, wo Josef Meinrad den Franziskus von Max Zweig gespielt hat, und zwei Franziskanerpatres gebeten wurden, der Authentizität wegen die Aufführung anzusehen. Der damalige Leiter der Bundestheaterverwaltung, Dr. Weikert, war ebenfalls dabei. Die geistlichen Herrn waren tief beeindruckt, und der eine meinte scherzhaft, man müsse sehr achtgeben, daß der Meinrad, der ja einmal Priester werden wollte, nicht jezt in den Franziskanerorden eintreten würde. „Pater", meinte Weikert, „ich fürchte, Sie würden sich über die Gage nicht einigen können."

Meinrad kultiviert seine Bescheidenheit nicht nur, er ist wirklich bescheiden, wenn er auch finanzielle Bezirke keineswegs verachtet. Er ist nicht nur ein merkwürdiger, sondern auch ein würdiger Mensch, und es ist diese Komponente, die den bedeutenden Schauspieler zu einem der liebenswertesten macht. Eine seltene Mischung im zweihundertjährigen Burgtheaterkalender.

Johanna Matz debütierte am 23. November 1950 als ganz junges Mädchen, als Frankie in „Frankie und die Hochzeit".

ALBIN SKODA (1909–1961)

Am 25. September 1946 debütierte Skoda als Dauphin in der *Jungfrau von Orleans*, nachdem er schon als Kind am Burgtheater gespielt hatte. Skoda war nur 15 Jahre am Burgtheater, aber er schien jahrzehntelang die Seele des Hauses zu sein. Er war am selben Tag wie Josef Kainz geboren und starb beinahe am selben Tag wie Kainz. Auf der Feststiege des Burgtheaters war er aufgebahrt, und seinem letzten Wunsch entsprechend hatte man ihm aus dem Burgtheaterfundus das Goldene Vlies, das er auf der Bühne getragen hatte, mitgegeben. An seinem Totenbett überbrachte ihm Unterrichtsminister Dr. Heinrich Drimmel die Ehrenmitgliedschaft des Burgtheaters, die Voraussetzung dafür, daß sein Sarg nach altem Zeremoniell um das Haus getragen werden konnte. Eine makabre Parallele zur Ernennung von Josef Kainz zum Regisseur des Burgtheaters an seinem Sterbebett. Nach dem von Herbert von Karajan dirigierten Trauersatz aus Beethovens Eroica sprach ich die Abschiedsworte: „Wir erinnern uns an die Bilder, die angesichts dieses Sarges Gestalt annehmen wollen und die innig mit diesem Haus verbunden sind. Es sind so viele Bilder und nur eine Stimme, es sind Könige und Bettler, Gläubige und Ungläubige, Herren und Knechte, Narren und Weise, Bösewichte und Engel. Und sie alle waren getragen von einer Stimme, einer Idee. Die Idee war die eines Dieners am Werk des Herren des Theaters, des Dichters; und dieser Idee bist du immer treu geblieben. Du hast nie zwischen groß und klein, immer nur zwischen Wert und Unwert unterschieden. Und was für den Künstler recht war, macht uns den Menschen teuer. Das Burgtheater war durch die schönste Zeit deines Lebens dein Zuhause."

Immer wieder wird uns die große Lücke, die Albin Skoda hinterließ, bewußt. Viele große Schauspieler haben in neuen Dimensionen ihre Nachfolger gefunden. Die „Nachfolgefrage Skoda" wurde nicht gelöst. Wenn wir Albin Skoda sagen, denken wir an Cyrano und Hamlet, an Mephisto und Fiesco, an Richard II. und Faust, an Kreon und an Orest . . .

Links: Ein großer Theaterabend im Akademietheater, 1950: Gerhart Hauptmanns „Der Biberpelz“ mit Maria Eis und Otto Schmöle als Herr und Frau Wolffen
Rechte Seite innen: Blutjung kam Johanna Matz ans Burgtheater und brillierte in vielen großen Rollen. Hier in Molieres „Tartuffe“ als Marianne
Rechte Seite außen: Ein erschütterndes Stück über die Resistance in Frankreich ist Carl Zuckmayers „Gesang im Feuerofen“, das Josef Gielen 1951 im Ronacher inszeniert hat. Josef Meinrad war Silvester Imwald, Annemarie Düringer Silvaine

Sie bezauberte als Kleistsches Käthchen, war eine reizvolle Viola in Shakespeares „Was ihr wollt“. Sie spielte Raimunds „Gefesselte Phantasie“, war glänzend als Anni in „Anatol“ und als Hofmannsthalsche Cristina. Und mit Kurt Meisel als Caesar war sie eine kecke Cleopatra.

Ein halbes Jahr nach seiner Amtsübernahme holte Gielen Berthold Viertel als Regisseur an die Burg; ihre Zusammenarbeit war so intensiv, daß man beinahe von einer Doppeldirektion sprechen konnte.

Der Dichter und Regisseur Berthold Viertel hat die Zeit nach dem Zweiten Weltkrieg am Burg- bzw. Akademietheater wesentlich mitgestaltet. Seine Inszenierungen moderner amerikanischer Stücke waren da bemerkenswerter als seine Klassiker. Seine Arbeit mit den Schauspielern, sein tiefes Verständnis dem Werk gegenüber und die Möglichkeit, es für den Schauspieler sinngemäß und sinnvoll zu interpretieren, schaffte ihm eine Sonderstellung im Burgtheater und für das Burgtheater eine Sondersituation. Viertels Einstellung zum Burgtheater war keineswegs nur die eines Regisseurs, und seine über Jahrzehnte reichenden kritischen Betrachtungen über das Burgtheater verdienen Erwähnung. Zweifellos ist Viertel kein Einzelfall in der 200jährigen Geschichte des Hauses, aber in seiner Doppelfunktion, die theoretischen Pessimismus und praktischen Optimismus verbindet, hat seine gestaltete Ironie, seine gehobene satirische Kritik etwas Österreichisch-Symbolhaftes an sich.

Viertel, ein großer Zerrissener des Theaters, antwortete in der Emigration einmal, als ich ihn fragte, ob der Expressionismus das Theater weitergebracht habe, betroffen und erstaunt, mitten am Sunset Boulevard: „Sie fragen mich, ob ich umsonst gelebt habe?“ Er hat es nicht, auch nicht für das Burgtheater, in dessen erweiterten Grenzen er am 24. September 1953 gestorben ist.

Gielen inszenierte Ferdinand Bruckners „Elisabeth von England“ mit Maria Eis, Paul Claudels „Seidenen Schuh“ mit Maria Becker, Hauptmanns „Der Biberpelz“, „Julius Cäsar“ mit Werner Krauß, „Faust II“, „Was Ihr wollt“, „Götz von Berlichingen“, Zuckmayers „Gesang im Feuerofen“, Shaws „Cäsar und Cleopatra“ (1951) mit Werner Krauß und Susi Nicoletti, „Emilia Galotti“ mit der Holzmeister, den „Wallenstein“, „Wilhelm Tell“, T. S. Eliots „Mord im Dom“ (auf einer Freilichtbühne vor der Jesuitenkirche), Arthur Millers „Hexenjagd“, Lorcas „Bluthochzeit“. Unter Viertels Regie

lernten die Wiener Tennessee Williams „Glasmenagerie", Eliots „Cocktailparty", Williams „Endstation Sehnsucht" kennen und wurden mit Rattigan, Anouilh, Cocteau vertraut.

Im „Gesang im Feuerofen" traten übrigens alle drei Thimigs auf: Helene, Hans und Hermann, die Kinder Hugo Thimigs.

Hugo, der Vater, war zweifellos die dominierende Persönlichkeit. Schauspieler, Regisseur, Direktor. Als Schauspieler nicht nur in den großen komischen Rollen des Striese, des Dr. Klaus, er war auch als Charakterdarsteller bedeutend. Legendär geworden sind sein Schmock aus Gustav Freytags *Journalisten*, sein Narr in Shakespeares *Was ihr wollt* und sein Truffaldino.

Max Reinhardt, ein großer Verehrer Hugo Thimigs, soll einmal bei einem Empfang, nachdem er verschiedene Damen begrüßt hatte, auch Hugo Thimig die Hand geküßt haben.

Ich habe nach Thimigs Abgang von der Bühne noch einmal mit ihm gespielt. Ich glaube, es war sein letztes „Auftreten" im Österreichischen Rundfunk, der damaligen RAVAG. Nach dem Tod seiner Frau hat er – neunzigjährig – sein Leben (1944) selbst beendet. Er wollte niemandem zur Last fallen.

Seine Kinder, deren Vornamen wie Hugo mit „H" beginnen: Helene, Hermann, Hans. Alle große, bedeutende Schauspieler, alle auch am Burgtheater. Hans als erster. Georg im „Götz von Berlichingen", unzählige Charakterrollen, in der Josefstadt ein Jahr lang Direktor. Regisseur auch im Film.

Hermann hat eine ganze Epoche des Burgtheaters mitbestimmt. Von Reinhardt, von Berlin, aus der Josefstadt, vom Film kommend, engagierte ihn Röbbeling ans Burgtheater. Alle großen Raimund-Rollen, musikalische Lustspiele, aber auch Klassiker. Zettel im „Sommernachtstraum". Ich habe einmal mit ihm gespielt, er war der Figaro in der Kainz-Bearbeitung von Beaumarchais' „Tollem Tag", ich war der Cherubin. Am Tag nach der Premiere las ich schon zeitig in der Früh die Kritik. Ich wurde fürchterlich verrissen. Kurz nachher rief Hermann Thimig an: „Die Kritik ist empörend, niederträchtig, gemein!" „Aber vielleicht war das eben die Meinung des Kritikers", warf ich ein. „Wie können Sie das sagen, so eine Unverschämtheit?!" „Es dürfte ihm halt wahrscheinlich wirklich nicht gefallen haben", meinte ich. „Nein, nein, das ist unzulässig. Das gibt es nicht. Das kann man sich nicht bieten lassen. Lesen Sie doch nur, was er über Sie schreibt!" Ich hatte nur das gelesen und noch nicht den Verriß über Hermann Thimig, den er natürlich ausschließlich gemeint hatte. Hermann Thimig ist nicht nur ein wichtiger, er ist auch ein bedeutender Schauspieler. Und er ist ohne seine Frau, die

Unten: Viermal Thimig: Hans, Hermann, Hugo und Helene. Schwerpunkte im deutschsprachigen Theater unseres Jahrhunderts

Rechte Seite innen: In Georges Bernanos' „Die begnadete Angst" war Heinrich Schweiger der Chevalier, Annemarie Düringer die Blanche (30. Oktober 1952)

Rechte Seite außen: Mit „König Ottokars Glück und Ende" eröffnete Adolf Rott im Jahre 1955 das Haus am Ring. Zehn Jahre später wurde der „Ottokar" neuinszeniert. Walter Reyer spielte die Titelrolle, Fred Liewehr war Rudolf von Habsburg

kostbare Vilma Degischer, nicht zu denken. Seine Tochter Johanna wird auch wegen des „H"s Hannerl genannt.

Die Älteste und zuletzt an's Burgtheater gekommene – auch das nur sporadisch: Helene. Eine große Schauspielerin, eine große Frau. Verbindung und Ehe mit Reinhardt prägten ihre künstlerische und menschliche Persönlichkeit. Am Burgtheater eine hinreißende Laura in der „Glasmenagerie" unter Viertels Regie, eine großartige „Irre von Chaillot" unter der Regie von Walter Felsenstein, unvergeßlich als Gunhild in Ibsens „John Gabriel Borkman" mit Werner Krauß und Käthe Dorsch, ebenfalls unter Felsenstein. Bei einem Gastspiel des Stückes kam es in Berlin zu Anti-Krauß-Demonstrationen. Man schob die Initiative Fritz Kortner in die Schuhe. Die Thimig als Schnapseule in „Gesang im Feuerofen" von Zuckmayer, als Goethes Mutter im „Jungen Goethe" mit Michael Heltau. Große Stationen: ihre Freundschaft mit Anton Edthofer, ihre heroische, aufopfernde Pflege für Edthofer, der im hohen Alter am Burgtheater im „Nachfolger" gastierte und ahnen ließ, was das Burgtheater an ihm versäumt hat.

Trotz der Ähnlichkeiten aller Thimigs miteinander: jeder eine eigenständige Persönlichkeit, aber alle Ensemble-Schauspieler im besten Sinn. Die große Ausstrahlung, die umfassende Theaterkenntnis Hugo Thimigs, die feine, zurückhaltende, bescheidene Charakterzeichnung Hans Thimigs, die elementare und dynamische Gestaltungskraft Hermann Thimigs, die unverwechselbare Theateraussage Helene Thimigs – ein Vierklang, der Reinhardt-Farben und -Töne mit Burgtheatergeist vereint.

Gielens Inszenierung von „Was ihr wollt" hatte übrigens ihre eigentliche Premiere bei den Salzburger Festspielen 1950; mit diesem Stück ging die Burg nach Hamburg und versetzte das eher gemessene Publikum in derartige Hochstimmung, daß man die Schuhe auszog und mit den Absätzen gegen den Eisernen Vorhang trommelte, um eine weitere Verbeugungstour der Schauspieler zu erzwingen. Die Darsteller waren Alma

Seidler, Judith Holzmeister, Albin Skoda und der in dieser Zeit noch gastierende Erich Auer. Junker Tobias war Ewald Balser, Werner Krauß Malvolio, Josef Meinrad Bleichenwang, Viola meine spätere Frau Susi Nicoletti und Orsino Fred Liewehr.

Freddy – Fred Liewehr – kam etwas vor mir ans Burgtheater. Der Cook in „Feind der Liebe" (13. Mai 1933) war seine erste Rolle. Wir waren bald unzertrennlich, und er hat mir damals, und das ist nun schon mehr als 40 Jahre her, vorausgesagt, daß ich einmal Burgtheaterdirektor werde.

Der Fachnachfolger Paul Hartmanns spielte alle Rollen des klassischen Repertoires. Er war Carlos und Marquis Posa, er war Karl Mohr und Ferdinand, Graf Wetter von Strahl und Romeo. Seine Ausflüge in die Operette haben ihm nichts von der schauspielerischen Substanz verlieren lassen. Er ist heute in großen und kleineren Rollen mehr als liebenswürdig, er ist

liebenswert. Und seit einigen Jahren ist sein Sohn Florian auch schon Burgschauspieler . . .

Im Jahre 1935 durfte ich unter Ewald Balsers Regie und mit ihm als Pastor Morell den Marchbanks in Shaws *Candida* spielen. Er war ein behutsamer Regisseur, dieser große Schauspieler, und ich glaube, es war so etwas wie Freundschaft, die er und seine erste Frau Vera Balser-Eberle für mich empfanden. Sie nahmen mich im Auto nach den Proben immer mit nach Hause. Ich war oft bei ihnen, und als ich ein schlechter Autofahrer wurde, versuchten die Balsers, mir mit Kupplung und Bremse zu helfen. Mit seiner jetzigen Frau Erni spielte ich einige Male am Burgtheater.

Balser war für mich immer das Symbol des großen, modernen Schauspielers am Burgtheater. Er ist es auch im Alter geblieben. Ich hätte mir damals nicht träumen lassen, mit ihm jemals den Lear zu inszenieren. „Hab doch keine Angst und sag mir ruhig, was dir nicht gefällt", meinte er. Mir fiel nichts ein; aber mir fiel ein, daß er der Faust des Burgtheaters war, daß er mir den größten Burgtheatereindruck als der Rebellenführer Diaz in Garcias „Juarez und Maximilian" machte. Er war aber auch ein herrlicher Shakespeare-Schauspieler. Nach Anfangsschwierigkeiten kam der interne Durchbruch in einer Studioaufführung von „Douaumont oder Die Heimkehr des Soldaten Odysseus" unter der Regie von Philipp Zeska. Die Kraft und der Humor Balsers sind ebenso Teil seiner Persönlichkeit wie seine Stimme und seine Verwandlungsfähigkeit. Ewald Balser ist eine gültige Chiffre für Burgtheater von gestern und heute.

Viola war in der „Was ihr wollt"-Inszenierung 1950 Susi Nicoletti. Da sollte ich befangen sein. Denn Susi ist meine Frau. Ich bin es nur prinzipiell. Ich habe stets Angst gehabt, wenn die Familie Theater gespielt hat. Das begann schon in der Kindheit, als ich meinen Vater auf der Bühne sah. Jedes Zuviel, das gar nicht zu viel war, rief in mir den subjektiven Kritiker wach. Ich hatte unberechtigterweise immer Angst, daß er stecken, daß er

George Bernard Shaws „Der Kaiser von Amerika" wurde am Burgtheater wiederholt neuinszeniert. In der Premiere vom 31. Oktober 1953 war Susi Nicoletti die Orinthia

DIE „BURG" UND DIE JUGEND

In den fünfziger Jahren gab es eine Aktion, „Das Burgtheater in die Schulen", die die dramaturgische Mitarbeiterin des Hauses, Minna von Alth, gestartet hatte. Eine gute Idee, und ich glaube, es war falsch, sie nicht fortzuführen und weiterzuentwickeln. Inzwischen hat das Theater der Jugend seine große und wichtige Aufgabe, viele Jahre unter der Leitung von Peter Weihs und nun mit Dr. Bernd Gallob als Direktor und Edwin Zbonek als künstlerischem Leiter, mit großem Erfolg auf- und ausgebaut. Die Jugend und das Burgtheater sind eng miteinander verbunden . . .

hängen bliebe. Ich kannte das auch bei mir selbst. Ich habe immer die Menschen beneidet, die ihre Eltern, ihre Frauen, ihre Kinder auf der Bühne bedingungslos bewunderten.

Susi Nicoletti kam ans Burgtheater, als ich es verließ. Sie war von Müthel engagiert worden, nachdem sie, von Nürnberg kommend, nach einer Karriere als Primaballerina in München von Käthe Dorsch für die Hauptrolle als ihre Tochter in dem Film „Mutterliebe" ausgewählt worden war. Am Burgtheater war sie das Käthchen von Heilbronn, die Rosalie in Nestroys „Mädl aus der Vorstadt", das Lottchen in Raimunds „Bauer als Millionär", die Melitta in Grillparzers „Sappho" und die Regine in „Gespenster".

Als ich in amerikanischer Uniform nach Österreich zurückkam, wurde ich von meinem General beauftragt, im Großen Konzerthaussaal bei einer Akademie den Prolog – ein Gedicht von Shelley – vorzutragen. Später erfuhr ich, daß mir diese

INNENANSICHT DES BURGTHEATERS 1891

Johann Varrone

ERNST DEUTSCH (1890–1969)

„Ich werde zu alt für meine großen Rollen sein, wenn man wieder nach Deutschland und Österreich zurück kann", sagte mir Ernst Deutsch 1939 in der Emigration in Hollywood, wo er mich betreute, wo ich bei ihm ein Jahr lang essen konnte. „Den Attinghausen will ich nicht spielen", meinte er damals.

Es kam noch alles zurecht für ihn. Er war einer der wenigen, die wieder dort anfangen konnten, wo sie aufgehört hatten. Er, und für ganz kurze Zeit der von ihm und von mir so verehrte, große Albert Bassermann, der am Burgtheater König Philip und Striese war und die Hauptrolle im *Volksfeind* spielte.

Deutsch hatte während seiner großen Berliner Zeit am Burgtheater gastiert und dort *Disraëli* von Arthur Rundt und Shaws *Teufelsschüler* gespielt. Bei seinem Debüt gab es antisemitische Demonstrationen. Nach seiner Rückkehr nach dem Zweiten Weltkrieg war Deutsch am Burgtheater der Geheimrat Clausen in Hauptmanns *Vor Sonnenuntergang*. Er war Shylock im *Kaufmann von Venedig*, und er war *Nathan der Weise*. Todkrank ging er mit auf die Welttournee des Burgtheaters. Sein Arzt, Professor Hueber, hatte – auf Wunsch von Frau Anuschka Deutsch – zugestimmt, daß er die Reise unternehme. Sie wollte ihm, wie wir alle glaubten, die letzte große Freude ermöglichen – und ihm vor allen Dingen den Schock einer Absage ersparen. Hueber ging mit auf die Tournee. Deutsch war Professor Bernhardi und Nathan, und als wir in Jerusalem Lessings Toleranzdrama spielten, sagte mir der damals in Israel weilende Gunnar Jarring im Beisein von Staatspräsident Shanclar: „Das wäre die Lösung." Deutsch meinte nach der Ringerzählung: „Das hier in Jerusalem spielen und sprechen zu dürfen, dafür hat sich vieles im Leben gelohnt."

Aufregung, nach Jahren wieder auf einer Wiener Bühne zu stehen, Susi Nicoletti verschafft hatte. Sie hätte diesen Prolog sprechen sollen, hatte aber gemeint, der „Sohn vom Häussermann" sei wieder in Wien, und der könnte das doch sicherlich ganz gut. Ich sah sie zum ersten Mal im Akademietheater mit Curd Jürgens in *Der Lügner und die Nonne*. Sie ist eine moderne Schauspielerin, und dennoch eine echte Burgschauspielerin. Das ist gar nicht leicht. Sie hat den üblichen Wunschtraum der jungen Schauspielerinnen, große Klassikerrollen zu spielen, nie geträumt. Sie wollte und hat immer in ihrer Zeit gespielt – oft ihrer eigenen Zeit voraus, z. B. als sie das erste Mal in Goethes „Faust" eine hinreißende Marthe Schwerdtlein war.

Ihr künstlerischer Bogen ist weit gespannt. Sie war die Viola der erwähnten, von Salzburg übernommenen Burgtheater-Aufführung von „Was ihr wollt". Sie war Caesars und Werner Krauß' Cleopatra. Sie war unter Felsenstein mit Attila Hörbiger die widerspenstige Katharina. Sie war am Burgtheater und in drei Kontinenten die Marie im „Konzert". Sie spielte Albee und war mit Chansons die Herzogin von Marlborough in Wien und in Hamburg, mit Boy Gobert als Regisseur und Partner im „Glas Wasser". Das, was für die Wessely Reinhardt, für die Gold Fehling war, ist für sie Giorgio Strehler.

Sie behält vieles für sich und gibt vieles weiter. Sie ist Professor am Reinhardt-Seminar, und zahlreiche ihrer Schüler und Schülerinnen sind zu ihren Partnern auf der Bühne geworden.

Sie liebt das Theater intelligent und komödiantisch mit gestalteter Natürlichkeit. Ich bewundere sie sehr und sage ihr das auf diesem Wege zum ersten Mal.

Zurück ins Haus am Ring (seit 1955)

„SIE WERDEN AUF DEM SESSEL EINSAM SEIN . . .“

Als Viertel 1953 starb, war Gielens Stellung geschwächt. Viertel war der führende Geist dieser inoffiziellen „Doppeldirektion“ gewesen. Selbst ein feinsinniger Dichter, konnte er sich eins mit einem Dichter fühlen und vermittelte Erkanntes und Erspürtes in stundenlangen Gesprächen seinen Schauspielern. „Für mich war er der Größte, und ich wußte – wie ich bei ihm arbeitete und lernte –, warum ich zum Theater gegangen war“, sagte Curd Jürgens, und Fred Hennings nannte ihn „Meister alles Seelenkundlichen“, aber auch einen scharf beobachtenden kritischen Geist, der seinen Darstellern auf den Proben oft hart zusetzte, ihre intellektuelle Mitarbeit herausforderte. „Hochinteressant, aber launenhaft“, erinnerte sich Rosa Albach-Retty an Berthold Viertel. „Manchmal schwierige und qualvolle Proben“; doch das ist nichts Negatives, denn Auseinandersetzung ist für den Schauspieler wesentlich.

Gielen wird auch mit anderen Schwierigkeiten konfrontiert. Die für Wien vordem so überraschend neuen amerikanischen und französischen Dichter sind bald ein wenig abgespielt, ihre Epigonen haben nicht mehr den gleichen Erfolg. Das nahezu vollständige Fehlen einer zeitgenössischen österreichischen Literatur wird heftig kritisiert. Außerdem findet ein Wechsel in der Leitung der Bundestheater statt: Egon Hilbert wird vom Hurdes-Nachfolger, Unterrichtsminister Kolb, abberufen und nach in der Geschichte der Bundestheater sicherlich einmaligen Kämpfen von Ernst Marboe abgelöst. Trotz der großen Erfolge von Garcia Lorcas „Doña Rosita oder Die Sprache der Blumen“ mit Alma Seidler, trotz der großen Lindtberg-Inszenierung von Tolstois „Und das Licht leuchtet in der Finsternis“ mit Paula Wessely, Attila Hörbiger, Dagny Servaes, Hermann und Helene Thimig und Heinrich Schweiger, ist es wieder einmal so weit. – Zum Stichwort Heinrich Schweiger: Vom Seminar kam er praktisch ans Burgtheater. Aus dem Gottfried in Wildgans' „Armut“ wurde Marchbanks, Carlos, wurden ernste und heitere klassische Gestalten bei Raimund, Shakespeare und Schnitzler. Schweiger wurde Othello unter Kortner und Danton unter Schenk. Er kann gestalten, hat Humor, Kraft und Persönlichkeit.

Gielen hatte schon öfters erklärt, daß er bereit wäre, sein Amt zurückzulegen, sobald ein Nachfolger für ihn gefunden werden könne. Aber die österreichische Version eines Direktionswechsels am Burgtheater hatte dies nicht vorausgesehen. Ich war damals Direktor des Theaters in der Josefstadt, und unser Chefdramaturg – Friedrich Schreyvogl – berichtete mir von seinen Verhandlungen mit dem Burgtheater: Kolb hatte ihm die Direktion angeboten. Marboe hingegen wollte Rott, den er sehr schätzte, zum Direktor machen, konnte sich aber über die Zusage des Ministers nicht hinwegsetzen.

Zu diesem Zeitpunkt gastierte das Burgtheater mit Schnitzlers „Liebelei“ in Holland, und Gielen war mitgefahren. Ich traf am Vormittag des Entscheidungstages Schreyvogl am Graben, der mir strahlend sagte: „Ich bin eben zum Direktor ernannt worden, und ich mache es mit dem Rott zusammen.“ Marboe hatte sich teilweise durchgesetzt, und man hatte Friedrich Schreyvogl unter dem Hinweis, daß ein Theaterpraktiker in der Direktion notwendig sei, die sicherlich von vornherein als Doppeldirektion getarnte Gestion eingeredet. Das Ensemble war für den keineswegs abgeneigten Leopold Lindtberg gewesen. Die österreichische Versenkungsanlage funktioniert aber immer im richtigen Augenblick. Ernst Lothar hat in diesem Zusammenhang oft die Geschichte des berühmten Arztes Halban erzählt, der einmal gefragt wurde, wieso er nicht Ordinarius geworden sei. Halban antwortete: „Mit 40 war ich zu jung, mit 60 war ich zu alt, und mit 50 – Jude.“

Ein Jahrzehnt ist nach dem Ende des Zweiten Weltkrieges vergangen. Die Burgtheatergeschichte war – wie immer – neben der Weltgeschichte einhergegangen, das Exil im Ronacher beinahe zur Selbstverständlichkeit geworden und der große Eisenring auf der Bühne – an dem weiland die Elefanten angehängt waren – zu einer liebgewordenen Gewohnheit. Die vier Besatzungsmächte kontrollierten Österreich, und Wien war immer noch in vier Zonen geteilt. Österreich lebte von CARE-Paketen. Bundespräsident Renner sagte mir damals – die Sätze waren für einen Film bestimmt: „Wenn nicht die amerikanische Hilfe gewesen wäre, wäre Österreich in diesen

Der Regisseur der großen Szene, der Organisator des Burgtheater-Wiederaufbaus, der erste Direktor nach der Rückkehr ins Haus am Ring: Adolf Rott

Jahren verhungert." Renner legte Wert darauf, diesen Satz in deutscher und in englischer Sprache aufnehmen zu lassen.

1950 stirbt Karl Renner. Theodor Körner wird österreichischer Bundespräsident. Die ersten Wiener Festwochen werden abgehalten. Thomas Mann spricht in Wien über „Die Künstler und die Gesellschaft". Albert Bassermann – er hatte 1932 in der Burg gastiert – stirbt in diesem Jahr. Carl Zuckmayer erhält den Goethepreis der Stadt Frankfurt; Raab wird Bundeskanzler in Österreich.

Im Burgtheater beginnt das, was Dr. Heinrich Drimmel, der Nachfolger von Unterrichtsminister Dr. Ernst Kolb, „eine Art Condominium" nennt. Es ist keine erquickliche Lösung, das Nebeneinander von Rott und Schreyvogl. Auf der einen Seite Schreyvogl, der Schriftsteller und Dramatiker, der ein anspruchsvolles Konzept für ein geistig-künstlerisches Burgtheater in der Theorie festlegt, sich selbst aber kein Durchsetzungsvermögen zutraut; auf der anderen Rott: ein energischer, dynamischer Theaterpraktiker, der mit dem Kopf durch die Burgtheaterwand will.

So war also Adolf Rott (1954–1959) der eigentliche Direktor, und Schreyvogl saß abseits und wurde kaum gehört. Ich habe Rott gebeten, mir über seine Direktionszeit seine eigenen

Wiedereröffnung des Hauses am Ring. Links im Vordergrund Direktor Adolf Rott. In den Reihen sind prominente Mitglieder des Instituts zu erkennen, u. a. Heinz Moog, Erhard Buschbeck, Franz Höbling, Hedwig Bleibtreu, Otto Tressler, Alma Seidler, Inge Konradi, Erni Kniepert, Wilhelm Schmidt, Hans Thimig, Richard Eybner, Robert Lindner, Walter Reyer, Franz Böheim, Alexander Trojan, Otto Niedermoser . . .

Gedanken zugänglich zu machen, aber er lehnte ab: „Das war ein anderer – damals", sagte er: und ich kann mir schon denken, wie er es meint. Er hat seit dem 30. Juni 1959, also seit seinem Auszug aus der Burgtheaterdirektion, diese Räume nicht mehr betreten. Er ist ein eigenwilliger Mann, dieser Adolf Rott, und man muß seinen totalen Einsatz für das Burgtheater, den er immer wieder bewies, in Rechnung ziehen. Ob diese Rechnung so aufging, wie er vielleicht dachte, könnte nur er selbst beantworten. Da er aber als der andere Dr. Rott dies ablehnt, bleibt einem jüngeren Kollegen nur übrig, die Direktion im Zweihundertjahresreport des Burgtheaters statistisch festzuhalten und es dem Leser zu überlassen, sich aus Spielplan, Besetzungen und Neuengagements ein Bild zu machen.

Bei der Wiedereröffnung des Hauses am Ring 1955 gab Adolf Rott eine Reihe grundsätzlicher Erklärungen ab, von denen hier einige auszugsweise wiedergegeben werden:

„Man hat mich gefragt: ‚Warum ist dieses Theater so unzerstörbar in seiner Idee? Warum lebt dieses Theater mehr denn alles andere?' Ich glaube, ich habe die Lösung gefunden: Dieses Theater war nie eine Angelegenheit von ein paar wenigen Leuten, sondern dieses Theater ist wirklich aus dem Herzen Wiens, aus dem Herzen Österreichs und aus dem

Herzen Europas gewachsen. Und ich glaube daran, daß diese guten Strömungen, die man einem Menschen, oder in diesem Falle einem Theater schickt, daß diese Strömungen so etwas wunderbar Aufbauendes sind, daß aller Neid und alles, was destruktiv ist, nicht an dieses Wunder des Herzens herankommt.

Und das ist vielleicht das größte Geheimnis dieses Theaters gewesen, daß es imstande war, nicht diktatorisch zu handeln, daß es imstande war, in einer Oligarchie auserlesener Geister neue Ideen zu entwickeln, ungeachtet aller Ismen, die über die Bühne gegangen sind. Dieses Theater hat sich keinem Stil gebeugt und hat doch immer seinen Stil gehabt. Weil hinter ihm, wie heute hinter mir, eine Reihe, eine Kette von großen Persönlichkeiten saßen und sitzen, die jede ihr eigenes Gesicht hat, die niemals unter Druck zu regieren waren, sondern nur zu halten sind aus einer großen Liebe heraus.

Ich weiß, daß dieses Ensemble, das hinter mir steht, keine leichte Aufgabe ist. Und ein amerikanischer Reporter, der mich vor ein paar Tagen fragte, wie ich mit diesem Ensemble fertig werden würde, sagte mir: Es gibt nur einen Sessel auf der Welt, der so exponiert und so gefährlich ist wie der Ihre – das ist der des französischen Ministerpräsidenten ...

Ich muß Sie enttäuschen, wenn Sie heute von mir ein Programm erwarten. Ich habe Arbeit, viel Arbeit. Ich weiß nichts über den Erfolg. Ich kann Ihnen keine perfektionierende Erfolgsserie vorsetzen. Aber ich glaube, wenn das Theater Spiegel und Ausdruck der Zeit ist, dann werden Sie es, meine Damen und Herren, werden Sie es so spiegeln, daß wir hier heroben vollendet Theater spielen. Und Sie wissen überhaupt, daß Erfolg ein hartes Wort ist: die großen Söhne dieses Landes haben von Erfolg nichts gewußt. Sie haben unsere Seele und unser Herz reicher gemacht und bereichern uns tagtäglich. Erfolg ist ein Wort, das ich hasse. Erfolg ist etwas für den Augenblick, und das, was das Burgtheater darstellt, ist etwas Ewiges."

Die Schwierigkeiten, die Adolf Rott während seiner Tätigkeit am Wiener Burgtheater vom Anfang an mit der Wiener Presse hatte, sind in der Gesamtwertung einer Burgtheaterdirektion kein ausschlaggebendes Kriterium. Rott war massiver Kritik ausgesetzt, aber er ging seinen Weg. Sicher hat er heute mit der Distanz von beinahe zwei Jahrzehnten auch seinen Humor wieder einsatzbereit, und die kleine Geschichte, die kolportiert wird, mag auch ihm ein zeitgemäßes Lächeln entlocken: Der österreichische Autor Walter Lieblein, der Schicksalstragödien schrieb und die Wiener Theaterdirektionskanzleien unbeirrbar auf sich hinwies, beschrieb ein Gespräch, in dem es sehr heftig zugegangen sein soll. Lieblein sprang auf, so erzählte er selbst, und schrie: „Herr Dr. Rott, vor Ihnen steht der größte lebende österreichische Dichter!" Rott sprang noch höher und schrie zurück: „Und vor Ihnen steht der größte Burgtheaterdirektor!" Lieblein beendete das Gespräch: „Lassen wir für uns beide die Rettungsgesellschaft kommen!"

Rott hatte viele Gegner, aber er hatte auch viele Freunde. Und er hat heute wahrscheinlich mehr als während seiner Direktionszeit. „Sie werden auf diesem Sessel sehr einsam sein", hatte er mir prophylaktisch gesagt. Viel später hat mir mein Freund Friedrich Torberg, der meiner Direktionstätigkeit auch wegen der „nichtdirektionalen Form", wie er meinte, kritisch, aber positiv gegenüberstand, gesagt, ich könne meine Freunde am Daumen einer Hand abzählen.

Rott hatte in vielem recht behalten, dieser Theatermann des großen Spektakels, der eine grandiose „Bernauerin" inszenierte und dessen „Jegor Bulitschow" zu einem bedeutenden Burgtheaterabend wurde; dessen Operetteninszenierungen in der Volksoper Modellinszenierungen waren, die, wie er selbst sagt, über die ganze Welt gingen. Der Regieinitiator des Seespiels in Bregenz, der Gastregisseur an vielen Opernhäusern in Amerika, ist immer wieder in Wien, weil er hier zu Hause ist. Er inszenierte, während dieser Bericht erfolgte, am Burgtheater Rostands „Cyrano", den er schon im Burgtheaterexil im Ronacher – 23 Jahre vorher – gemacht hat. Der Nostalgieerfolg beim Publikum war ihm eine echte Come-back-Freude.

In seiner fünfjährigen Burgtheaterdirektion hat Rott wichtige Akzente gesetzt. Der bleibende ist, daß er der Eröffnungsdirek-

Ein großer Erfolg für Regisseur und Schauspieler wurde die von Axel von Ambesser inszenierte Nestroy-Posse „Die Träume von Schale und Kern“. Von links nach rechts: Hans Thimig, Hilde Mikulicz, Wilhelm Heim, Maria Kramer, Harry Fuß, Gusti Wolf und Hermann Thimig

Und immer wieder: Hermann Bahrs köstliches „Konzert“. Im Jahre 1955 spielten Josef Meinrad den Dr. Jura, Alma Seidler die Maria, Inge Konradi die Delfine und Attila Hörbiger den Heink

J. P. Priestleys „Schafft den Narren fort“ wurde anläßlich der Wiedereröffnung des Burgtheaters 1955 am Ring welturaufgeführt. Unter Rotts Regie spielten Heinz Moog, Ewald Balser, Josef Meinrad und Susi Nicoletti

tor des wiedererrichteten Burgtheaters war. Er hat für diese Wiedereröffnung buchstäblich Tag und Nacht gearbeitet. „Ich war erst ein Baumeister“ (er war oft um sieben Uhr früh am Bauplatz); „und dann,“ so meinte er, „eher ein Generaldirektor des großen Burgtheaterkonzerns als ein Burgtheaterdirektor, der sich auf die künstlerischen Möglichkeiten beschränken konnte“. Unter seiner Direktion fanden – von Gielen inszeniert – die legendären „Don Carlos“-Aufführungen mit Werner Krauß und Oskar Werner statt. Die Uraufführung von Priestleys „Schafft den Narren fort“, die beiden sensationellen Lindtberg-Inszenierungen – Shakespeares „Maß für Maß“ und Nestroys „Einen Jux will er sich machen“ mit Josef Meinrad und Inge Konradi –, Jean Giraudoux' „Amphitrion 38“ mit Susi Nicoletti und Schillers „Maria Stuart“ mit Paula Wessely und Käthe Dorsch. Rotts eigene Inszenierung von Claudels „Das Buch von Christoph Columbus“, Berthold Viertels

„Othello"-Inszenierung mit Ewald Balser und Hilde Mikulicz, O'Neills „Eines langen Tages Reise in die Nacht" unter der Regie von Joseph Glücksmann mit Alma Seidler und Attila Hörbiger, und Ernst Lothars Inszenierung des „Unbestechlichen".

1956 ist Adrienne Gessner, jahrzehntelang mit Lothar verheiratet, von der Josefstadt ins Ensemble des Burgtheaters gekommen und ist heute die große alte Dame des Hauses. Sie ist 20 Jahre am Burgtheater, wenn das Burgtheater 200 Jahre alt ist. Sie hat unverwechselbare Gessner-Töne – durch die Max-Reinhardt-Schule geformt – in den Klangkörper Burgtheater gebracht. Sie war eine ergreifende Mater Katarina Agnes in Montherlants „Port Royal" unter Lothars Regie. Sie war das Fräulein Blumenblatt im „Jux", die Daja im „Nathan" und eine exemplarische Crescence im „Schwierigen" von Hofmannsthal. Ihre Phantasie, ihr schauspielerischer Ideenreichtum hat ihr einen weiten Rollenkreis geschaffen, der am Burgtheater die Lady Markby in „Der ideale Gatte", die Tante Ottilie in „Ingeborg" und die Großmutter in „Geschichten aus dem Wienerwald" einschloß. Sie ist schlechthin als die pointensicherste Schauspielerin bekannt: aber das reicht bei weitem nicht aus. Im „Tod des Handlungsreisenden", in „Fast ein Poet", war sie eine große, moderne, tragisch-umwitterte Frauengestalterin. Nach Jahrzehnten eines exzeptionell erfolgreichen Josefstädter Theaterweges, nach einer echten amerikanischen Broadway-Karriere, gehört sie nun auch innerlich dem Burgtheater an. Für Adrienne Gessner gilt der Maßstab Reinhardts. An diesem gemessen, ist sie eine große Persönlichkeit und eine große Schauspielerin.

Adrienne Gessner, eine Außerordentliche! Hier als Daja in Lessings „Nathan der Weise", 10. Mai 1962

Lindtberg-Inszenierungen während der Direktion Rott in der Saison 1957/58: Grillparzers „Weh' dem der lügt" mit Peter Broglé. „Eine sonderbare Dame" von Patrick. Mit diesem Stück verabschiedete sich die große Rosa Albach-Retty von der Akademietheaterbühne bzw. von der Burg.

Anläßlich ihres 100. Geburtstages besuchte ich sie im Künstlerheim in Baden, das ihre Kollegin Hilde Wagener gegründet hat. „Ja, wenn man im Volkstheater die Odilon gesehen hat, dann war es schwer im Burgtheater", seufzte sie bei einer Jause. Schlenther hatte sie ans Burgtheater gebracht. Sie war ganz jung, als Sonnenthal, Lewinsky und die Hohenfels alt waren. Ernst Hartmann war in ihrer Erinnerung der beste Schauspieler in dieser vergangenen Zeit. Er war auch Regisseur. „Denn wirkliche Regisseure gab's ja damals nicht", sagte sie. Und dann war Kainz: herrlich, modern, ungeheuer intelligent. Sie sprach über die Medelsky, über die Viktor Kutschera einmal gesagt hat: „Das ist keine Schauspielerin, das ist ein Erdbeben ..." Sie spricht über die Kritik und meint: „So freundlich waren die Kritiker damals auch nicht." Sie erinnert sich an eine Überschrift: „Die Burgruine – in der Titelrolle Stella Hohenfels" ... Sie erinnert sich an die Persönlichkeiten, und sie spricht von ihnen. „Die Hatheyer war eine so ungeheuer menschliche Medea und hat mir einen so großen Eindruck gemacht. Schweiger ist richtig begabt, sehr persönlich." Sie schätzt Sonja Sutter sehr, Erika Pluhar fand sie schon vor zehn Jahren hoch begabt, Christiane Hörbiger glänzend. Von der Konradi sagt sie: „Die ist mein Schmalzerl." Für den wesentlichsten Schauspieler der neuen Generation, für den Burgschauspieler von morgen, hielt sie vor vielen Jahren Josef Meinrad; heute weiß sie, daß sie sich nicht geirrt hat.

Sie war die Nerissa im „Kaufmann von Venedig", die Roxane im „Cyrano", die Maria in „Was ihr wollt", die Delphine im „Konzert", die Beatrice in „Viel Lärm um Nichts", ... die San Vitale im „Tasso". Von der Franziska in

Anläßlich ihres hundertsten Geburtstages besuchte ich unsere geliebte Rosa Albach-Retty in ihrem Künstlerheim in Baden. Lang sprach sie von gestern und heute, von Kainz, Lewinsky, Bernhard Baumeister, aber auch von Sonja Sutter, Inge Konradi und Erika Pluhar

„Minna von Barnhelm" über die Königin im „Glas Wasser" zur Lothar-Inszenierung „Frau ohne Bedeutung" und ihrer letzten Rolle der „Sonderbaren Dame" unter der Regie von Josef Glücksmann spannte sie den Burgtheater-Lustspielbogen. Zwei Rollen nennt sie selber, die „Judith vom Walde" mit Kainz und die Aase in „Peer Gynt". Wenn sie davon spricht, hat man das Gefühl, daß sie von ihrem großen Entschluß, sich von der Bühne zurückzuziehen, vielleicht doch noch abzubringen gewesen wäre. „Nein", sagt sie, „das war alles sehr schön, aber es war richtig, aufzuhören. Sie läßt auch die Direktoren Revue passieren, und man nimmt es gerne ernster, nicht nur als charmantes Kompliment, wenn man in diesem Zusammenhang von ihr einen Einser bekommt. Sie urteilt:

Hugo Thimig: „Ein ganz reizender Kollege, ein echter Direktor, ein echter Regisseur. Er konnte sich in die Psyche des Publikums hineinversetzen."

Albert Heine: „Der immer mit den Fingern schnalzte, Tempo, Tempo, Tempo! Eine ganz große Persönlichkeit."

Franz Herterich: „Er hat immer das Beste gewollt."

Lothar Müthel: „Selbst ein Schauspieler und daher auch ein Spielerführer."

Raoul Aslan: „Als Direktor war er schon sehr krank."

Adolf Rott: „Kaum jemals habe ich einen Direktor bei Lustspielen so herzlich lachen gehört. Kaum einer hat den Schauspielern soviel Mut gemacht."

Sie spricht von der Zeit des Hofburgtheaters. Ja, natürlich hat sie den Kaiser gekannt. Er hat sie in Privataudienz empfangen, als sie Hofschauspielerin wurde. „Das war ein großer Kavalier", sagte sie. Und die Schratt? „Eine sehr liebe Kollegin."

Anläßlich der Geburtstagsbegegnung mit ihr wollte ich nichts besprechen, was sie traurig machen könnte. Ich wollte sie nicht daran erinnern, wie glücklich und froh sie war, als wir ihren Sohn Wolf Albach-Retty ans Burgtheater zurückholten. Er war ein entzückender Max im „Anatol". Sie sprach von ihrer Enkelin Romy Schneider, ist von deren Begabung überzeugt – eben auch eine Persönlichkeit. „Das ist ja das einzige, was in unserem Beruf wirklich zählt", das ist ihr Motto . . .

Vor mehr als 50 Jahren bin ich auf ihrem Schoß gelegen, und anläßlich meines Burgtheaterdebüts hat sie nur geschrieben, daß sie mein erstes Autogramm haben möchte.

Die Retty ist halb so alt wie das Burgtheater, aber sie war jahrzehntelang hindurch in mehr als einem Sinn das ganze.

In seiner letzten Saison spielte Rott O'Neills „Fast ein Poet" und Giroudoux' „Der trojanische Krieg findet nicht statt".

Während einer Vorstellung des neu inszenierten „Lear" mit Werner Krauß wurde das Publikum plötzlich unruhig; Krauß begann unverständlich zu sprechen, und das Publikum vermutete alles andere als die Wahrheit. Krauß, der schwer zuckerkrank war, hatte das, was man in der Medizin einen „weißen Schlaganfall" nennt, erlitten, und Rott stand vor der Wahl, die Vorstellung abzubrechen oder weiterspielen zu lassen. Der Arzt riet, den schwerkranken Krauß spielen zu lassen und ihm den vielleicht tödlichen Schock zu ersparen. Rott nahm die Verantwortung auf sich und ließ gegen ein demonstrierendes Publikum weiterspielen. Es war die letzte Vorstellung von Werner Krauß, der sich von dieser Krankheit nicht mehr erholte.

Adolf Rott blieb nach seinem Ausscheiden als Direktor als Regisseur den Bundestheatern mit dem Titel eines Oberregisseurs verbunden. Aus dem Farbenreichtum der Burgtheaterdirektorenpalette ist die Farbe Rott nicht wegzudenken.

EIN „BEFANGENES KAPITEL“

Nun kommen wir zu einem „schweren“ Kapitel, schwer für mich, weil es meine eigene Direktionszeit betrifft und ich hier befangen bin. Dennoch glaube ich, daß es wichtig ist, die Vorgeschichte, die „Inside-Story“, zu erzählen, wie es zu dieser Direktion kam. Nicht, weil sie meine war, sondern weil ich sie eben sozusagen am eigenen Leib zu spüren bekam – und weil sie zweifellos symptomatisch ist für viele Vorgeschichten von Burgtheaterdirektionen.

Wie das in Wien schon so ist, kamen mir eines Tages Gerüchte zu Ohren, die in den Theatercafés entstanden waren und in den Redaktionen der Zeitungen umliefen: Adolf Rott ginge, und ich solle ihm folgen. Am 16. Jänner 1958 wurde im Theater in der Josefstadt eine Shakespeare-Ausstellung eröffnet. Ich sprach ein paar einleitende Worte. Nach mir sprach der britische Botschafter, dann Unterrichtsminister Dr. Heinrich Drimmel, der – für mich sehr überraschend – auf meine einleitenden Worte Bezug nahm. Während des kleinen anschließenden Empfanges traf ich mit dem Unterrichtsminister an einer der Flügeltüren der Straußelsäle zusammen, und er sagte im Weggehen, daß wir uns in der nächsten Woche einmal sehen sollten – vielleicht bei einem Mittagessen. „Ich glaube, es gibt einiges zu besprechen.“ – „Oh, guten Tag, Herr Direktor“, sagte er zu Stoß, den er vorher nicht bemerkt hatte, weil der eine Flügel der Türe Professor Stoß verdeckt hatte. Der Minister ging, Stoß sah mich mit ehrlicher Ergriffenheit an und sagte: „Ernsterl, du bist es!“

Es wurde kein Mittagessen, sondern ein schwarzer Kaffee, und er wurde im Büro des Ministers getrunken. Bei diesem ersten Gespräch sagte mir Minister Drimmel, er habe vom Leiter der Bundestheaterverwaltung, Ministerialrat Ernst Marboe, gehört, daß dieser mit mir bereits über eine eventuelle Burgtheaterdirektion gesprochen habe; und nun möchte er wissen, wie weit diese Verhandlungen gediehen wären. Tatsächlich hatten Gespräche stattgefunden – vorerst gar nicht im Zusammenhang mit mir. Marboe hatte an Carl Zuckmayer gedacht, und ich machte mich erbötig, Zuckmayer zu fragen. Die prägnant-saftige Antwort des Dichters war gewesen: „Da setz ich mich lieber mit meinem nackten Hintern in einen Ameisenhaufen!“

Auf Umwegen kamen wir zu mir. Marboe war in unserer Hietzinger Wohnung, dann waren meine Frau und ich bei ihm zu Gast gewesen. Die entscheidende Unterredung war am Montag nach seiner Berlinreise – im Zusammenhang mit dem Burgtheater-Gastspiel von Maria Stuart – vereinbart worden. Ich war für elf Uhr bestellt gewesen. Um neun Uhr früh saß ich im Schönbrunner Schloßtheater bei den Aufnahmsprüfungen für das Reinhardt-Seminar. Kurz bevor ich zu Marboe fahren wollte, wurde ich angerufen und verständigt, daß der Ministerialrat verstorben wäre.

Zurück zu Drimmel: Ich sagte dem Minister, daß ich es für richtig hielt, alles, was mit dem verstorbenen Ministerialrat Marboe besprochen wurde, als nicht geschehen zu betrachten. Viel später hörte ich, daß Drimmel diesen Standpunkt anerkannte. Er sagte mir offen, daß er Fred Hennings als Burgtheaterdirektor in Betracht gezogen, dieser es aber abgelehnt und mich vorgeschlagen habe. Auch eine Kandidatur des damaligen Volkstheaterdirektors Leon Epp sei an ihn herangetragen worden. Drimmel sagte mir, daß ich sein Kandidat wäre.

Der Minister wollte kein Konzept, er hatte das Vertrauen. Und das war nicht nur eine ausreichende Legitimation für einen neugebackenen Burgtheaterdirektor, sondern auch eine verpflichtende Verantwortung.

Dreimal bereits hatte Minister Drimmel Dr. Rott klar mitgeteilt, daß sein zu Ende gehender Vertrag nicht verlängert werden würde. Dennoch wünsche er die ordentlichste und nobelste Lösung, da er den bisherigen Direktor besonders schätze. Er wünschte auch, daß Rott den Bundestheatern weiter als Regisseur erhalten bliebe und verwies auf den analogen Fall Dr. Karl Böhm, der nach seinem Ausscheiden als Direktor der Staatsoper als ihr Dirigent begeistert empfangen worden war. „Gehen Sie mit dem Gefühl großer Sicherheit nach Hause“, meinte Drimmel abschließend zu mir.

Es wurde über alle meine Besprechungen „berichtet“, die Länge meiner Besuche beim Unterrichtsminister, die gar nicht

Fritz Hochwälders „Donnerstag“ mit Otto Schmöle, Blanche Aubry, Albin Skoda und Johannes Schauer

zahlreich waren, wurde registriert und kolportiert, und der Besuch von Burgtheatermitgliedern an meinem Stammtisch war – von der Direktion des Burgtheaters aus – nicht gern gesehen. Als der damalige Finanzminister Dr. Reinhard Kamitz bei einer Premiere im Theater in der Josefstadt zu mir sagte: „Na, ich glaube, man kann gratulieren“, konnte er die laufende Vorstellung, meinen Geburtstag oder meine Burgtheaterdirektion gemeint haben.

Mein Augenarzt sagte anläßlich einer Untersuchung etwas geheimnisvoll: „Sie sollen ja der nächste Burgtheaterdirektor sein. Das hat mir vor ein paar Tagen jemand in diesem Sessel, in dem Sie jetzt sitzen, erzählt, jemand, der es wissen müßte.“ Als ich am gleichen Abend an meinem Stammtisch in der „Linde“ einen befreundeten Arzt über den Patientenkreis meines Augenspezialisten befragte, meinte der, ohne zu wissen, worum es ging: „Sein wichtigster ist der Erzbischof-Koadjutor Dr. Jachym.“

Inzwischen war Dr. Karl Haertl zum Leiter der Bundestheaterverwaltung ernannt worden. Er, der damit die Nachfolge Marboes antrat, fühlte sich im Gegensatz zu diesem und dessen Vorgänger Dr. Egon Hilbert immer als echter Beamter. Es kam nach mehreren Besprechungen ein Vorvertrag zustande; dennoch war ich tief unsicher. Etwas später sagte mir Dr. Drimmel, daß er die Nachricht am 1. September 1958 verlautbaren werde. Ich traf Haertl öfters, und es sollte immer möglichst unauffällig sein. Einmal hatten wir uns im Café Eiles vereinbart; da würde uns sicherlich niemand sehen. Kaum saßen wir an einem Tisch in der Ecke, kam der damalige Kulturstadtrat Hofrat Dr. Mandl vorbei. Einem freundschaftlichen Gruß und Blick folgte ein vielsagendes „Aha!“.

Meinen Freund Dr. Ludwig Polsterer, damals Herausgeber des „Kurier“, unterrichtete ich über den Stand der Verhandlungen. Er war vehement gegen meine Burg-Zukunft: „Warum wollen Sie sich in die Auslage setzen? Sie haben doch in der Josefstadt das schönste Leben, den größten Erfolg – und bei mir die Möglichkeit, viel Geld zu verdienen.“ – Ich war neben meiner Tätigkeit in der Josefstadt ja auch in leitender Position in der Cosmopol-Film Dr. Polsterers tätig. – Nach einiger Zeit gab Polsterer den Widerstand auf. „Ich kann mir schon denken, warum Sie es machen wollen! Wegen Ihres Herrn Papa, der ja so lange am Burgtheater war“, meinte er schließlich. Aber wirklich überzeugt hatte ihn erst die mir analog zu meinem Vorgänger zugesicherte Höchstpension nach Ablauf meines Vertrages – wozu es dann später gar nicht kam. Polsterer finanzierte zum großen Teil mein sogenanntes Vorbereitungsjahr für die Burgtheaterdirektion, das mir unbedingt notwendig erschien und das nach dem 1. September 1958 begann.

Unser gemeinsamer Anwalt war Dr. Christian Broda. Und Broda war von der Idee meiner Burgtheaterdirektion mehr als eingenommen. Als er meinen Vertrag, der wie ein Schauspielervertrag ausgestellt war, studierte, meinte er, auf das Papier hinweisend: „Danach sind Sie wahrscheinlich vieles, aber sicherlich nicht Burgtheaterdirektor.“

Er war der Meinung, daß jedes vorzeitige Bekanntwerden der Absicht Drimmels meine Kandidatur ernstlich gefährden würde. Eines Tages rief er mich an. Er hatte erfahren, daß der „Express“ die Nachricht am nächsten Tag auf der ersten Seite bringen würde. „Da gibt’s nur einen letzten Versuch“, riet er. „Rufen Sie den Chefredakteur Bacher an.“ Ich kannte Gerd Bacher nicht und rief ihn an. Er sagte sofort, er könne da nichts machen, die Nachricht sei eine „Sensation“ für sein Blatt, und die Seite sei bereits gesetzt. Ich erklärte ihm die Situation und die Gefahr, die für mich in der Veröffentlichung läge, versuchte, die Richtigkeit der Nachricht in Frage zu stellen. Bacher antwortete schnell: „Sagen Sie mir ganz offen, wie es steht. Glauben Sie, wenn unsere Nachricht nicht erscheint, daß Sie es werden – und wie wichtig ist es für Sie?“ Ich sagte „ja“ und „lebenswichtig“. Darauf Bacher: „Ich bin kein Spielverderber. Ich bring was anderes und halte Ihnen die Daumen.“

In dieser Zeit war mein älterer Schulkollege und Freund, Dr. Alfred Weikert, damals Ministerialrat im Unterrichtsministerium, später Sektionschef und Leiter der Bundestheaterverwaltung, äußerst vehement für mich eingetreten. Ich hörte das erst sehr viel später. Dieser unkonventionelle, unbürokratische

Beamte hat auch während meiner Burgtheaterdirektion, immer im Hintergrund bleibend, Entscheidendes für das Durchsetzen meiner Pläne getan.

Minister Drimmel hat seine Zusage, wie alle Zusagen, die er mir jemals gemacht hat, bis auf die Minute eingehalten. Ich war am 1. September 1958 eben bei einer Probe in den Kammerspielen, als mich mein Kollege Franz Stoß anrief. Mit hörbar bewegter Stimme teilte er mir vertraulich mit, daß der Pressechef der Bundestheaterverwaltung, Dr. Viktor Reimann, soeben angerufen und ihm mitgeteilt habe, was ich nun, während meines sofortigen Rückrufs bei Dr. Reimann, offiziell erfuhr. Man las mir vor, daß der Unterrichtsminister in der Öffentlichkeit die Frage an mich richtete, ob ich bereit wäre, ab 1. September 1959 die Direktion des Burgtheaters zu übernehmen.

An diesem 1. September 1958 begann auch etwas, was damals noch ganz und gar außergewöhnlich war und heute als selbstverständlich gilt: daß ein Direktor ein Jahr lang schon tätig ist, während ein anderer Direktor noch ein Jahr lang amtiert. Sicherlich bedeutete das für Dr. Adolf Rott den schwersten Abschnitt seiner Burgtheaterzeit, und ich weiß heute, daß dieses Jahr für mich das schönste war. Die Schauspieler, der Betriebsrat, die Verleger, alle mußten ständig hin und her pendeln. Ich hatte mir damals selbst ein Büro im sogenannten „Stöckl“ des Hanuschhofes eingerichtet, in jenem Gebäudekomplex, in dem die Bundestheaterverwaltung – heute der Bundestheaterverband – untergebracht ist. Privat hatte ich eine Schreibkraft engagiert, da ich die Vorbereitungsarbeiten sofort in Angriff nehmen mußte und eine Sekretärin von Amts wegen nicht beigestellt werden konnte.

Die Gedanken, die damals entstanden sind, sahen später – in der Realisierung – oft anders aus. Da waren die ersten Gespräche mit Werner Düggelin, die ersten Kontakte mit Boy Gobert. Es fanden auch die ersten Gespräche mit Leopold Lindtberg über die „Wallenstein-Trilogie“ und deren Besetzung statt. Zusammen mit Rudolf Steinboeck und Lois Egg kamen auf Vermittlung von Hofrat Gustav Pichler, dem Präsidenten der Raimund-Gesellschaft, in Villeneuve in der Schweiz mit Oskar Kokoschka Besprechungen zustande. Wir konnten den bedeutendsten Maler Österreichs überzeugen,

einen für das Burgtheater vorgesehenen Raimund-Zyklus zu gestalten. Es war beglückend, mit welcher Liebe Kokoschka vom Burgtheater sprach.

1958 war auch das Jahr, in dem ich zu Gustav Rudolf Sellner fuhr, der auf meine Idee, einen Zyklus der Antike in der Bearbeitung von Rudolf Bayr, sofort angesprungen war. Ein ebenso herzliches wie aufregendes Gespräch fand während seiner Proben für die Ruhrfestspiele in Recklinghausen statt.

Sonja Sutter wurde für zwei Jahre engagiert. Ich hatte sie nach Wien zum Vorsprechen eingeladen, so wie viele andere leider auf meine Kosten: ich war ja noch nicht unter Vertrag.

Alle meine damaligen Aktivitäten besprach ich mit meinem langjährigen Freund und Mitarbeiter Raoul Martinée, der einmal Inspizient am Burgtheater war und dann bei mir Direktor des Radiosenders Rot-Weiß-Rot.

Eines der wichtigsten Engagements kam in der Zeitspanne des Vorbereitungsjahres nach ausführlichen Gesprächen zustande: ein Fünfjahresvertrag mit Oskar Werner.

Heinz Rühmann kam mit seinem Privatflugzeug nach Wien, und nachdem er nicht nur alles hundertmal überlegt, sondern auch das Theater von der Bühne bis zur Garderobe inspiziert hatte, wurde mit ihm ebenfalls ein Fünfjahresvertrag geschlossen.

Paul Hoffmann nahm die Einladung an, den Octavio Piccolomini im „Wallenstein" zu spielen und dem Burgtheater auch weiter zur Verfügung zu stehen.

In der Vorbereitungszeit für meine Burgtheaterdirektion besuchte mich ein junger Komiker, und wir sprachen über das Burgtheater. Er hatte es satt, nur in komischen Rollen – und sehr oft in schlechten Filmen – Verwendung zu finden; kleine Talentproben bei Ausflügen in ernste Rollen schienen das Wagnis wert. Ich engagierte Boy Gobert, und er spielte unter Lindtbergs Regie eine große zwielichtige Rolle in der Camus-Bearbeitung von Dostojewskijs „Besessenen". Unter der Regie Düggelins spielte er den Caligula, und obwohl er sich selbst mit seinem sehr persönlichen trockenen Humor als typischen „Piefkinesen" bezeichnete, war er ein echter Wiener Erfolg. Er war Malvolio in „Was ihr wollt", er war Lord Goring im „Idealen Gatten", er war Franz Moor und Hofmarschall Kalb, er war Heinrich IV. von Pirandello. Und er wollte Regie führen. Gobert war die geeignete Persönlichkeit. Es bedurfte keiner großen Überredungskunst, er inszenierte erst im

Links: Fritz Wotruba schuf die Bühnenbilder für den Antiken-Zyklus während meiner Direktionszeit: „Antigone"
Rechts: Johanna Matz „mit ihrem Lord Goring" Boy Gobert: Oscar Wilde, „Der ideale Gatte"

Europa-Studio bei den Salzburger Festspielen, dann Shaws „Haus Herzenstod" im Akademietheater und Scribes „Ein Glas Wasser" mit Musik von Georg Kreisler. Gobert selbst spielte den Bolingbroke.

Ich hatte mit Gobert oft Auseinandersetzungen, die aber nie den freundschaftlichen Charakter vermissen ließen; er war ein Herr mit Humor, ein echter Profi und ist deshalb auch ein echter Theaterdirektor geworden.

Während des Anlaufjahres gelang es, meinen einstigen Lehrer und langjährigen Freund Hofrat Friedrich Schreyvogl zu bewegen, die Chefdramaturgie zu übernehmen. Als Vizedirektor bei Rott war er vorzeitig ausgeschieden. Ich wollte damals dokumentieren, daß der Direktor immer und ohne Unterbrechung im Theater sein und daß ein Vizedirektor von vornherein den Eindruck beabsichtigter Abwesenheit erwecken müsse.

Am 27. Februar 1959 fand meine erste Pressekonferenz statt.

Weitere Stationen des Vorbereitungsjahres waren Gespräche mit Fritz Wotruba über den „Zyklus der Antike". „Ich bin kein Bühnenbildner und würde nie daran denken, so etwas zu machen. Aber die Antike, ja, das ist was! Doch ich mach' es nur mit Menschen, die es richtig verstehen – keinen blauen Himmel – keine Theatersonne auf der Bühne – Farben wie Stierblut!" sagte Wotruba.

In die „goldene" Spielzeit 1958/59 fiel auch meine erste Begegnung mit Günther Rennert. Unzählige mit den Schauspielern des Hauses folgten: Die Wessely sagte mir im Laufe eines Gesprächs: „Für Österreich sind Sie gut, Ernstl Haeusserman, ob fürs Burgtheater, weiß ich noch nicht!"

Als ich dem Unterrichtsminister für den Posten des Chefdramaturgen Carl Zuckmayer, Frank Thieß oder Friedrich Heer vorschlug, waren wir uns bald darüber im klaren, daß Zuckmayer gar nicht annehmen würde. Frank Thieß, selbst einmal als Burgtheaterdirektor-Kandidat genannt, hatte die Ruhe und Abgeschlossenheit gefunden, deren sein wichtiges Alterswerk bedurfte. Aus dem Dreiervorschlag akzeptierte der Unterrichtsminister Professor Friedrich Heer. Meine erste Vorstellung war Siegfried Melchinger gewesen. Im letzten Augenblick aber, nachdem bereits von der Bundestheaterverwaltung, dem Bundesministerium für Unterricht sowie dem Bundesministerium für Finanzen alles positiv erledigt gewesen war, sagte er ab.

Was waren die Grundideen für die Leitung des Hauses am Ring, die in nächtelangen Selbstgesprächen diskutiert, verworfen und schließlich zur Grundlage der Direktionstätigkeit gemacht wurden?

Mir schien das Burgtheater in mehrfacher Hinsicht zu stagnieren. Eine wirksame Blutzufuhr für das Ensemble hatte es seit vielen Jahren praktisch nicht mehr gegeben, und der Spielplan, besonders der des Akademietheaters, wurde zu einem großen Teil von Unterhaltungsliteratur beherrscht. Was nun zuerst reorganisieren: Spielplan oder Ensemble? Bei den Erwägungen über die zu spielenden Stücke ergaben sich automatisch Besetzungsprobleme, eines griff in das andere.

Auf Grund jahrzehntelanger Kenntnis des Burgtheaters war es mir klar, daß die besten Vorsätze aufgeweicht werden, wenn man sich nicht selbst ein eisernes Korsett anlegt. Und so wurde die Idee des „zyklischen Theaters" geboren, gar nicht so sehr,

AMTLICHE ZAHLEN

„Erhard Buschbeck", so erzählt Hennings, „hat immer den größten Wert darauf gelegt, daß im *Amtskalender* das Burgtheater an erster Stelle steht." Tatsächlich rangiert auch im *Deutschen Bühnen-Jahrbuch* das Burgtheater vor der Staatsoper, anders als andere deutschsprachige Theater. In diesem Almanach ist unter Wien I zu lesen: „Das Burgtheater wurde von Karl Frhr. v. Hasenauer, nach Ideen von Gottfried Semper, 1884 bis 1888 erbaut. Eröffnung am 14. Oktober 1888 mit einem ‚Szenischen Prolog' von Josef Weilen, ‚Esther' von Franz Grillparzer und ‚Wallensteins Lager' von Friedrich Schiller. Durch Kriegseinwirkung schwer beschädigt, wurde es 1953 bis 1955 wieder aufgebaut und am 15. Oktober 1955 mit Grillparzers „König Ottokars Glück und Ende" unter der Direktion Dr. A. Rott neuerlich eröffnet. – Fassungsraum 1310 Sitzplätze und 210 Stehplätze. Bemerkenswerte techn. Einrichtungen: Drehbühne, Wagenbühne, Portalbrücke mit Scheinwerfern. Projektionseinrichtung mit 10 Apparaten. Stellwarte mit 192 Hebeln. System Siemens. Wechselstrom. Betriebsspannung 220 Volt. Orchesterraumbreite 12 m, Tiefe 4 m, für 75 Musiker. Besucherorganisationen: Abonnement mit etwa 9000 Mitgliedern.

Dem Burgtheater angegliedert ist das Akademietheater. Fassungsraum 496 Plätze, 26 Stehplätze, 2 Rollstuhlplätze. Bühnenraumbreite 15 m, Tiefe 9,60 m. Portalbreite 11,40 m, Höhe max. 6,70 m (fahrbare Portalbrücke). Orchesterraumbreite 12 m, Tiefe 3 m (versenkbar auf minus 2,30 m). – Erbauungsjahr 1911 bis 1913. Erbauer: Architekten Fellner und Hellmer und Ludwig Baumann. Eröffnung am 8. September 1922 unter Max Paulsen mit ‚Iphigenie auf Tauris' von Goethe. Eröffnungsvorstellung nach dem Kriege am 19. Mai 1945 unter Raoul Aslan: ‚Hedda Gabler' von Ibsen."

um eine neue Form zu präsentieren, sondern eben, um dieses Korsett für sich und die anderen zu schaffen, wohl darum wissend, welche Fehlerquellen es auf die Dauer mit sich bringen würde.

Der zentrale Kern des ersten fünfjährigen Vorhabens war der Königsdramen-Zyklus von Shakespeare.

Das Burgtheater wird zu jeder Zeit kritisiert werden, und die Kritik wird zu ihrer Zeit immer recht behalten. Aber das Burgtheater steht länger, als seine Direktoren und seine Kritiker leben, und so sehr ich an die Wichtigkeit der Presse glaube, so sehr war mir ihre und meine Ohnmacht der Zukunft gegenüber klar. Das Burgtheater – so glaubte ich – muß einmal aus dem Teufelskreis des Theater-Establishments heraus. Es muß über seinen eigenen Schatten springen, auch wenn es dabei das eine oder das andere Mal straucheln sollte.

Soweit die Vorgeschichte meiner Direktion. Ob und wie es mir gelang, meine Pläne zu realisieren, will ich weder entscheiden noch beschreiben. Ich habe einen strengen Kritiker meiner Burgtheaterzeit gebeten, darüber kritisch zu befinden. Auch glaube ich, daß es richtig ist, wenn ich mich meinen direkten Nachfolgern gegenüber der Aussage entschlage. Nicht, weil ich mich scheue, positiv oder negativ zu urteilen, sondern weil ich glaube, daß alle Direktoren des Burgtheaters eines verbindet: ihre echte Liebe zu diesem Haus; und daß sie alle in ihrer Zeit mit so viel Unbill konfrontiert wurden, daß ihnen das Recht der eigenen Darstellung zusteht. Wenn ich mich dieses Rechts meinerseits begebe, so tue ich es in dem guten und etwas selbstbewußten Gefühl, daß die Distanz eine eigene Replik unnötig macht.

Bevor ich dem Kritiker Paul Blaha Wort und Feder übergebe, erwähne ich – ohne eine Reihenfolge zu beachten – einige meiner Mitarbeiter, die meinen Burgtheaterdirektionsversuch aus nächster Nähe unterstützt haben:

Erst meine Sekretärin, Dorothea Rausch, ein Burgtheatersymbol, eine Synthese von unermüdlicher Arbeiterin und Burgtheaterdame. Ich glaube, ich habe ihr oft leid getan, und auch dafür will ich ihr danken.

„THEATER IN TAORMINA“
DECKENFRESKO IM „NEUEN HAUS“ AM RING
Kolorierte Radierung von Gustav Klimt

Links: „Oedipus“ mit Albin Skoda und Josef Meinrad. Burgtheater 1960
Rechts: Tom Stoppards „Rosenkrantz und Güldenstern“ mit Paul Hoffmann und Klausjürgen Wussow

Die für mich entscheidend wichtige Gustl Mayer, vorher langjährige Mitarbeiterin von Max Reinhardt, Heinz Hilpert und Gustaf Gründgens: Eine echte Pharmazeutin des Theaters!

Der gute treue Eduard Volters, der „Professor Edi“, der nach dem Tod Erhard Buschbecks dessen Nachfolge im Rahmen der Direktion antrat.

Professor Heinrich Kraus, zuerst mein persönlicher Referent, und dann, nach Reif-Gintl, Verwaltungsdirektor des Hauses. Kraus hat in dem Team eine sehr wesentliche Rolle gespielt, und manches Erfolgreiche, das mir in die Schuhe geschoben wurde, wäre ohne ihn nicht durchzuführen gewesen, nicht zuletzt die Welttournee des Burgtheaters, die er meisterhaft organisiert hat.

Hofrat Dr. Heinrich Reif-Gintl war in der Bundestheaterverwaltung, als ich kam, und als diese reorganisiert wurde, bat ich ihn, als Verwaltungsdirektor ins Burgtheater zu kommen. Ein weiser Theaterhase, der von allem wußte: Er wurde 1968 zum Staatsoperndirektor bestellt, und es war selbstverständlich, daß das Burgtheater ihn, wenn auch ungern, freigab.

Professor Dr. Friedrich Heer, dessen geistige Strahlkraft weit über Österreich hinausgeht und der gerade deshalb im Burgtheater zu Hause sein sollte.

Dr. Josef Glücksmann, ein feinsinniger Regisseur, ein welt- und weitgewandter Theatermann und Dramaturg.

Dr. Helmut Schwarz, Dramaturg und Regisseur, der das Burgtheater verließ, um das Wiener Max-Reinhard-Seminar zu leiten.

Mein Freund Lois Egg, der als Bühnenbildner und Ausstattungschef auch im Zusammenhang mit der Tätigkeit von Oskar Kokoschka und Fritz Wotruba Wertvollstes leistete.

Ulrich Erfurth, mehr als „ein treuer Diener seines Herrn“, und die Leiterin des künstlerischen Betriebsbüros, Charlotte Ketterer, die von der Volksoper kam und deshalb Rollen Partien nannte; ihre Partie im Burgtheater wurde zur echten Burgtheaterrolle.

Hofrat Professor Dr. Friedrich Schreyvogl, vor Jahrzehnten ein von mir geliebter Literaturlehrer an der Akademie, später Chefdramaturg in der Josefstadt, nahm aus Burgtheaterliebe den Burgtheaterleidensweg auf sich. Er, einer der meistaufgeführten Burgtheaterautoren, blieb im Hintergrund, aber seine Erfahrung und seine Beziehung zu dem Haus haben das so gute Lehrer-Schüler-Verhältnis neu aufleben lassen.

Das war das Team. Manchen, die zwischen den Zeilen mitwirkten, sei in gleicher Weise gedankt.

DAS „SILBERNE ZEITALTER“

Und nun Paul Blaha: Vielleicht hat es das schon einmal gegeben, aber ich glaube nicht: im Ensemble des Burgtheaters scheinen zurzeit nicht weniger als fünf Direktoren auf. Zum Teil spielen sie, zum anderen führen sie Regie. Drei, die Direktor gewesen sind, einer, der es ist, und einer, der es werden wird. Rott, Haeusserman und Hoffmann, Klingenberg und Benning. Im Jubiläumsjahr 1976 werden sie – so nichts Unvermutetes passiert – einträchtig nebeneinandersitzen. Nichts wird sie trennen, außer Welten. Fünf Zeugen einer Zeit, in der das Burgtheater alle Höhen und Tiefen durchschritten hat, zu denen es befähigt und verurteilt ist. Jeder auf seine Weise daran beteiligt. Der Dienstälteste ist Ernst Haeusserman. Auf sein Konto geht immerhin ein Dezennium. Die Direktionsära Haeusserman ist nicht bloß ihrer Länge wegen die (bis zum heutigen Tag) einzige, auf die der Begriff Ära wirklich zutrifft.

Wenn man das Wort Burgtheater ausspricht, tut man dies nie ohne Emotion. Man ist erbost, erbittert oder selig, das eine Mal vergrämt, das andere Mal wieder versöhnt – und meistens doch sentimental. Vielleicht wird man irgendwann einmal Burgtheater wie Messepalast oder Rochuskino sagen. Ganz sicher werden wir dann um vielen Ärger ärmer sein und um eine große Gleichgültigkeit reicher. Während der Ära Haeusserman war das ganz sicher nicht der Fall.

Sie wurde angefeindet und gepriesen, war erfolgreich und umstritten, erzwang spektakuläre Siege, erlitt Niederlagen, brachte ihre Freunde zur Verzweiflung und ihre Gegner in Verlegenheit, leistete immer wieder Außerordentliches und stöhnte unter den Maßstäben, die wir damals noch hatten. Gleichgültig jedenfalls hat sie niemanden gelassen. Als sie zu Ende war, standen auch ihre Widersacher ein bißchen ratlos da, so als ob sie ahnten, daß es nun etwas, woran man sich messen konnte, nicht mehr geben werde. Die Luft wurde dünner. Heute blicken wir (immer noch nicht ohne Emotionen) mit Heimweh auf sie zurück.

Es gibt da so einen Intelligenztest, bei dem der eine etwa „Volkswagen“ sagt, worauf dem anderen sofort „Käfer“ einzufallen hat. Zum Burgtheater fällt einem immer das Wort „Krise“ ein. In irgendeiner Krise steckte das Burgtheater seit genau 200 Jahren stets. Irgendwie hat es überlebt, gut oder schlecht. Wenn ich so überblättere, was ich während der Ära Haeusserman geschrieben habe, drückte damals scheinbar eine „Krise“ der anderen die Türschnalle in die Hand. Nur: auch Burgtheaterkrisen sind nicht mehr das, was sie einmal waren.

Ein Teil dieser Krisen ergab sich ganz zwangsläufig aus dem äußerst diffizilen Umgang mit dem rund zehn Dutzend stolzer Burgschauspieler oder solcher, die es über Nacht geworden sind. Die Burg nämlich verändert Schauspieler in kürzerem Zeitraum, als man dies für möglich halten würde. Unter Haeusserman haben sehr viele Schauspieler die höheren Weihen erhalten. Mit nicht wenigen von ihnen bekam er bald die allergrößten Schwierigkeiten, zumal mit einigen besonders wehrhaften Ensembledamen. Davon, daß etliche Schauspieler, teils von Haeusserman engagiert, teils von ihm übernommen, die gegen ihn opponierten, seit seinem Abgang stille Abbitte leisten, hatte er damals nichts.

Vieles ergab sich ganz einfach aus Haeussermans Naturell. Er hatte beispielsweise (und hat dies immer noch) eine ausgeprägte Hochachtung vor der Persönlichkeit. Sie herauszustellen, sich ihrer zu vergewissern, war ihm oft wichtiger als das, was man den Blick für Konstellationen und Kontinuitäten nennen könnte. Er war der Überzeugung, daß die Ansammlung einer möglichst großen Anzahl von Persönlichkeiten den möglichst großen Erfolg einer Inszenierung sozusagen erzwingen können müßte. Daß dies nicht immer mit jener Selbstverständlichkeit eines homogenen Spielkörpers zutraf, nahm er nur ungern zur Kenntnis.

Er liebte und er liebt die Prominenz, wodurch es der Balser etwa und der Meinrad, die Seidler oder die Familie Wessely-Hörbiger bei ihm gut hatten; er liebte und er liebt große Namen, und er engagierte sie, angefangen von Ernst Deutsch bis Will Quadflieg, von der Joanna Maria Gorvin bis zu Klaus Kammer. Er veranlaßte Oskar Werner wieder an die „Burg“ zu kommen, versteifte sich auf Heinz Rühmann und hätte, so sie

Heidemarie Hatheyer in Eugene O'Neills „Ein Mond für die Beladenen"

Rechte Seite: Szene aus Arthur Schnitzlers „Professor Bernhardi" mit Helmut Janatsch, Kurt Meisel, Ernst Deutsch, Josef Krastel, Fritz Lehmann, Gandolf Buschbeck und Heinz Moog. Regie führte Kurt Meisel (30. April 1965)

zu haben gewesen wären, Gustaf Gründgens, Maria Wimmer oder Martin Held nach Wien gebracht. Wenn so etwas möglich gewesen wäre, hätte er Charly Chaplin „Warten auf Godot" spielen lassen. Nichts war ihm gut genug für das Burgtheater (und das kritisiere einer *heute!*).

Heidemarie Hatheyer, Hans Christian Blech und Thomas Holtzmann spielten bei ihm, Joseph Offenbach und Theo Lingen, Helmut Lohner und Peter Weck – großformatige Schauspieler des deutschsprachigen Theaters, die zurzeit kaum zu überreden wären, an die „Burg" zu kommen. So viele Individualitäten in so kurzer Zeit zu integrieren, und zwar gegen Wind und Wetter, nämlich gegen die damals häufig nicht eben sehr flexible Kameralistik der Theaterbehörde und gegen das Mißtrauen des eingesessenen Ensembles, das sich angesichts der scheinbar drohenden Überfremdung eingeigelt hatte, erwies sich als unmöglich. Viele gingen wieder, enttäuscht und Enttäuschung hinterlassend. Erich Schellow, der in Wien nicht heimisch werden konnte, Hermann Schomberg, dem es in der „Burg" zu wenig nach Kulissen roch, und Oskar Werner, der sich in einen Theaterbetrieb nicht einfügen mochte, sind typische Beispiele für die verschiedensten Motive, die zur Trennung führten.

Dies Kommen und Gehen machten Haeusserman viele zum Vorwurf. Übersehen wurde dabei freilich leicht und gerne, daß es ihm gelang, Burgtheaterflüchtlinge, zumal junge und jüngere, zur Heimkehr zu bewegen, wie die Annemarie Düringer, den Heinrich Schweiger und den Walther Reyer. Und übersehen wurde dabei, daß erstrangige Schauspieler von Format, Hoffmann, Heinz Reincke und Richard Münch, Boy Gobert, Elisabeth Orth, Manfred Inger, in der Direktionsperiode Haeusserman feste Bindungen mit dem Haus eingingen. Otto Schenk (als Regisseur) und Michael Heltau fanden in dieser Zeit zum Burgtheater; Erika Pluhar, Achim Benning, Wolfgang Gasser und Joachim Bissmeier debütierten. Alles Stützen, man ist versucht zu sagen, die letzten Stützen des nur noch von einer Handvoll der „Burg" verbliebenen renommierten Protagonisten getragenen Ensembles.

Falls es für das Burgtheater je wirklich eine goldene Zeit gegeben haben sollte, dann erlebte es während der Ära Haeusserman die silberne.

Als Haeusserman die Direktion antrat, war zwar nicht das Burgtheater, aber die Theaterwelt noch heil. Das Theater war (gerade noch) repräsentativer Ausdruck einer Gesellschaft der Prosperität, des wundersam vollbrachten Wiederaufbaus. Die Alliierten hatten fünf Jahre zuvor Österreich verlassen, die Freiheit schmeckte süß, der kalte Krieg ging zu Ende, auf der weltpolitischen Bühne kündigte sich die Ära Kennedys, Johannes' XXIII., Chrustschows an. Die Welt, vor den Studentenunruhen, vor Vietnam, vor Energiekrise und Watergate, war aufgeschlossen und war zuversichtlich. Der mondiale, zutiefst liberale Zuschnitt des neuen Chefs der „Burg" entsprach dieser wahrscheinlich glücklichsten Epoche unserer Jahrzehnte. Haeusserman war der richtige Mann zum richtigen Zeitpunkt am richtigen Platz. Seine Agilität, sein Tatendrang, sein Ideenreichtum lebten sich aus. Seine Intelligenz und seine politische Sensibilität waren in der Lage, gesellschaftliche Zusammenhänge zu erfassen.

Als Mann einer aufblühenden Gründerzeit stand ihm der Sinn nach großen, auf weite Sicht geplanten Projekten, dem Shakespeare-Zyklus, dem Antiken-Zyklus, dem Grillparzer- und Raimund-Zyklus. Als Demokrat, als Humanist war ihm Schnitzler, war ihm Arthur Miller, war ihm Albert Camus ein Bedürfnis. Als Neuerer, der die Zeichen der Zeit rezipierte, wußte er, daß Harold Pinter, Eugène Ionesco und Günther Grass an die „Burg" gehörten. Die deutschen Klassiker,

Schiller, Goethe, Büchner, Lessing, standen mit größerer Selbstverständlichkeit als jemals nachher auf dem Spielplan, die Weltliteratur, von Molière bis Shaw, von Strindberg bis Pirandello, von O'Neill bis Tschechow war selbstverständlich. Hauptmann war selbstverständlich und Garcia Lorca.

Wenn man Bühnenfotos der Spieljahre 1959/60 bis 1967/68 betrachtet, glaubt man sich in ein versunkenes Theaterland versetzt. Die gesamte österreichische Dramatik, bis dahin kaum greifbar, Nestroy, Hofmannsthal, Csokor, Mell, Hochwälder, Zusanek und Kühnelt schienen auf (nur Horváth kam zu kurz). Christopher Fry fand man neben Ibsen, Tennessee Williams neben Gorki, und immer wieder Shakespeare, Schiller, Schnitzler, Grillparzer, Raimund, Nestroy. Und immer die großen, schweren Brocken. Da herrschte keine Drückebergerei vor dem „Gyges", vor „Das Leben, ein Traum", vor dem „Peer Gynt", dem „Kaufmann von Venedig" und „Dantons Tod", „Florian Geyer" und „Nach Damaskus": seit vielen Jahren im Burgtheater kaum noch realisierbar, kaum noch zu besetzen.

Das war das eine: das Welttheater in ziemlicher Komplettheit. Die Überlieferung. Das Staatstheater in seiner repräsentativen Kunstform, in seiner hochgesteckten Attraktivität. Die qualitätsbewußte Aufführung der „Wallenstein"-Trilogie, die Königsdramen für das Shakespeare-Jubiläum 1964 und die Welttournee der Superlative schließlich: Paris, New York und Moskau, Israel und Japan, Ruhm und Orden. Das andere, die Erneuerung des Spielplans vollzog sich so gut wie nebenbei, im Stillen. Haeusserman hatte viel, zumeist Sensationen versprochen; von Gesinnung oder Modernität war kaum, jedenfalls weitaus unprätentiöser als zuzeit, die Rede. Aber er setzte „Professor Bernhardi" zum ersten Mal in der Burg durch, er spielte die „Fliegen" von Sartre und den „Marat" von Peter Weiss, er spielte Brecht und Hochwälder und Edward Albees gesellschaftskritische Stücke. Und spätestens seit Tom Stoppards „Rosenkrantz und Güldenstern" in seinem letzten Direktionsjahr habe ich ihm die vielen Anouilhs und Giraudoux' verziehen, sofern es da etwas zu verzeihen gibt.

Die Rede Dantons vor dem Tribunal. Heinrich Schweiger spielte die Titelrolle in Georg Büchners Drama. St. Just war Helmut Lohner, Robespierre Heinz Reincke, Desmoulins Michael Heltau (3. Februar 1967)

Vieles gefiel mir absolut nicht. Manche Klassiker waren mir zu verbindlich, zu wenig zeitbezogen, zu statuarisch inszeniert worden, die Nestroy-Interpretationen widerstrebten mir erheblich, Menschentum ist oft zelebriert, Gefühl im Faltenwurf erstickt worden. Solcherart Vorbehalte, rund ein Jahrzehnt alt, hat man sich abgewöhnt, den sechziger Jahren des Burgtheaters anzulasten. Denn was nach Haeusserman kam, war weitaus anfechtbarer, nämlich zumindest ebenso theatralisch, nur uninteressanter. Diese Erfahrung freilich macht das Unbehagen damals nicht ungeschehen. Es war (für mich mehr als für konservative Kritiker) zeitweise vorhanden und bezog sich auf Fragen des Spielstils, der Regie, der Regisseure. Ein Streitfall allerdings, der die „Burg" vor Haeusserman wie nach ihm betraf, im Grunde ein Problem des gesamten Wiener Theaters. Starke, eigenwillige, stilbildende Regisseure hat Wien nie sehr gut vertragen. Das Staatstheater erweist sich da als sehr empfindlich: der Protagonisten Selbstbewußtsein fühlt sich unnötig belästigt, des Unterbaus Beamtentum gestört. Nicht alle reagieren so, aber fast alle. Das liegt in der Natur solcher Institutionen. Ergebnis: Qualität erstarrt, wird zur Routine.

Haeusserman zeigte wenig Neigung, dies grundsätzlich zu verändern. Er stützte sich anfangs auf die älteren, bewährten Regiekräfte des Hauses, auf Ernst Lothar, auf Josef Gielen und Rudolf Steinboeck (Steinboeck inszenierte während der Direktion Haeusserman nicht weniger als 29 Stücke), verschrieb sich gewichtigen Regiepersönlichkeiten wie Heinz Hilpert und Leopold Lindtberg, von dem er viel, fast alles erhoffte, ebenso wie von Günther Rennert, Gustav Rudolf Sellner (für den Antiken-Zyklus) und August Everding; vergab Regien an Adolf Rott und Willy Schmid und Josef Glücksmann, holte

Der erste am Burgtheater inszenierte Brecht: „Galileo Galilei". Curd Jürgens in der Titelrolle, rechts neben ihm Emmerich Reimers, rechts im Vordergrund Fred Liewehr und Richard Eybner (3. Februar 1967)

später Ulrich Erfurth, Axel von Ambesser und Kurt Meisel. Lauter erstrangige Leute, doch fast alle einer Generation oder einer Geisteshaltung zugehörig, die Erfahrungen mit dem Neuen nicht gemacht haben oder sie ablehnten. Werner Düggelin gehörte zu den erfrischenden Ausnahmen. Die zwei schwerwiegenden Experimente mit Fritz Kortner waren so ziemlich das äußerste, das Haeusserman dem Burgtheater zumuten wollte.

Die verhältnismäßig hohe Anzahl von Regisseuren, die während der Amtsführung Haeussermans nur zweimal inszenierten, bezeugt, wie schwer es offenbar fiel, die „richtigen" für das Haus zu finden. Mehr als 20 Regisseure inszenierten gar nur einmal. Unter ihnen immerhin Otomar Krejca. So kam es zu prachtvollen Aufführungen, sei es die des „Caligula", des „Schwierigen", des „Heinrich IV.", des Anouilhschen „Bekkett", des Millerschen „Nach dem Sündenfall" oder des „John Gabriel Borkman". Aber zu einer kontinuierlichen Vitalisierung des eingefrorenen Spielstils konnte es kaum kommen.

An Kontroversen also fehlte es nicht. Sie haben freilich sehr viel mit Haeussermans Grundeinstellung zur „Burg" zu tun. Er wollte nie darin einstimmen, daß die „Burg" ein Theater sei wie jedes andere auch. Dieser Gedanke war ihm unerträglich. Für ihn war und ist das Burgtheater auch dort, wo es nicht befriedigt, etwas Besonderes, etwas Unverwechselbares, das man nicht gefährden darf. Dieser Vorsicht im Umgang mit der Qualität ordnete er Neuerungen, die ebenso heilsam wie auch zerstörend sein können, unter. Er kam als Neuerer, doch als Veränderer wollte er sich nicht verstehen. Er wollte lieber manches anstehen lassen als gefährden. Da schloß er lieber Kompromisse.

Ein Burgtheaterabend, der mir lange im Gedächtnis bleiben wird: Oskar Werner als Becket und Sonja Sutter als Gwendoline in Anouilhs „Becket oder die Ehre Gottes", Burgtheater 1960

Der Mann der Schlagzeilen und der spektakulären Erfolge erwies sich letztlich als Sachwalter, als Bewahrer. Derlei bemerkt man allerdings stets erst im nachhinein.

Haeusserman wurde Politiker des Kunstlebens genannt, und er errang viele seiner Erfolge als Diplomat auf kultureller Bühne. Wäre er es nicht gewesen, hätte er sich auf dem Wiener Schützenfest keine zehn Jahre halten können. Man hat ihm Geschicklichkeit, Universalität, Geschmeidigkeit bescheinigt, mit Neben- und Untertönen oft, so als sei dies ein Vorwurf. Zeiten waren das. Des Glanzes wurde Haeusserman beschuldigt und des Aufwandes, der die Kapazität des Hauses nahezu erschöpfe, der Risse im Gefüge mühsam nur verdecke. Was wußte man damals schon über Aufwand, über Risse und Erschöpfungszustände. Zeiten sind das. Vergangenheit verklärt gewiß und Glanz verblaßt. Doch niemals das, was man Niveau nennt. Was immer dem Dezennium Haeusserman geglückt oder mißlungen ist, Niveau hat es gehabt. Das Burgtheater war von 1959 bis 1968 Großstadt.

REMINISZENZEN

Jenseits von Selbsteinschätzung und Wertung scheint mir aus meiner Direktionszeit einiges auch im historischen Rückblick interessant zu sein, auf das ich nur schlagwortartig hinweisen möchte.

Im Akademietheater war als Eröffnungspremiere meiner Direktion Luigi Pirandellos „Sechs Personen suchen einen Autor" vorgesehen; die Rolle der Mutter war mit Käthe Gold besetzt. Frau Gold legte nach einer Probewoche die Rolle, mit der sie sich schriftlich einverstanden erklärt hatte, zurück. Und ich löste konsequenterweise ihren Vertrag: Was damals die Gemüter wochenlang in Atem hielt und mir den ersten Vorgeschmack von jahrelang schlaflosen Nächten geben sollte, ist heute als Episode in die Burgtheaterchronik eingegangen. Damals freilich, im September 1959, sah es anders aus. Die Direktion war im Recht, der Großteil der Öffentlichkeit teilte den Standpunkt, aber es gab auch Gegenstimmen, und dreizehn Tage nach Beginn meiner Amtstätigkeit fand ich zum ersten Mal in einer Zeitung den Vorschlag, doch endlich zurückzutreten. Nach der, wie ich meinte, notwendig gewordenen Lösung des Vertrages mit Käthe Gold kam es dann doch zu einer alle Teile befriedigenden Einigung: Käthe Gold blieb.

Am 20. Oktober 1959 starb Werner Krauß. Letztwillig hatte er verfügt, daß keine Reden gehalten werden sollten; im Krematorium durfte nur ein Hirtenlied auf einer Blockflöte geblasen werden. Am 23. November 1959 erhielt Josef Meinrad laut testamentarischer Verfügung von Krauß den Iffland-Ring.

Zwei Telegramme im Zusammenhang mit den vielen Hin und Hers zwischen dem Burgtheater und dem großen Schauspieler Oskar Werner. Mein Telegramm im Jahr 1962: „Als ersten Schritt der Autonomie des Burgtheaters möchte ich Dich nochmals bitten, dem Burgtheater und unserer Freundschaft treu zu bleiben. Wie sagt Carlos? ‚Es ist mein letzter, verzweifelter Versuch.' Allerherzlichst Dein Ernst."

Seine Antwort: „Dank für nachgesandtes Telegramm, muß mir selber treubleiben. Posa sagt: ‚Ich kann nicht Fürsten Diener sein' – ich nicht von Beamten und Regisseuren – sehr herzlich Dein Oskar Werner."

Oskar Werner trägt das Kainz-Zeichen auf der Stirn. Viele nennen ihn einen Schwierigen. Er selbst will den Schwierigen nur mit dem Unbestechlichen gekoppelt für sich in Anspruch nehmen. Definitionen sind müßig. Oskar Werner ist ein einmaliger Schauspieler, eine Persönlichkeit, wie sie nur alle heiligen Burgtheaterzeiten einmal hereinbricht.

Er ist schon sehr lange nicht mehr am Burgtheater. Aber er war dreimal da. Und ist dreimal weggegangen. Auf irgendeine Weise war er immer da. Das ist vielleicht eines der Burgtheatergeheimnisse: daß man nie ganz von diesem Haus weggehen kann. Werner kam zum erstenmal 1941. Am 11. Oktober debütierte er als Giubem in „Heroische Leidenschaften". Er war der Kinderkönig in Hofmannsthals „Turm", der Brackenburg im „Egmont". Er war der Crevaux im „Gesang im Feuerofen" – und er war der aufregend erschütternde Don Carlos bei der Wiedereröffnung des Hauses am Ring, 1955. Dann ging er auf Wanderschaft. Er war Hamlet, der Prinz von Homburg, Leon in „Weh dem, der lügt" und Ferdinand in „Kabale".

Und dann kamen wir zusammen. Prinz Heinz und Heinrich V., Beckett und Tasso schienen und scheinen mir Burgtheater-Kometenstunden zu sein. Auch im Rückblick ist das nicht anders.

Werner, ein geistiger Sohn von Werner Krauß, hat erst vor kurzem in einem Vortragsabend in Wien sein altes und sein junges Publikum begeistert. Im „Zauberlehrling" hat er Werner Krauß als alten Hexenmeister kurz kopiert. Da waren beide da – und sie waren eins, wie in den Dialogen in „Bacchus" und im „Carlos". Oskar Werner hat die persönlichste Melodie, und er hat diese Melodie tief in das Burgtheater hineingetragen. Niemand am Burgtheater hat ihn bis jetzt ersetzt, weil niemand eine ganz große Persönlichkeit ersetzen kann.

Raimund, „Moisasurs Zauberfluch": Oskar Kokoschka schminkt Albin Skoda. „Ich bin jetzt ein echter Kokoschka", sagt Skoda.

Im adaptierten Hof der kaiserlichen Stallburg, der Lipizzaner-Herberge, führten wir Max Mells „Nachfolge-Christi-

ROBERT LINDNER (1916–1967)

Wir saßen mit einigen Kollegen in meinem Stammlokal, als Eduard Volters zum Telefon gerufen wurde und wir erfuhren, daß Robert Lindner gestorben ist. Er war, vielleicht vor Aufregung, während eines Boxkampfes tot vom Sitz gerutscht. „Sekundenherztod", wie der Arzt uns sagte. Lindner war einer der letzten großen Herren des Burgtheaters. *Anatol, Der Schwierige* – unter der Regie Lothars – sind unvergessen. Auch in kleineren Rollen war Lindner wesentlich und präsent. Als vatikanischer Staatssekretär in Raffalts *Nachfolger,* als Isolani im *Wallenstein.*

Spiel" auf. Am 18. Juni 1960 schrieb mir Mell unter anderem: „. . . Als ich seinerzeit bei einer der letzten Aufführungen im Burgtheater, bei der auch Sie, sehr verehrter Herr Direktor, mitwirkten, vor Beginn auf die Bühne kam, sah ich in einem Winkel, schon auf ihren späteren Auftritt wartend, Frau Wilbrandt sitzen, rührend unscheinbar in ihrer Vermummung als Ohnhäuserin. Ich begrüßte sie und sagte: ‚Das Stück lebt noch immer!' Sie sah mich mit ihren herrlichen blauen Augen an und sagte: ‚Oh, das wird lange leben.' Wenn ich das gerne hörte, war es nicht nur, weil sie in dem Stück die Wahrsagungen spricht, die dann in Erfüllung gehen."

Am 5. Juni 1960 starb Ferdinand Maierhofer. Er war 41 Jahre lang Mitglied des Burgtheaters gewesen.

Die Schnitzler-Renaissance unter Ernst Lothar hatte mit Inszenierungen von „Das weite Land" und „Anatol" begonnen.

Nach der Uraufführung seines Stückes „Pariser Komödie" telegraphierte mir William Saroyan:

„Ich war entzückt von Wien, fasziniert vom Opernball, begeistert von der Uraufführung der ‚Pariser Komödie', beeindruckt von der Freundlichkeit des Premierenpublikums und der Theaterkritiker, glücklich verwirrt vom Spielkasino in Baden und geheilt von der asiatischen Grippe, die ich von Paris mitbrachte. Bitte erwarten Sie die ‚Wiener Komödie', sobald mich die Inspiration zum Schreiben drängt. Grüße und Dank an alle – William Saroyan."

Am 2. September 1960 starb Erhard Buschbeck.

Am 4. Dezember 1960 starb Lotte Medelsky.

Am 15. April 1961 feierte Otto Tressler seinen 90. Geburtstag und sein 65jähriges Burgtheaterjubiläum.

Am 28. Juni 1961 starb Paul Pranger.

Am 22. September 1961 starb Albin Skoda.

Am 11. März 1961 quittierte Oskar Kokoschka unter der Zahl 2029/61 von einem Bruttoteilbetrag seiner Gage von 12.000 Schilling den Nettobetrag von 9592,80 Schilling mit der handschriftlichen Bemerkung unter der Spalte „Lohnsteuer – 2407,20 Schilling": „Wird beanstandet von OK, ebenso Steu-

Ernst Lothar inszenierte Arthur Schnitzlers „Das weite Land“ mit Adrienne Gessner, Paula Wessely und Heinz Moog. Hofreiter war in dieser Inszenierung Attila Hörbiger (29. Oktober 1959)

ern 5000 Schilling vom vorigen Jahr. Ich verlange mein ausständiges Honorar und keine Abzüge!!!“

Ein Vorgriff: Am 27. März 1966 schrieb mir Kokoschka: „Mir ist leid, daß Sie das Burgtheater verlassen wollen, meine letzte Stütze in Österreich geht mit Ihnen verloren, armer Raimund auch! Meine ‚Zauberflöten‘-Inszenierung läuft in Chicago am 27. November 1966 und Museum of modern Art erwirbt den ganzen Set von Entwürfen für ständige Ausstellungen – Extraraum. Amerikaner sind halt doch bessere Menschen! Gute Zukunft und große Pläne wünscht Ihnen Ihr dankbarer Oskar Kokoschka.“

Am 8. April 1962 starb Lilly Marberg.

Am 17. April 1962 wurde über Initiative von Herbert von Karajan die Autonomie der Bundestheater verfügt.

Das Burgtheater gastierte im Theater an der Wien: Nestroys „Das Mädl aus der Vorstadt“ als Festwochenbeitrag.

Saison 1962/63: Engagementreise durch die Bundesrepublik. Ergebnisse: Abschlüsse mit Gustaf Gründgens, Sebastian Fischer, Joseph Offenbach und Will Quadflieg: Immer wieder hat man gesagt, daß Will Quadflieg ans Burgtheater gehört. Und er kam. Er war Mephisto, der Unbekannte in „Nach Damaskus“, und Macbeth. Es blieb eine kurze Begegnung. Er war einer, den das Burgtheater nicht missen darf.

Und die Begegnung mit Fritz Kortner. Annemarie Düringer hatte vorgeschlagen, daß Kortner ein Stück mit ihr inszenieren sollte. Zu diesem Zeitpunkt – am 16. November 1960 – kam folgender Brief von Kortner:

„Lieber Direktor Haeusserman! Vorweg will ich feststellen: Wir werden kan' Richter brauchen, zwei Alt-Österreicher wie wir! Meine Frau und die Düringer befinden sich in einer lebhaften Korrespondenz über meine Burgtheatersituation. Frau Düringer, in ihrem letzten Brief, der den von meiner Frau an Sie geschriebenen beantwortet, vertritt die Meinung, die Absprache, die Sie in Wien mit mir getroffen haben, gelte, und Sie würden mich sofort anrufen. Nun haben Sie mich noch nicht angeläutet! Wie steht die Düringer nun da! Sollen die beiden Damen weiterkorrespondieren, oder reden wir miteinander, oder sollen wir das ganze schweigend begraben? Zu allen diesen Möglichkeiten bereit, Ihr friedliebender, Sie herzlich grüßender Fritz Kortner.

P. S.: Nur ein bisserl einen Bescheid hätt' ich gern gehabt.“

Und am 14. 7. 1965:

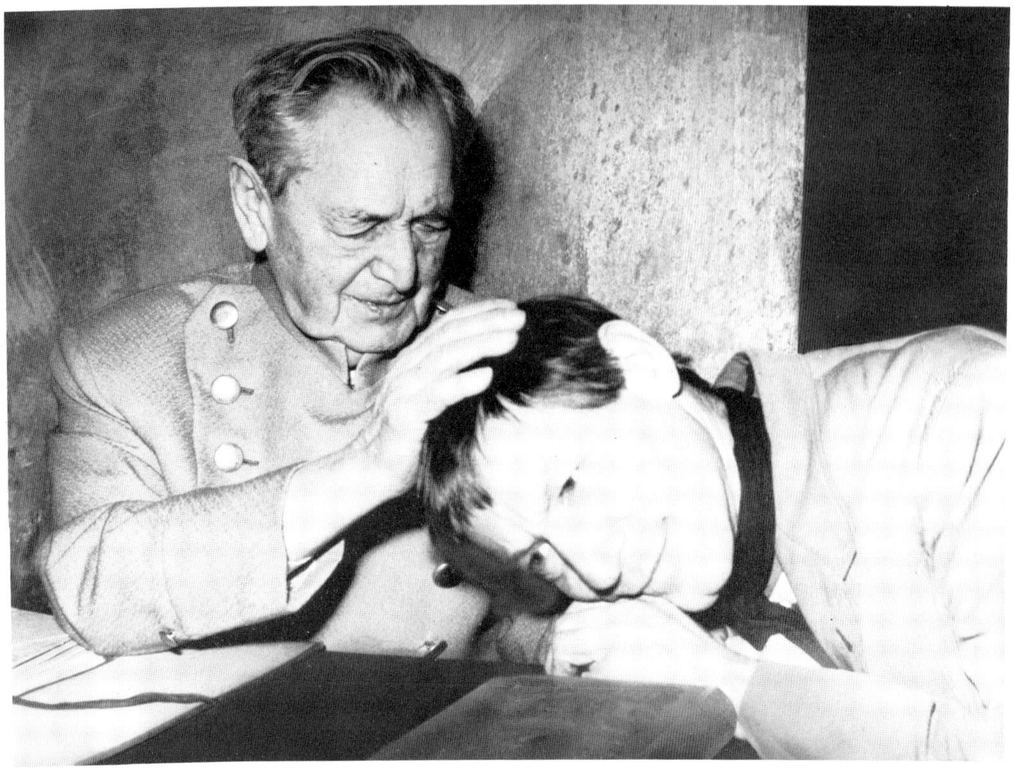

Links: Mit dem einmalig-herrlichen Hans Moser, der mit dieser Rolle zum letzten Mal am Burgtheater auftrat, wurde im Februar 1963 Franz Molnars „Liliom" inszeniert. Die Titelrolle verkörperte Josef Meinrad
Rechte Seite: „Die Plebejer proben den Aufstand" von Günther Grass. Von links nach rechts: Richard Münch, Tom Krintzinger, Heinz Grohmann, Michael Janisch, Siegmund Giesecke, Wolfgang Gasser, Götz von Langheim, Michael Tellering und Peter Striebeck (15. Mai 1966)

„Lieber Herr Direktor, der Postillon d'amour zwischen uns, die gute Christiane Hörbiger, sagte mir, Sie würden gern meine Sommeradresse haben. Dieser Brief teilt Sie Ihnen gerne mit: Casa Berno, Ascona, Tessin.

Weitere Mitteilungen der Frau H. lassen darauf schließen, daß die Verstimmung, die zwischen uns durch den Borkman-Erfolg eingetreten ist, nachgelassen hat, als ob ich – wenn auch vielleicht nicht an das Burgtheater – doch als gelegentlicher Gast in die ‚Linde' zugelassen werden würde. Wie auch immer – Ihr alter Kortner."

Gründgens sollte den Prospero im „Sturm" spielen, aber er hatte Bedenken und schrieb am 12. Jänner 1963:

„Ich komme sehr gern in der übernächsten Spielzeit zu Ihnen, und ich wüßte schon eine Rolle, die ich gerne in Wien spielen würde, und zwar wäre das der Cäsar in ‚Cäsar und Cleopatra' von Shaw. Hoffentlich halten Sie das für einen brauchbaren Vorschlag und hoffentlich war das Stück nicht vor kürzester Zeit in Wien, so daß sich eine Neuinszenierung nicht lohnen würde. Ich würde mich da auch gern für die Regie vorschlagen. Ich habe das Stück seinerzeit hier inszeniert und über siebzigmal gespielt, so daß die Doppelarbeit für mich eher eine Erleichterung als eine Erschwerung bedeuten würde.

Ich habe neulich hier mit Interesse Ihren Aufsatz über die Tournee-Theater gelesen (ohne mich dabei betroffen zu fühlen, denn es ist mein erster Schritt vom Wege). Auch ich stehe diesen Problemen der Tournee-Theater etwas skeptisch gegenüber, zumal, wenn man mit Werken wie ‚Penthesilea' oder der Claudelschen ‚Mittagswende' auf die Reise geht. Wie weit die einzelnen, selbst spielenden Theater sich mit der Annahme von Tournee-Angeboten schaden, kann ich nicht beurteilen, das werden die Theater selbst am ehesten zu spüren bekommen. Andererseits ist es eine Erfahrungstatsache, daß, wenn ein Theater durch eine aus dem Rahmen fallende Aufführung wieder ins Gespräch kommt, auch alle anderen Stücke automatisch anziehen. Ich habe dafür ein schlagendes Beispiel aus meiner ersten Berliner Staatstheaterzeit. Das Staatliche Schauspielhaus war ein Theater, in das ‚man nicht ging'. Als ich mich entschloß, in den heiligen Hallen ‚Das Glas Wasser' zu spielen, hat dieser große Publikumserfolg selbst auf Werke wie die ‚Hermannsschlacht' positiv abgefärbt.

Ich stehe dicht vor meiner ‚Totentanz'-Premiere, fahre dann einen Monat in mein Häuschen, um danach als letzte Arbeit im März den ‚Hamlet' vorzubereiten. Ich bleibe noch bis Mai in Hamburg und bin dann vor Ende Dezember nicht wieder in Deutschland.

Ich danke Ihnen für Ihre guten Wünsche für das neue Jahr, die ich herzlich erwidere. Ihr Gustaf Gründgens."

Am 24. März 1963 starb Franz Böheim, zwei Tage später Wilhelm Schmidt, am 22. Juli 1963 Helmuth Krauß.

Am 7. Oktober 1963 starb Gustaf Gründgens.

Am 14. Oktober 1963 ging im Rahmen eines Staatsakts anläßlich der 75-Jahr-Feier des Burgtheaters am Ring Grillpar-

zers „Esther“ in Szene, am Abend die Uraufführung von Harald Zusaneks „Das Welttheater“ (nach Calderon).

Damals, 1963, versuchte ich erstmals, anläßlich der 75-Jahr-Feier des Hauses am Ring ein Burgtheaterbuch zu schreiben. Dr. Otto Habsburg-Lothringen hatte mir dafür einen Beitrag zugesagt. Das Buch war aber bereits im Druck, als ich ihn erhielt, und ich konnte daher nur einige Sätze zitieren. Hier mehr:

Dr. Habsburg sagte damals: „Was uns verbindet, ist, daß wir beide Emigranten waren; ich bin es heute noch.“ Inzwischen ist er es nicht mehr, und vielleicht gerade deshalb gewinnen seine damaligen Worte an Bedeutung. „Das neue Burgtheater von 1888“, schrieb der Sohn des letzten österreichischen Kaisers, der 1916 hinter dem Sarg Franz Josephs am Burgtheater vorbeiging, unter anderem „das der heutigen Generation schon wieder als das alte erscheint, während das alte nur noch als das ‚ganz alte‘ oder erstes Burgtheater zitiert werden kann, ist tatsächlich 1945 das Opfer einer Brandkatastrophe geworden, von der man nicht einmal weiß, wie sie entstanden ist. Es war, als ob das ehrwürdige Haus es nicht ertragen könne, stehen zu bleiben, wenn Stephansdom und Oper die Opfer des Krieges wurden. Auf irgendeine Weise muß der Brand wohl mit der Götzendämmerung des hitlerischen ‚Antireiches‘ und der ‚Befreiung‘ zusammengehangen haben, die als Ziel ersehnt, in ihren Begleitumständen aber tragisch, fast lebensgefährlich war. Doch die Flammen haben sowenig wie einst der Umzug aus dem alten und bald darauf demolierten Haus auf dem Michaelerplatz, dem Burgtheater als einer geistigen Institution, als einer künstlerischen Größe, als einem Sinnbild der Stadt und des Landes etwas anhaben können. Das Burgtheater scheint dem Gesetz vom unvermeidlichen Untergang großer Kulturstätten nicht unterworfen zu sein. Es hat die politischen Katastrophen Österreichs und Wiens überdauert. Gewiß hat es viele Wandlungen durchlebt, neben Zeiten der Blüte, da es bewundert und als unerreichbar gepriesen wurde, Perioden der Krise und des Experimentierens. Aber es ist aus allen Gefahren immer wieder im neuen Glanz erstanden und hat aus einer großen Tradition junges Leben zu wecken verstanden.“ Und weiters schreibt Dr. Habsburg-Lothringen: „Während der Wiener Festwochen 1937 wurde Kleists ‚Prinz von Homburg‘ gespielt. Die Kritik machte auf das politisch Bedenkliche dieser Wahl aufmerksam. Die Regierung, damals schon schwer bedrängt von den Feinden, die es auf Österreichs Unabhängigkeit abgesehen hatten, mischte sich nicht ein. Sie war sich ebenso wie die Leitung der Bühne, der tieferen Zusammenhänge bewußt. Nicht mehr Brandenburg, das Kleist als eine Zelle von Recht und Menschlichkeit verherrlichte, war der Feind Österreichs, sondern die unheimlichen Gewalten der politischen Unterwelt, die sich von jeglicher Tradition losgesagt hatten. Nicht preußische Patrioten, sondern schlechte Österreicher bedrohten den Stand des Staates und seiner Kultur. Als es dann so weit war, blieb Österreich, dessen Name

Links: Teo Otto entwarf die Bühnenbilder für den Königsdramenzyklus, dem Herzstück meiner Burgtheaterdirektion. Dekoration zu „Heinrich IV.“
Unten: „König Heinrich IV.“: Dagny Servaes, Friedrich Neubauer, Hermann Schomberg (Falstaff), Oskar Werner (Prinz Heinz), Josef Krastel und Peter P. Jost (18. Februar 1960)

Rechts: Als „Der Richter in eigener Sache“ kehrte Curd Jürgens an jenes Theater zurück, von dem aus seine internationale Karriere begonnen hatte. Ulrich Erfurt führte in dem Stück von John Osborne Regie (3. November 1965)
Unten: „Anouilh ist mir wichtig“. Am 11. Mai 1962 hatte „Die Grotte“ Premiere. Das Bild zeigt (von links oben nach rechts unten) Robert Lindner, Annemarie Düringer, Alexander Trojan, Katharina Kutschera, Inge Brücklmeier, Emmerich Reimers, Marianne Chappuis, Michael Janisch und Heinz Moog

ausgelöscht, dessen Einheit zerstört, dessen Geschichte verfehmt wurde, nichts als das Bewußtsein seiner kulturellen Sendung, das man ihm nicht nehmen konnte, wenn man nicht alles geistige Leben mit einem Schlag vernichten wollte. Das Burgtheater wurde eine Art von seelischer Zitadelle, die Aufführung von Grillparzers ‚Ein Bruderzwist in Habsburg' durch Lothar Müthel war eine Demonstration, die in Berlin verstanden wurde. Ein Bekenntnis zur Idee des Rechtes, zu Duldsamkeit und Frieden, mit anderen Worten, zu Alt-Österreich. Nur von dieser Tribüne herab konnte es noch verkündet werden.

Als man nach 1945 aus den Trümmern ein neues Österreich zu errichten und als auch das Burgtheater in seinem provisorischen Hause wieder zu spielen begann, stand es abermals vor der Bestimmung, Künder des Lebenswillens, der Zukunftshoffnungen und der neuen Aufgaben Österreichs zu sein. Wieder waren es die kulturellen Kräfte, die den Lebenswillen, das Staatsbewußtsein Österreichs bezeugten und die der Welt bewiesen, welche Aufgaben auch ein kleines Land erfüllen kann, wenn es sich seiner Geschichte bewußt ist."

Hermann Schomberg war der Falstaff in „Heinrich IV." gewesen. Das Burgtheater und er hatten sich in den vergangenen Jahren auseinandergelebt, und Schomberg war vielleicht nicht ganz zu unrecht über manches verärgert gewesen. Für die zyklische Aufführung wurde der Falstaff mit Balser besetzt, der diese Rolle auch in Düsseldorf gespielt hatte. Bei den letzten Proben ergaben sich in der Auffassung Differenzen zwischen ihm und Lindtberg, die unüberbrückbar waren. Ich werde wohl kaum den Abend vergessen, an dem mir mein Freund und Mitarbeiter Eduard Volters sagte, die einzige Möglichkeit, das Mammutunternehmen und damit die Realisierung der jahrelangen Arbeit und eines der großen Programmpunkte meiner Direktion zu retten, wäre ein Versuch meinerseits, Hermann Schomberg zu bewegen, praktisch von heute auf morgen den Falstaff bei uns zu spielen. Ich rief Schomberg in Hamburg an, beschrieb ihm die Situation, und ohne ein Wort des Ressentiments sagte er: „Ich bin morgen da."

Vom 18. bis 22. Mai 1964 fand am Burgtheater anläßlich der 400. Wiederkehr des Geburtstages von Shakespeare der Königsdramen-Zyklus statt: in 121 Bildern, mit 230 Rollen und 28 „Leichen", gespielt von 87 Schauspielern.

Spielzeit 1964/65: 40jähriges Burgtheater-Jubiläum Hilde Wageners mit „Biberpelz". In diese Saison fiel auch die „Betriebsratsbewegung", die heute als eine Episode verblaßt ist, aber, während sie stattfand, doch recht aufregend war. Ziel einer – wenn auch kleinen – Gruppe war es, mich „zu stürzen".

Ich erinnere mich, daß ich damals sehr intensiv mit meinem „Fall" beschäftigt war. Ich versuchte, mir wohlwollend gegenüberstehende Persönlichkeiten zu kontaktieren und landete immer wieder beim Unterrichtsminister. Dieser hatte mich ins Parlament bestellt. Sektionschef Dr. Weikert hatte mir gesagt, daß Unterrichtsminister Dr. Theodor Piffl-Perčević trotz seiner nicht hundertprozentig positiven Einstellung zu mir (das Negative lag wohl auch an meiner sehr dezidierten Haltung in der Karajan-Frage) selbstverständlich hinter mir stünde. Herbert von Karajan hat einmal gesagt: „In Österreich steht man immer hinter einem. Vor einem steht niemand. Und wenn man sich umdreht, ist der hinter einem weg."

Bevor ich ins Parlament ging, bat ich meine Sekretärin, Frau Rausch, die mit meinem damaligen Verwaltungsdirektor, Dr. Heinrich Kraus, zu den letzten „Getreuen" gehörte, zu mir und unterschrieb noch alle von mir zugesagten und nicht unterzeichneten Verträge. Dann ging ich ins Parlament. Der Unterrichtsminister war äußerst positiver Stimmung, der Betriebsrat war bereits bei ihm angesagt. Er würde sehr kurz und sehr klar reagieren. Das war um zwölf Uhr mittags. Um sechs Uhr abends sah es ein bißchen anders aus. Er schien schwankend zu werden und bat mich, ihn am nächsten Tag in der Früh anzurufen. Wir hätten ja dann auch bereits die ersten Reaktionen der Morgenblätter. Ich rief Dr. Heinrich Drimmel – Piffl-Perčevićs Vorgänger – zu Hause an, um mir Rat zu holen. Drimmel war erstaunt: „Sie wollen mir sagen, daß man

DER AUFGANG ZU DEN LOGEN

die Einstellung von der Haltung der Presse abhängig macht? Ich halte morgen eine politische Rede und könnte etwas über Ihren Fall sagen", meinte er, „aber ich fürchte, das würde Ihnen nur schaden. Aber ich habe ein gutes Gefühl." Das Gefühl hatte nicht getäuscht, und es kam nach langwierigen aufregenden Gesprächen, Kommuniqués, nervenraubenden schlaflosen Nächten über Vorschlag des Unterrichtsministers zu einem fünfstündigen Gespräch mit dem Betriebsrat und Vertretern der Gewerkschaft.

Der Tag der Weihnachtspremiere im Akademietheater 1964, am 22. Dezember, war ein Höhepunkt der Agitation, die zweifellos den Sturz meiner Direktion anstrebte. Aber das gesamte Ensemble stand in seltener Solidarität wie eine Mauer, die Öffentlichkeit hatte nicht mitgespielt, und so kam es nun zu dem, was der Präsident der Gewerkschaft Kunst und freie Berufe einen „Schlußchoral" nannte.

Am 29. März 1965 fand die erste und letzte Produktion des „Studios des Burgtheaters", Tschechows „Iwanow", im Akademietheater statt.

Am 27. April 1965 starb Otto Tressler, am 21. Februar 1967 Wolf Albach-Retty.

Am 3. Juni 1967 erhielt ich folgenden Brief des Herrn Dr.

Linke Seite innen: Hilde Krahl, eine Große des Burgtheaters
Linke Seite außen: Was Kainz für die Generation unserer Eltern war, war Oskar Werner für das Burgtheater in meiner Zeit: Tasso, 1960
Rechts: Michael Heltau in Loek Huismans Montage „Johann Wolfgang" (4. Mai 1967)

Robert Keyselitz von der Graf Harrachschen Gemäldegalerie, den ich aus dem Berg Hunderter Zuschriften, die von anonymen Beschimpfungen bis zu konstruktiver Kritik reichten, wiedergeben möchte: „Am 2. Juni war ich in ‚Heinrich IV.' und möchte Ihnen zu der großartigen Aufführung herzlich gratulieren. Verzeihen Sie aber, wenn ich es dennoch für richtig halte – und vielleicht auch in Ihrem Sinne –, eine kleine Kritik zu üben. Folgendes geschah: Als die Pause begann, konnte die Dame, mit der ich die Aufführung besuchte, nicht aufstehen, denn die Arme, bzw. deren Kleid, pickte an der Lehne des Sessels, innig mit dem Holz verbunden durch einen riesigen Kaugummi von sicher erster Qualität. Im Schauspielhaus von Hintertupfing bei der Aufführung von ‚Rosalinde und der Hirtenbub' könnte ich mir eine solche Regieanweisung zwecks Festhaltens der Zuschauer allenfalls vorstellen, aber im Burgtheater finde ich es doch leicht merkwürdig. Immerhin habe ich mich natürlich bemüht – Damen sind ja so empfindlich –, nach Loslösen und Pudern des pickigen Kleides zu behaupten, das gehöre selbstverständlich zur Aufführung. Der Logendiener hat auch, als wir versicherten, die Aufführung sei so gut, daß wir auch ohne Anpicken freiwillig bis zum Schluß bleiben würden, den Kaugummi gleich entfernt. Leider vergaß ich zu fragen, ob er ihn mag.

Genug der Klage, der Abend war großartig, und verzeihen Sie, wenn ich mit diesem Punkt der Inszenierung nicht einverstanden bin bzw. ihn nicht verstanden habe."

Am 6. Juni 1967 starb Robert Lindner.

Während meiner letzten Saison schrieb mir Thornton Wilder: „‚. . . Ich verfolge das Geschehen in Ihrem Hause mit größtem Interesse. In der großen Stadt, in der ich wohne, gibt es eine Wiener Zeitung mit dem Wochenspielplan der Theater – ich träume von ‚Othello', von ‚Galilei' . . . Und nun kommt die Burg das erste Mal nach New York. Sie werden sehen, daß ein großer Teil des Publikums die Grundhandlung des ‚Jux' kennt. (Erinnern Sie sich? – Sie stopften mich einmal in eine ausverkaufte Jugendvorstellung, und das Drama im Zuschauerraum war auch faszinierend . . .)"

Wilder meinte die Welttournee des Burgtheaters. Als Welttournee des Burgtheaters wird vielleicht später einmal nur jener Teil des Unternehmens gelten, in dem in konzentrierter Form innerhalb von 79 Tagen in drei Erdteilen, acht Staaten und 64 Städten 79 Theatervorstellungen, 52 Dichterlesungen sowie 13 weitere Veranstaltungen (Vorträge, Feierstunden und ähnliches) absolviert wurden, also 144 Veranstaltungen in 79 Tagen. Dabei wurden ungefähr 45.000 Kilometer zurückgelegt. An der Tournee waren insgesamt 56 Schauspieler (21 Damen und 35 Herren), 71 Bühnentechniker, 13 Garderobiers und Garderobieren, sechs Maskenbildner, vier Maskenbildnerinnen, ein

Schillers „Maria Stuart“ in der Neueinstudierung 1967 – mit Sebastian Fischer, Hilde Krahl (Elisabeth), Paul Hoffmann, Ewald Balser, Curth A. Tichy und Andreas Wolf. Maria Stuart war Aglaja Schmidt

Kapellmeister, 12 Musiker, ein Orchesterwart, elf Regisseure, Inspizienten, Souffleusen und Regieassistenten, acht Mitglieder der Direktion und des Tourneestabs sowie ein Arzt, zusammen also 184 Personen, beteiligt. 51 österreichische Autoren wurden im Rahmen der Welttournee des Burgtheaters vorgestellt.

Wenn man das Gastspiel mit „Elektra“ in Athen auch in den Welttourneerahmen aufnehmen will und das „Anatol“-Gastspiel in Helsinki und in Bern dazuzählt, dann könnte man als erste große kontinuierliche Etappe bezeichnen: die Gastspiele in Warschau am 5. und 6. Februar 1967 mit „Das Mädl aus der Vorstadt“ und „Nathan“; in Moskau vom 15. bis 20. Juni 1967 mit „Der Bauer als Millionär“; in Hamburg mit „Das Mädl aus der Vorstadt“ und in München mit „Professor Bernhardi“ sowie „Einen Jux will er sich machen“.

Die große, drei Erdteile umspannende Hauptphase der Tournee umfaßte folgende Spielorte: Israel mit „Nathan“, „Das Konzert“ und „Johann Wolfgang“ (mit Vorstellungen in Haifa, Tel Aviv, Jerusalem und Petach Tikva), in New York mit „Professor Bernhardi“, „Das Konzert“, „Maria Stuart“, „Einen Jux will er sich machen“ und „Johann Wolfgang“; in Los Angeles mit „Professor Bernhardi“ und „Das Konzert“. Vorstellungen von „Johann Wolfgang“ und österreichische Dichterlesungen wurden in 20 amerikanischen Bundesstaaten, an Colleges und Universitäten gegeben; „Kabale und Liebe“ und „Einen Jux will er sich machen“ zeigten wir beim Osaka-Festival und in Tokio; Vorträge und Lesungen wurden auch in Japan, in Hongkong und in Bangkok gehalten, und schließlich gaben wir „Einen Jux will er sich machen“ in Luxemburg, in Brüssel und in Antwerpen. Dies alles wurde im Zeitraum vom 27. Februar bis 15. Mai 1968 absolviert.

PERMANENTE REFORM DER TRADITION

Mein eigenes Nachfolgespiel hatte zweieinhalb Jahre vorher und vor Ablauf meines Vertrages begonnen. Ich hatte in einem Zeitungsinterview mitgeteilt, daß ich nicht gedenke, meinen Vertrag zu verlängern, und es setzten Spekulationen über die Nachfolge ein. Um einer Periode der Unsicherheit und der Abwertung etwaiger Kandidaten vorzubeugen, schlug ich dem damaligen Leiter der Bundestheaterverwaltung, Ministerialrat Dr. Erwin Thalhammer, Paul Hoffmann zum Direktor und Kurt Meisel zum Oberspielleiter vor.

Hier ein kurzer Rückblick:

Als ich die Direktion übernahm, war eine meiner großen Sorgen, die Lücken im Ensemble aufzufüllen. Um gleich in der Eröffnungsvorstellung eine zu schließen, fragte ich Paul Hoffmann, ob er den Octavio Piccolomini im „Wallenstein" spielen wolle. Hoffmann sagte zu, kam, blieb und reihte sich mit sehr modernen Akzenten in die „Herrenriege" der Großen des Burgtheaters ein. Vom Theaterdirektor im „Faust" über den Konsul in Strindbergs „Wetterleuchten" bis zum Dr. Leu in „Rumpelstilz", für dessen Darstellung er die begehrte Kainz-Medaille erhielt, bewies Hoffmann, daß es für ihn kein „Fach" gibt. Als Direktor des Hauses sprang er oft in kleinen und kleinsten Rollen ein. Er hatte, was er von anderen verlangte und nicht immer erhielt, in hohem Maße selbst: Theaterdisziplin. Er resignierte, als er die Zeichen der Zeit an den Wänden des Burgtheaters zu sehen glaubte – des Burgtheaters, auf dessen Brettern er weiter der große Schauspieler blieb.

Mein Vorschlag, Hoffmann als meinen Nachfolger zu bestellen, wurde angenommen, und so hatte ich bereits zu Ostern 1966, mehr als zwei Jahre vor Beendigung meiner Direktionstätigkeit, an meinen Nachfolger schreiben können:

„Lieber Paul Hoffmann! In diesen Tagen wird der Vertrag perfektuiert werden, mit dem Sie ab September 1968 die Direktion des Burgtheaters übernehmen, gleichsam ein Schlußstrich unter die erfolgreichen Bemühungen, ein künstlerisches Kontinuum für unser Haus zu schaffen: ein Anfang einer freundschaftlichen überleitenden Zusammenarbeit zwischen uns, ein Stichwort für diesen Brief, der viel mehr als ein Glückwunsch und etwas weniger als ein Testament sein soll.

‚Wenn man mir eine echte Krone anbietet', hatten Sie in der entscheidenden Phase der Besprechungen gesagt, ‚so werde ich sie annehmen.' Sie haben sie angenommen, und es ist eine echte Krone. Wir alle, die wir sie getragen haben, wissen darum, und jeder hat zweifellos auf seine Art versucht, ihren Glanz zu erhöhen. Für beinahe alle unserer Vorgänger ist es eine Dornenkrone geworden.

Davon soll aber heute nicht die Rede sein, wohl aber von den eigenen Fehlern, die gemacht wurden, die zu kennen für Sie wertvoll und wichtig ist und die Ihnen die Möglichkeit geben mögen, sie zu vermeiden. Die echte Krone hat viele Edelsteine, solche, die blitzen und strahlen, aber auch kleine, verborgene, die dem Gesamtjuwel nicht fehlen dürfen.

Es war zweifellos mein Fehler, vielleicht aus einer jugendlichen Torschlußpanik heraus – so etwas gibt es –, zu viele Solitäre eingefügt zu haben. So sind denn auch einige wieder ausgebrochen, und die kleineren, in das rechte Licht gesetzt, sollen ihre Funktion übernehmen.

‚Das Heil kann nur vom Schauspieler kommen, denn ihm und keinen anderem gehört das Theater', hat Max Reinhardt gesagt, und das gilt wohl für keine Stadt so sehr wie für Wien und für kein Theater so wie für das Burgtheater.

Mein Wunsch, nicht nur im Burgtheater, sondern auch im Akademietheater ausschließlich das Theater der Dichtung zu Wort kommen zu lassen, hat nicht immer Anklang gefunden. Die Versuche, heutiges Theater zu spielen, waren nicht immer von Erfolg begleitet. Die Idee des Studios, die ja auch die Ihre ist, wird hier eine wesentliche Hilfe sein.

Die großen Vorhaben, die vor acht Jahren angekündigt wurden und nunmehr zu Buche stehen, sind wohl zum großen Teil erfüllt, aber manche Wünsche, auch eigene, sind offengeblieben. Manche Lücken werden wir in den nächsten zwei Jahren versuchen zu schließen, aber es wird bei Shakespeare, Schiller, Goethe, Grillparzer und auch sonst noch manches zu tun übrig bleiben.

Beaumarchais' „Der tolle Tag" wurde im ersten Jahr der Direktion Paul Hoffmann gespielt. Das Bild zeigt Inge Konradi (Susanne), Sonja Sutter, Heinz Reincke, Erich Aberle, Klausjürgen Wussow und Jane Tilden

Ein großartiger Schauspieler, ein großer Herr, ein Freund: Paul Hoffmann, Burgtheaterdirektor 1968–1971

Viele Regisseure, die ich eingeladen hatte, sind gekommen. Manch großes Versprechen wurde nicht eingelöst. Gründgens starb, und Wieland Wagner kam nicht.

Die immer wiederkehrenden Versuche mit österreichischen Autoren haben nicht den gewünschten Erfolg gebracht. Aber auch Mißerfolge sollen ermutigen.

Mit Recht wurde oft kritisiert, daß das Burgtheater zu wenig Auslandsgastspiele gemacht hat. Ich wollte eben zuerst ‚zu Hause' alles konsolidiert wissen, was ja auch nicht immer möglich war. Zweifellos muß das Burgtheater im Ausland repräsentieren, und die angebahnte Zusammenarbeit mit Sir Laurence Olivier und Maurice Escande hat ja auch bereits zu den ersten Abmachungen über Austauschgastspiele zwischen dem Burgtheater, dem British National Theatre und der Comédie Française geführt, und die Vorbereitungen für die großen Burgtheater-Tourneen in die USA, die Sowjetunion und nach Japan sind im Gange.

Das schwerste Problem, verehrter, lieber Paul Hoffmann, war die Urlaubsfrage der Schauspieler, die in ihrer jetzigen Form ein kontinuierliches Wechselrepertoire beider Häuser ernstlich in Frage stellt und zeitweise sogar unmöglich gemacht hat, besonders wenn es, wie in diesem Jahr, noch zu so unerwarteten drastischen Budgetkürzungen kam, die von seiten der Direktion Schauspielerurlaube sogar noch ‚begrüßenswert' machen mußten. Ich glaube, hier muß ein entscheidender Schritt getan werden, und ich will alles versuchen, um in den nächsten beiden Jahren, bei Berücksichtigung der künstlerischen und wirtschaftlichen Notwendigkeiten der Schauspieler, einen neuen *modus vivendi* zu schaffen, oder wenigstens vorzubereiten: vielleicht sogar unter Verzicht auf den einen oder anderen Künstler, der sich mit solchen Gedankengängen nicht befreunden wollen wird.

Etwas, das für mich so schwierig war, wird für Sie, der Sie ja gelegentlich spielen und Regie führen werden, leichter sein. Das ist der ständige persönliche Kontakt mit den Schauspielern. Aber die Zeit dafür zu erübrigen, wird auch für Sie ein Problem sein.

Nun habe ich Ihnen einen kurzen Überblick über meine Fehler und Sorgen gegeben, die Ihnen nicht fremd sind. Aber – es schien mir richtig, selbstkritisch zu sein, gerade in einem Augenblick, da von vielen Seiten nur das Positive unterstrichen wird.

Ich freue mich mit Ihnen, für Sie und für mich und für unser Burgtheater! Ihr Ernst Haeusserman Wien, Ostern 1966."

Wie gesagt, müßte ich meinem unmittelbaren Nachfolger gegenüber befangen sein, wenn ich über seine Direktionszeit schreibe. Paul Hoffmann hat mir die nachfolgenden Überlegungen über diese Zeit gegeben, die ich – über seinen Wunsch – versuchen werde, durch Hinweise auf die wichtigsten Premieren zu ergänzen. Hoffmann:

Wenn ich meine Direktionszeit mit der eines früheren Direktors vergleichen soll, dann würde ich glauben, daß sie sich – mit Einschränkungen – mit der Direktionszeit Albert Heines vergleichen läßt. Und zwar nicht nur, weil in diesem Fall Albert Heine, auch ein aus dem Ensemble hervorgegangener Direktor, dem Institut vorstand und vergleichsweise auch für einen gleich großen Zeitraum, sondern vor allem, weil die künstlerischen und wirtschaftlichen Probleme, denen sich Heine gegenübersah, gewisse Ähnlichkeiten mit den meinen aufwiesen.

Heine sah sich, naturgemäß durch den Zusammenbruch der Monarchie, vor ein ungeheures, zunächst einmal wirtschaftliches Existenzproblem gestellt. Konnte das kostspielige Staats-

Arthur Millers „Nach dem Sündenfall" mit Sonja Sutter, Richard Münch, Erika Pluhar, Annemarie Düringer, Erich Auer, Wolfgang Gasser, Gerhard Geisler, Hilde Wagener und Lotte Ledl. Regie führte Rudolf Steinböck, das Bühnenbild schuf Lois Egg

theater überhaupt den staatlichen Zusammenbruch überdauern? Wollte und konnte die neu gegründete Republik die Theater weiterführen? Konnte und sollte das traditionelle Theatersystem überdauern?

Es kündigten sich somit bei Heine, hauptsächlich bedingt durch äußere Umstände, Tendenzen an, die immer wieder in finanziellen Krisenzeiten hervortreten und die man nach den jeweiligen Zeitumständen zu lösen bestrebt ist. Bei Albert Heine: die Gewinnung größerer breiterer Publikumsschichten, der Abbau des reinen Repräsentationstheaters, wie es den Forderungen einer republikanischen Zeit nicht mehr entsprach, sowie größtmögliche Ausschöpfung künstlerischer Möglichkeiten und Anschluß an die moderne Theaterkultur, da das Burgtheater als traditionell strukturiertes Haus bei aller Strahlkraft nicht gleichermaßen schöpferische Impulse zu geben imstande war. Insoweit also doch schon einige Gemeinsamkeiten mit den Umständen, wie sie sich zu Beginn meiner Direktionszeit einstellten.

Wie war nun die Situation zu Beginn meiner Direktionszeit?

Die Zweite Republik hat das Burgtheater auf die großzügigste Weise gefördert. Die Kosten wuchsen automatisch mit den Kosten für die öffentliche Lebenshaltung. Aber zu Beginn meiner ersten direktorialen Spielzeit gab es größere finanzielle Engpässe, und das Budget stand noch gar nicht fest. Dabei war klar, daß ein Teil des viel kritisierten 440-Millionen-Budgets für die Bundestheater (heute ist das Budget auf mehr als das Doppelte angestiegen) der rein künstlerischen Arbeit auf Grund betriebsfremder Ausgaben nicht zugute kommen konnte. Ich sah mich einer Lage, der Heineschen nicht unähnlich, gegenüber, in der ich nicht nur nicht wußte, was von dem, was geplant war, realisiert werden konnte, sondern in der ich auch nicht wußte, ob das, was ich in Angriff nehmen wollte, durch das Budget gedeckt werden konnte; also wie bei Heine die Notwendigkeit, den Gürtel enger zu schnallen, wobei die Grundsatzfrage, ob durch Palliativmittel einer konstitutionellen Krankheit beizukommen sei, erst gar nicht gestellt werden konnte. In dieser Situation ergaben sich für mich ebenso wie für Albert Heine ähnliche Probleme: nämlich die praktische Verwirklichung meines Bekenntnisses zum Repertoire großen Stils, was einen dem Burgtheater immanenten Wesenszug darstellt. Dann die Beschäftigung und künstlerische Nutzung eines großen Ensembles, die Erneuerung und Erweiterung des Publikums durch Hinzugewinnung neuer Schichten, wobei die Frage, ob Theater für eine repräsentative Elite oder ‚Ausweitung' im Sinne eines alle Volksschichten einbeziehendes Publikums heute im Gegensatz zu Heines Zeit eine Alternative im vorhinein ausschließt; und Beziehen einer grundsätzlichen Position in künstlerischen und Repertoirefragen, welche die Stellung des Burgtheaters im gesamtdeutschen und internationalen Theaterraum klären.

Natürlich hat sich die Gesamtsituation seit Heines Zeiten verändert. Eine prononciert modern strukturierte Theaterkunst wesentlich abstrakteren Charakters, als die Wiener es gewöhnt sind, wird von der maßgeblichen Kritik als wesentlich schöpferisch angesehen. Dagegen gerät hochqualifiziertes Schauspielertheater mit literarischem Verantwortungsbewußtsein leicht in traditionelle Aspekte. Mit einem Wort: der Typ des schöpferi-

Kurt Meisel als Julius Cäsar in Bernard Shaws Komödie „Cäsar und Cleopatra". Rufio war Michael Janisch

schen Regisseurs, der sich ästhetisch und in der Sinndeutung auf der Höhe der Zeit wähnt, wird immer mehr zum dominierenden Faktor. Dieses Theater ist wesentlich teurer geworden.

Trotzdem waren Neuengagements (Heinz Reincke zum Beispiel), Gastspiele großer Schauspieler (O. E. Hasse und René Deltgen) möglich. Diskussionsgespräche mit dem Publikum fanden statt unter dem Titel ‚Burggespräche', Matinéen, die im Zusammenhang mit dem Abendspielplan standen, und eine Reihe großer Auslandsgastspiele (Rumänien, Jugoslawien, die vier nordischen Länder, Israel).

Ein neues schwieriges Problem verursachte das damals erlassene Gesetz der Arbeitszeitverkürzung, da in einem Theater die Reduktion der Arbeitszeit eine Verlängerung der Produktionszeit erfordert oder aber mit Neueinstellungen von technischem Personal gerechnet werden muß. Man hat sich dann nach vielen vielen Verhandlungen auf den Schichtbetrieb durch Neueinstellungen entschieden.

Das Burgtheater, als ideales, das Beste der Kunst bietendes, bildungsförderndes Institut, vor 200 Jahren gegründet, hatte im Laufe der Zeiten aufgrund seines traditionellen Charakters viele Wirren überstanden und litt aufgrund seiner konstitutionellen Beharrlichkeit immer an der Schwierigkeit, sich aktuellen künstlerischen und gesellschaftlichen Tagesforderungen ad hoc anzupassen. Vielleicht ist es ein wesentliches Zeichen der Zeit, aber auch schon im Gründungsauftrag des Theaters enthalten, daß (noch in meiner Direktion) das Ensemble des Burgtheaters sich bereit erklärte (wie in der Zeit seiner Gründung, als es von einem Schauspielerausschuß geleitet wurde), im Einvernehmen mit der Direktion an den von der Bundestheaterverwaltung geplanten Reformbestrebungen mitzuwirken: unter betonter Wahrung der grundsätzlich künstlerischen Aspekte, und zwar im Sinne einer permanenten Reform der Tradition."

Unter der Direktion Hoffmanns wurde, von Leopold Lindtberg inszeniert, Grillparzers „Jüdin von Toledo" als Eröffnungsvorstellung gegeben. In der Saison 1968/69 wurde im Burgtheater u. a. Beaumarchais' „Der tolle Tag" gespielt, „Der Prozeß in Nürnberg", Goethes „Clavigo", „Der jüngste Tag"

Szene aus Brechts „Herr Puntila und sein Knecht Matti“ mit Attila Hörbiger in der Titelrolle

Szene aus „Hadrian VII.“ mit Josef Meinrad in der Titelrolle (21. März 1970)

Heinz Reincke als „Armer alter Fritz".
Sein Partner ist Günther Haenel

von Ödön von Horváth, Shakespeares „Coriolan" und „Lady Windermeres Fächer" von Oscar Wilde. Im Akademietheater waren Raimund und Nestroy durch den „Barometermacher auf der Zauberinsel" (aus Bregenz übernommen) und den „Unbedeutenden" vertreten. Duras, Pinter kamen zu Wort, „Mondhügel" von Coccioli (von Klingenberg inszeniert), Strindbergs „Wetterleuchten" mit Paul Hoffmann und Attila Hörbiger. „August August, August" von Kohout mit Inge Konradi und Josef Meinrad wurde zu einem ganz bedeutenden Erfolg. Und Klingenberg inszenierte O'Neills „Alle Reichtümer dieser Welt" mit Paula Wessely.

In der Saison 1969/70 stand im Mittelpunkt der Direktion Hoffmanns Linleys „Armer alter Fritz", von Lindtberg inszeniert, mit Heinz Reincke, und „Hadrian VII." mit Josef Meinrad; Dürrenmatts „Der Besuch der alten Dame" mit Alma Seidler, Grillparzers „Medea" mit Martha Wallner. Der tschechische Regisseur Jaroslav Dudek inszenierte Fernando de Rochas' „Celestina" mit Susi Nicoletti. Im Akademietheater waren unter anderem Brechts „Herr Puntila und sein Knecht Matti" und Shaws „Cäsar und Cleopatra", Hauptmanns „Michael Kramer" und Schnitzlers „Fink und Fliederbusch" neu im Repertoire.

In seiner dritten und letzten Saison brachte Hoffmann Shakespeares „Sommernachtstraum", Strindbergs „Königin Christine", Brechts „Kaukasischen Kreidekreis", „Das Geheimnis des grauen Hauses" von Nestroy, Shakespeares „Julius Cäsar", Ostrowskijs „Der Wald". Ionescos „Das große Massakerspiel" wurde unter der Regie von Kazimierz Demjek uraufgeführt, und im Großen Haus war die letzte Premiere Goethes „Egmont". Im Akademietheater spielte Klausjürgen Wussow „Ein besserer Herr" von Walter Hasenclever, Heinrich Schweiger inszenierte Kleists „Amphitryon". „Play Strindberg" von Friedrich Dürrenmatt wurde aufgeführt. Dorins „Ein unausstehlicher Egoist" folgte, Rudolf Steinboeck inszenierte „Der Abenteurer und die Sängerin" von Hofmannsthal mit Romuald Pekny und Aglaja Schmid. Ein Einakterabend mit Buchriesers „Hanserl" und Pawel Kohouts „Krieg im dritten Stock" folgte. Die beiden letzten Stücke im Akademietheater waren „Fräulein Else" – von Ernst Lothar, dramatisiert nach der Schnitzler-Novelle – mit Erika Pluhar in der Titelrolle – übrigens meine erste Burgtheaterarbeit als Regisseur – und Albees „Winzige Alice" mit Annemarie Düringer.

Das wichtigste Neuengagement während der Direktion Hoffmann war zweifellos Heinz Reincke, der schon unter meiner Direktion am Burgtheater gespielt hatte, aber von Hoffmann fest verpflichtet wurde.

Als ich Heinz Reincke einlud, im Burgtheater den Robespierre in Büchners „Dantons Tod" zu spielen, wußte ich, daß er hier seinen Weg machen würde. Dieser Weg führte über den „Armen alten Fritz" zum „Cyrano".

Ich habe ein etwas schlechtes Gewissen, daß ich über die Direktion Hoffman nicht mehr sage. Ich stehe zu ihm, als einem großen Herren des Theaters, einem erfahrenen Theatermann, einem sehr kompetenten Regisseur und einem großen Schauspieler, der trotz aller Schwierigkeiten, die er selbst beschrieben hat, seine relativ kurze Direktionszeit am Burgtheater hoffentlich nicht missen möchte.

Nach einem Dialogroman von Fernando Rochas schuf Carlo Terron sein Stück „Celestina". Das Bild zeigt Joachim Bissmeier, Frank Hoffmann, Susi Nicoletti und Peter P. Jost (3. Juni 1970)

Das liederliche Kleeblatt aus Nestroys „Lumpazivagabundus": Peter Weck, Attila Hörbiger, Heinz Ehrenfreund (30. Dezember 1969)

Szenenbild aus Pawel Kohouts „August August, August". Links: Margarete Dux, rechts Ulli Fessl, in der Mitte Fred Liewehr

AUF DER SUCHE NACH DER WAHRHEIT

In der Bundestheaterverwaltung wurde Ministerialrat Dr. Thalhammer als Leiter abgelöst. Äußerer Anlaß war das Kärntnertortheater. Schon unter meiner Direktion wollte das Burgtheater eine Studiobühne eröffnen; unter vielen möglichen Projekten schien das Kärntnertortheater in der Walfischgasse – in unmittelbarer Nähe der Staatsoper – trotz baupolizeilicher Schwierigkeiten eine gangbare Möglichkeit zu bieten. Professor Dr. Friedrich Heer, der Chefdramaturg des Burgtheaters, hatte mich darauf aufmerksam gemacht; in der Folge fand ein Gespräch mit Unterrichtsminister Dr. Theodor Piffl-Perčević statt, dem eine Unterredung bei Sektionschef Dr. Chalupka im Bundeskanzleramt folgte. Sektionschef Dr. Chalupka sprach für die Besitzer und war an der Vermietung interessiert. Paul Hoffmann, damals bereits designierter Burgtheaterdirektor, bat mich – im Fall einer positiven Erledigung –, das Studio nicht mehr zu bespielen und es ihn während seiner Direktionszeit eröffnen zu lassen. Er könne damit gleich einen neuen Akzent setzen. Das leuchtete mir ein. Die Verhandlungen gingen schleppend voran; eines Tages rief mich Chalupka an und bat um eine Entscheidung. Ich verständigte Thalhammer. Der Minister war nicht zu erreichen, und Thalhammer nahm die Abmachung im Sinne des Burgtheaters unbürokratisch auf seine Kappe. In der Öffentlichkeit spielte man nun die Angelegenheit hoch. Man sah dahinter eine Konstruktion des Cartellverbands katholischer Studenten – CV –, und Thalhammer, der die Angelegenheit deckte, kam zum Handkuß. Eines Abends wurde er zu Unterrichtsminister Dr. Alois Mock, der Dr. Piffl-Perčević nachgefolgt war, beordert. Thalhammer hatte gerade Gäste, entschuldigte sich und sagte, er wäre in einer Stunde wieder zurück. Beim Minister traf er Dr. Gottfried Heindl, der nach einer äußerst erfolgreichen Tätigkeit als Leiter des Österreichischen Kulturinstituts in New York zurückgekommen war. Man teilte ihm mit, daß Dr. Heindl sein, Thalhammers, Nachfolger sei. Dieser kehrte zu seinen Gästen zurück und sagte lakonisch, daß er „ausgeladen" worden wäre. Heindl übernahm die Leitung der Bundestheaterverwaltung, und die Genese des neuen Bundestheatergesetzes lief parallel mit den Vorbereitungen der Ablöse der Direktoren von Staatsoper und Burgtheater.

Ich erinnere mich, daß mir Heindl einmal sagte, für den Burgtheaterdirektor gäbe es nur zwei Möglichkeiten: entweder ein großer Burgtheaterdirektor während seiner Amtszeit zu sein, oder ein solcher im theatergeschichtlichen Rückblick zu werden. Wir sprachen oft sehr freundschaftlich – auch über mich. Er meinte, der neue Burgtheaterdirektor sollte ein ähnliches Konzept haben, wie das seinerzeit gewesen wäre, als ich kam.

Kandidatennamen schwirrten umher. Damals wurde bereits Boy Gobert kolportiert. Der Ausgang der Nationalratswahlen brachte eine politische Neuorientierung, und nach einer interimistischen Übernahme des Unterrichtsressorts durch Dr. Hertha Firnberg wurde im Zusammenhang mit der Teilung des Ressorts in Unterricht und Kunst einerseits und Wissenschaft und Forschung andererseits Leopold Gratz der zuständige Minister. Die Ensemblevertretung des Burgtheaters, die während der Direktionszeit Hoffmann etabliert wurde, war nun von Gratz durch Ministerverfügung institutionalisiert und aufgewertet worden.

Gerhard Klingenberg, den Hoffmann als Regisseur ans Burgtheater gebracht hatte, da er ihn vor allem auch als Fernsehregisseur kannte und schätzte, galt als Anwärter. Hoffmanns Gesundheitszustand war besorgniserregend, sein Arzt riet ihm, die Direktion sobald wie möglich niederzulegen. Gratz fragte Hoffmann, ob er seinen Vertrag nicht doch noch voll erfüllen könne, um für den Übergang Zeit zu gewinnen. Nach einer neuerlichen ärztlichen Konsultation mußte Hoffmann ablehnen.

Verschiedene prominente Schauspieler des Burgtheaters waren vehement für Klingenberg eingetreten, und Klingenberg selbst – mit Gratz seit Jahren befreundet –, erkannte seine große Chance. Es wurde schnell und intensiv an diesem Problem gearbeitet, und bei einer Besprechung im Parlament konfrontierte Minister Gratz Hoffmann mit diesem Vorschlag. Da Klingenberg sozusagen ein Mann Hoffmanns war, war

Gerhard Klingenberg übernahm die Direktion des Burgtheaters 1972

dieser selbstverständlich einverstanden. Eine geheime Abstimmung im Ensemble ergab keine Mehrheit für einen der zur Diskussion stehenden Kandidaten, und Gratz entschied sich für Klingenberg. Dieser hatte seinerzeit der Ensemblevertretung angehört.

Während einer Pressekonferenz über die Nachfolgefrage von Burgtheater und Oper gab Minister Gratz Hoffmanns Entschluß, vorzeitig zurückzutreten, bekannt. Klingenberg hatte sich ausbedungen, für das noch verbleibende Direktionsjahr Paul Hoffmanns wohl die Geschäfte zu führen, nicht aber offiziell als Direktor zu fungieren. Die Würfel waren wieder einmal gefallen, die Direktion Klingenberg hatte begonnen, bevor sie begann.

Ich habe mit Klingenberg im Zusammenhang mit diesen Aufzeichnungen ausführlich gesprochen und ihm vorgeschlagen, es so wie Paul Hoffmann zu halten und über seine Amtszeit selbst zu berichten. Klingenberg hatte erst zugesagt, dann aber Bedenken, die mir nicht unberechtigt schienen: „Schauen Sie“, meinte er, „Sie und Paul Hoffmann haben es hinter sich, und ich bin ja noch mitten drin. Und wenn das Buch erscheint, ist meine Direktionszeit noch nicht zu Ende.“

Wir einigten uns darauf, daß er mir Material zur Verfügung stellen würde, aus dem ich ihn zitieren könne und aus dem eine Darstellung seiner Direktion möglich wäre. Ich will das in möglichst objektiver Form versuchen, wissend, daß Auszüge – schon auf Grund des knappen zur Verfügung stehenden Platzes – immer nur fragmentarisch sein können.

Gerhard Klingenberg hat in seiner „Programmatischen Erklärung“ bei Antritt seiner Direktionstätigkeit u. a. gesagt: „Am Beginn eines neuen Abschnittes in der Geschichte dieses traditionsreichen Hauses geht es wohl, wie immer, um das Erhalten von Erhaltenswertem, aber es gilt mehr als je zuvor, Neues zu gewinnen.

Alle Pläne, alle Vorhaben der nächsten Jahre werden von meinem künstlerischen Glaubensbekenntnis getragen sein, in dem ich mich mit meinen Mitarbeitern einig weiß:

Theater ist für mich ein Werkzeug des Humanismus;

Theater ist wie jede Kunst nur denkbar, wenn es zutiefst mit der menschlichen Existenz verbunden ist. Theater erscheint mir nur sinnvoll, wenn es gleichzeitig ein Teil, ein Spiegelbild und ein Symptom unseres Lebens, unserer Welt ist. Und daher muß das Theater ein Ort der Wahrheit sein.

Aus diesem Anspruch allein ergibt sich alles Programmatische. Theater soll die Welt schön zeigen, dort, wo sie schön ist, und häßlich, wo sie häßlich ist, damit sie auch dort schön werden kann.

Ich bekenne mich zum Theater als *moralische Anstalt!*

Aber nicht eine Anstalt der Scheinmoral, wo eine Moral gezeigt wird, die es nicht mehr gibt, und wo Verhaltensweisen, die normal und selbstverständlich geworden sind, verpönt sind. Wahrheit auf dem Theater gibt es aber nur durch die künstlerischen Mittel des Theaters. Ein deklamatorischer Schiller ist Lüge. Ein idyllischer Schnitzler ist Lüge. Ein harmloser Nestroy ist Lüge.

Aus diesem Wahrheitsfanatismus ergeben sich aber nicht nur

INTERIEUR IM „NEUEN“ BURGTHEATER

Käthe Gold, Joachim Bissmeier und Sylvia Lukan
in Arthur Millers „Alle meine Söhne", 30. März 1972

Dinge, die getan werden müssen, sondern es verbieten sich auch gewisse modische Abarten des Theaters.

Das Theater, an das wir denken, hat keinen Platz für Manipulation, für Umfunktionieren, nur um den Zuschauer in andere Denk-Schemata zu pressen. Kein Platz ist aus diesem Grund bei uns für eine bestimmte Spielart von Regisseuren, die Dramentexte bestenfalls als Anregung dafür benützen, sich selbst in Szene zu setzen.

Wir werden alle Kraft daransetzen, alle Mittel des Theaters, die wir noch nicht beherrschen, zu erlernen, um diese Suche nach der Wahrheit unseres Lebens erfolgreich durchführen zu können. Expressionistisches Theater ist nur gut, wenn es mit den Mitteln des Expressionismus gestaltet wird. Wir können das nicht, wir werden es lernen. Episches Theater wird nur verständlich, wenn es mit den Mitteln des epischen Theaters dargestellt wird. Nur wenige können das, mehr werden es lernen . . .

. . . Das Burgtheater verdankt seinen Ruf seit jeher dem Ensemble. Nicht also, wie wir wissen, der umfassenden und sorgfältigen Pflege der Literatur, noch einer stilistischen Profilierung wie andere Theater, sondern den Schauspielern.

Die vielgelobten und vielgeschmähten ‚Burgmimen' sind es also, die stets die Träger des Weltrufes dieses Instituts waren. Diese Schauspieler haben immer wieder ihre großen Qualitäten bewiesen; und zwar, wie Sie wissen, überwiegend in Stücken, die nicht zum Kulturgut unserer Welt gehören, sondern im Bereich des Belanglosen liegen.

Warum sollten diese Schauspieler, wenn man auf Belangloses verzichtet, nicht genau so oder noch besser in der Lage sein, die Bedeutung des Burgtheaters zu erhalten, beziehungsweise zu vergrößern.

Die Schauspieler werden also noch mehr als bisher Träger unserer Bemühungen sein, mit denen wir unsere Ziele erreichen wollen, und da unsere Ansprüche an stilistische Vielfalt und Authentizität größer geworden sind, wird sich die Ensemblepolitik des Burgtheaters an diesen Ansprüchen orientieren müssen. Also: nicht blinde Vergrößerung des Ensembles durch

Klaus Maria Brandauer, ein phantasievoll-persönlicher Schauspieler mit Gegenwart und Zukunft, hier als Schillers Don Carlos in einer Inszenierung von Otto Schenk (18. Oktober 1972)

große Namen, sondern in erster Linie sorgfältige Arbeit mit den vorhandenen Schauspielern, um die stilistischen Möglichkeiten jedes einzelnen erkennen zu können und ihn dadurch zu optimalen Leistungen zu führen. Erst dann sorgfältige Ergänzung des Ensembles durch Neuengagements.

Aus einer so verstandenen Ensemblepolitik ergibt sich zwingend, daß das Engagement von Regisseuren nach den gleichen Prinzipien erfolgt. Regisseure werden verpflichtet nach ihrer Möglichkeit, literatur-verbindlich zu interpretieren, stilbildend auf das Ensemble einzuwirken und mit dem Ziel, falls sich ihre Arbeit als nützlich für das Theater erweist, sie dem Haus enger zu verbinden.

Ich glaube, daß dieses Programm das Theater zwingt, sich ständig an den eigenen Ansprüchen zu messen und Ihnen die Möglichkeit gibt, die Arbeit des Burgtheaters in Kenntnis unserer Zielsetzungen zu beurteilen."

Wesentliche Premieren der Direktion Klingenberg seien hier festgehalten: Carl Zuckmayers „Der Hauptmann von Köpenick" (1971/72) wurde noch von Paul Hoffmann programmiert. Hier eine Zusammenstellung weiterer wichtiger Premieren: „Candide" (1972/73), Regie: Roberto Guicciardini; Schillers „Don Carlos" (1972/73), Regie: Otto Schenk; Molières „Der Bürger als Edelmann", Regie: Jean-Louis Barrault; „Die Bakchen" des Euripides, Regie: Luca Ronconi; Molières „Der Geizige", Regie: Jean-Paul Roussillon; Ödön von Horváths „Geschichten aus dem Wienerwald", Regie: Otto Schenk; Thomas Bernhards „Die Jagdgesellschaft", Regie: Claus Peymann; Goldonis „Die Trilogie der Sommerfrische", Regie: Giorgio Strehler; George Feydeaus „Die Dame vom Maxim", Regie: Jean-Paul Roussillon; „Zur Feier des Tages" von Storey, Regie: Dieter Dorn; „Alte Zeiten" von Pinter, Regie: Peter Hall; „Ein Fest für Boris" von Thomas Bernhard, Regie: Erwin Axer; Strindbergs „Der Vater", Regie: Achim Benning; „Akrobaten" von Thomas Stoppard, Regie: Peter Wood, und James Joyces „Verbannte", Regie: Achim Benning. Zum großen Erfolg wurde Shakespeares „Viel Lärmen um nichts" mit der Debütantin Christine Ostermayer und Boy Gobert unter der Regie von Otto Schenk.

Die Frage der fremdsprachigen Regisseure, ein programmatischer Hauptpunkt der Direktion Gerhard Klingenberg, war sehr umstritten. Es wurde angezweifelt, ob eine Vielfalt von Regisseuren, die der deutschen Sprache nicht mächtig sind, für das Ensemble und somit für die Vorstellung ein Gewinn wären. Bei Jean-Louis Barrault zum Beispiel und Peter Hall war die Reaktion äußerst positiv: Deutschsprechende Regisseure waren ja von vornherein außer Streit: Die große Persönlichkeit Giorgio Strehlers, der von seinen Schauspielern sehr geliebt wird, mußte faszinieren.

ERINNERUNGEN AN REGISSEURE

Wenn ich mich heute und hier an die Regisseure der sogenannten „Burgtheaterneuzeit" erinnern soll, so fallen mir Hugo Thimig und Albert Heine ein; Thimig mehr als Kollege, sehr vom Schauspieler her, mit seiner umfassenden Begabung, seiner Intelligenz – und Heine, der auch ein hervorragender Schauspieler war, aber dessen Talent mehr in einer echten, eigenständigen, dynamischen Regiepersönlichkeit lag. Heine hat die Schauspieler zu Höchstleistungen gebracht – manchmal sogar auf Kosten ihrer ureigensten Persönlichkeit. Ein Schulbeispiel war Lotte Medelsky, die unter Heines Regie ihre größte Zeit hatte.

Franz Herterich wurde als Regisseur Direktor und blieb als Direktor Regisseur – schon damals eine schwierige Verbindung. Herterich war ein konservativer Direktor, aber für seine Zeit ein sehr eigenwilliger, neue Wege suchender Regisseur. Mit Remigius Geyling als Bühnenbildner, der die Projektionen für das Theater erfand, schuf er Inszenierungen, von denen die Kritik meinte, daß sie an Reinhardtschen Dimensionen gemessen werden könnten. Ich habe meine erste Rolle unter Herterichs Regie gespielt, hatte ihm vorgesprochen und bin unter seiner Regie einige Male eingesprungen. Er war ein verstehender, jungen Leuten sehr zugetaner Regisseur, der zu meiner Zeit nicht mehr unbedingt Neues, Revolutionäres wollte, der Kompromisse in einem Haus schloß, in dem zu einer Umbesetzungsprobe nicht einmal die Hauptdarsteller erschienen waren. So spielte ich mit Willy Thaller in Schönherrs „Erde" und mit Werner Krauß in „Richard III". Auf der Probe spielte Herterich alle Rollen, aber er gab Sicherheit.

Röbbeling inszenierte viel, war ein handfester Regisseur, der vom Schauspieler her kam und wußte, was das Publikum wollte. Er war ein effektvoller Regisseur, dem es mehr um die Wirkung als um Zwischentöne ging. Er stürzte sich daher auch auf die Klassiker und auf die „großen Schinken" der Weltliteratur. Von Mádachs „Tragödie des Menschen" mit Paul Hartmann und Maria Eis (ich war der Sohn des Alkibiades) bis zur „Heiligen Johanna" mit Paula Wessely, zu den „Räubern" mit Hartmann und Aslan, und zu Zuckmayers „Schelm von Bergen" mit Ewald Balser, Fred Hennings und Hilde Wagener, wo ich ein Gärtnerbub des alten Scharfrichters Georg Reimers war, erinnere ich mich sehr an Röbbelings Regiepranke.

Unter jenen, die wenige Inszenierungen machten, aber doch Akzente hinterließen, scheint mir Max Ophüls, der große internationale Filmregisseur, der Erwähnung wichtig.

Lothar Müthel, Schauspieler bei Max Reinhardt in Berlin, Direktor des Burgtheaters während der schweren Kriegsjahre, hat glänzende Schauspielerinszenierungen für das Burgtheater gestaltet und oft in den Mittelpunkt einen der hervorragendsten Schauspieler, Horst Caspar, gestellt. Müthel war ein Regisseur des großen Atems, aber auch des atmosphärischen Theaters, ein feinsinniger Theatermann, der das schauspielerische Instrument zum Klingen brachte.

Hans Brahm, ein Neffe des großen Otto Brahm, inszenierte u. a. „Romeo und Julia". Ivan Schmith, aus Stanislawskischen Bezirken kommend, war eine länger anhaltende und starke Farbe im Regiemalkasten des Burgtheaters. Er war ein erstklassiger Schauspielerführer von durchdringender Intelligenz und kaustischem Humor. Sein sphinxhaftes „sehr gut, aber ganz schlecht", das er den Schauspielern oft sagte, ist in die Anekdotengeschichte des Burgtheaters eingegangen.

Heinz Hilpert hat nur wenig am Burgtheater inszeniert, aber es waren wichtige Akzente. Sein „Fiesco"-Debüt gab Anlaß zu einem Unbehagen, das man heute kaum mehr registrieren würde: Nach der Premiere verbeugte er sich in einem gelben Anzug. Im Wiener Blätterwald rauschte es, aber die Schauspieler verehrten Hilpert weiter. Während meiner Direktionszeit inszenierte er die Uraufführung von Zuckmayers „Die Uhr schlägt eins". Im Haus von Grete Wiesenthal hatte uns Zuckmayer das Stück vorgelesen. Ich saß neben Hilpert, und während „Zuck" bereits über drei Stunden las, sagte Hilpert leise zu mir: „Ick hör immer nur die Striche."

Karlheinz Stroux, heute einer der großen alten Männer der Theaterregie, kam als „Revolutionär" ans Burgtheater. Mit „Sommernachtstraum" begann er 1939, und während des Krieges machte er eine legendäre „Ahnfrau"-Inszenierung.

Bertold Viertel war einer der wesentlichen Regisseure des Burgtheaters in den Jahren nach dem Zweiten Weltkrieg. Er brachte erstmals Tennessee Williams in den Spielplan und prägte durch seine exemplarischen Inszenierungen dem Haus seine Handschrift auf

Rudolf Steinböck, dem das Burgtheater wichtige Inszenierungen verdankt

Eine wichtige Regiepersönlichkeit war Herbert Waniek. Seine Raimund-Interpretation war von echtem österreichischen Gefühl getragen, und sein Engagement für die österreichische Dichtung hat eine wichtige Zeit des Burgtheaters in dieser Hinsicht initiiert.

Josef Gielen hatte schon vor dem Zweiten Weltkrieg am Burgtheater mit großem Erfolg inszeniert. Ein Mann, der den Dichter so verstand wie den Schauspieler, ein ebenso musikalischer Regisseur mit einer sehr persönlichen Handschrift. Sein „Was ihr wollt", das bei den Salzburger Festspielen erstmalig gezeigt wurde, war von großer Strahlkraft.

Adolf Rott kam aus Danzig und war der Regisseur des Neuen, der Bewegung, der Choreographie, der Massenszenen. Er blieb auch in späteren Jahren seinem inneren Auftrag, großes Theater zu gestalten und Massen auf der Bühne zu bewegen, treu.

Ernst Lothar hatte sich dem Theater der Dichtung verschrieben und innerhalb dieser Dichtung das Österreichische in exemplarischer Weise interpretiert. Seine unvergessene Aufführung von Grillparzers „Bruderzwist" mit Aslan als Rudolf war seine erste Inszenierung am Burgtheater. Als Josefstadt-Direktor inszenierte er den „Treuen Diener" mit Bassermann – im Burgtheater später mit Ewald Balser. Das, was die Regiepersönlichkeit Lothars ausmachte, war der Dreiklang des Kritikers, des Schriftstellers und des Analytikers. Er analysierte die Stücke, er kritisierte sie, und er bearbeitete sie. Seine „Liebelei" mit Inge Konradi, Susi Nicoletti, Adrienne Gessner, Alexander Trojan, Robert Lindner und Fred Hennings und dem einmaligen alten Weyring des großen Hans Moser war der Beginn der von ihm geschaffenen Schnitzler-Renaissance, seine Inszenierungen des „Anatol", des „Weiten Landes" mit Wessely-Hörbiger, Seidler und Moog waren Marksteine seines österreichischen Weges – genau wie sein „Schwieriger" und „Der Unbestechliche" von Hofmannsthal.

Walter Felsenstein, ein Großer des Theaters, steht mit künstlerisch bis ins kleinste Detail durchdrungenen Aufführungen der „Räuber", der „Irren von Chaillot" mit Helene Thimig, „John Gabriel Borkman" mit Käthe Dorsch, Helene Thimig und Werner Krauß und „Der Widerspenstigen Zähmung" mit Susi Nicoletti und Attila Hörbiger an der Erinnerungsspitze.

Berthold Viertel hat eine ganze Burgtheaterzeit nach dem Zweiten Weltkrieg geprägt. Er konnte wie kaum einer den Dichter vermitteln. Eine große Persönlichkeit, die nicht nur in den Schauspielern, mit denen er gearbeitet hat, lebendig geblieben ist. Seine Aufführungen von „Glasmenagerie", von „Endstation Sehnsucht" und der „Kronbraut" haben absolutes Weltformat gehabt.

Ich habe Lindtberg einmal eine Superlativwidmung in ein Buch geschrieben, und er hat bedauernd gesagt: „Nun kann ich das Buch leider niemandem mehr zeigen!" Er hat viel mehr, als in dem Buch steht, gezeigt, er hat meine Direktionsjahre

Links: Gäbe es einen Superlativ für das Wort Komödiantik, man müßte es für Otto Schenk anwenden
Unten: Ernst Lothar, der dem Theater der Dichtung verbunden war. Dieser Regisseur der großen österreichischen Literatur initiierte mit seinen Inszenierungen die Schnitzler-Renaissance

entscheidend mitgestaltet. Von der „Wallenstein"-Trilogie über den Königsdramen-Zyklus mit dem herrlichen Teo Otto als Bühnenbildner zu „Beckett" und Dostojewski-Camus' „Besessenen" war er nicht nur ein großer Regisseur, sondern ein empfindliches Gleichgewicht. Er war oft Kandidat für die Burgtheaterdirektion und wäre zweifellos ein kompetenter Direktor gewesen. Die Hauptrolle, die er während meiner Direktionszeit gespielt hat, hat ihm und damit auch mir entscheidende Erfolge gebracht. Er ist in allen Theatersätteln gerecht. Ein Vielschichtiger und Vielseitiger. Sein Salzburger Festspiel-„Faust", der auch am Burgtheater gespielt wurde – beide Teile an einem Abend –, war eines jener Theaterereignisse, wie ich sie mir unter dem Begriff des großen Welttheaters vorgestellt hatte.

Steinboeck war mein unmittelbarer Vorgänger in der Josefstadt und war mir an das Burgtheater vorausgeeilt. Ich holte ihn in mehr als einem Sinn ein. Er war als Regisseur ein Pfeiler dieses Burgtheaterjahrzehnts. Seine Arbeit mit den Schauspielern, das Schaffen echter, unverwechselbarer Atmosphäre, führten zu vielen schönen Theaterabenden. Er ist aus dieser Zeit und dem Burgtheater nicht wegzudenken.

Kurz, aber profiliert scheinen in der Regieliste des Burgtheaters der bedeutende Regisseur Günther Rennert, Willi Schmid – persönlich, mit großer Akribie –, und in jüngster Zeit einmal der von den Schauspielern sofort als großes Regietalent akklamierte Dieter Dorn auf.

Werner Düggelin war eine neue Farbe im Burgtheater. Unkonventionell, von Enthusiasmus und Begeisterung getragen und von einem elementaren Talent begleitet.

Otto Schenk, der mit dem „Danton" am Burgtheater begann, ist inzwischen unverwechselbarer Bestandteil des Hauses geworden. Seine Arbeit mit den Schauspielern, sein intuitives Gefühl für das Menschliche des Theaterspielens zeichnen ihn vor vielen aus. „Carlos", Horváths „Geschichten aus dem Wienerwald", Shakespeares „Viel Lärmen um nichts" sind wichtige Burgtheaterstationen.

Und noch zwei, die außer *einem* kaum etwas Gemeinsames

haben – das eine ist aber das wichtigste: das Theater. Fritz Kortner und Giorgio Strehler.

Giorgio Strehler spielt vor, und Fritz Kortner spielt vor. Strehler ist ein großer Reinhardt-Verehrer. Helene Thimig hat ihn in Salzburg als Reinhardts Nachfolger bezeichnet. Kortner war kein unbedingter Anhänger Reinhardts, wenn er sich auch dessen großer Persönlichkeit bewußt war. Strehler zeichnet die Figuren den Schauspielern mit Enthusiasmus und Ekstase vor. Sie lachen Tränen über ihn und lieben und verehren ihn. Kortner hat viele Schauspieler zum Weinen gebracht, aber auch diese verehrten ihn. Und jetzt, wo er schon jahrelang tot ist, sitzt man oft mit seinen Schauspielern zusammen und spricht von seinen Inszenierungen – und ertappt sich manchmal dabei, daß man von ihm wie von jemandem spricht, der da ist und da sein wird. Sehr da. Ihn ans Burgtheater, in seine Heimatstadt Wien geholt zu haben, war die Erfüllung einer meiner Burgtheaterwünsche. Für Kortner kam es fast zu spät – wie vieles in seinem Leben. Er kämpfte mit Erfolg gegen seine Müdigkeit, wie er gegen alles kämpfte – und er gewann. Er hat oft davon gesprochen: „Vielleicht sollte ich aufhören", hat er mir einmal gesagt. „Aber ich weiß, daß ich dann sterbe. Und ich hänge an diesem Leben mit allen Fasern – denn ich habe Angst. Angst vor dem Tod – und Angst vor dem Nachher. Vor dem Nichts." Im Reichtum seiner ausklingenden nachschöpferischen und schöpferischen Genialität war er arm und alt und liebenswert. Seine Bonmots sind sprichwörtlich gewesen. Auch sie werden in die Theatergeschichte eingehen. Von seinem „Ich kann aus meiner Mördergrube kein Herz machen" bis zu „Mit dem lieben Gott dort oben stehe ich ganz gut, nur mit dem Bodenpersonal komme ich schwer aus" spannt sich ein weiter Bogen, und viele Pfeile haben getroffen. Ich glaube, Kortner war oft zutiefst unsicher – vor allem, was sein Gegenüber betraf. Sein Skorpionstich wollte der eventuell latenten Aggression, von der er sich umgeben und verfolgt sah, zuvorkommen. Aber er konnte sich auch freuen und Freude machen. Er konnte lachen machen und lachen – nur nicht um jeden Preis. Wahrscheinlich hatte Fritz Kortner mehr Feinde als Freunde, aber das konnte ihn nicht stören. „Feinderlwirtschaft" nannte er es. Seine Frau Hanna war sein und des jeweiligen Theaters, in dem er inszenierte, guter Engel. Und manchmal hatte man sogar das Gefühl, daß Kortner ihre Versöhnungsmission in seine Theaterkrachs, die seinen großen Inszenierungen vorausgingen, mit einkalkulierte.

Leopold Lindtberg, einer der bedeutendsten Regisseure der Burgtheatergeschichte

Krach ist auch Strehler nicht fremd. Strehler will es manchmal perfekter haben, als es geht. Aber er selbst setzt den Maßstab, und er selbst wirft sich vor die Lokomotive, die auch wieder er ist. Sein Ideenreichtum, seine schauspielerische und musikalische Empfindsamkeit machen es seinen Schauspielern schwer und leicht, ihm selbst immer nur schwer. Aber seine kindliche Freude am Gelungenen versöhnt ihn mit sich selbst. Er weiß um alle Aspekte des Theaters und setzt alles ein, um seiner Idealvorstellung der Aufführung so nahe als möglich zu kommen. Als Burgtheaterdirektor gelang es mir nicht, Strehler nach Wien zu bringen. Nach Salzburg kam er. Als Burgtheaterzuschauer kann ich nun beurteilen, was mir als Direktor entging.

DANK AN DIE SCHAUSPIELER

Wenn man jenes Burgtheater, an das man sich erinnert, Revue passieren läßt, erkennt man immer wieder, wie sehr es ein Theater der Schauspieler ist. Was auch immer man zu Papier bringt, bleibt unweigerlich fragmentarisch. Beschränkt man sich im wesentlichen darauf, nur jene Schauspieler zu würdigen, die der Vergangenheit angehören, so tut man jenen unrecht, die das Burgtheater heute gestalten, und man tut dem Burgtheater unrecht, das von ihnen belebt wird. Es ist vielleicht verständlich, daß man im beschränkten Rahmen lebende Akzente dort setzt, wo sie sich einfach aus dem Zusammenhang ergeben, aber es muß unvollständig bleiben. Die Erinnerung ist auch nur ein Hilfsregisseur und eine subjektive Quelle. Aber vielleicht ist sie die einzige Brücke zu den heutigen Schauspielern.

Es ist auch wie heute, wenn ich mich an den skurrilen Fritz Strassni erinnere, wenn mir Ernst Arndt als Krüger im „Biberpelz" einfällt, wenn der alte Pepi Moser als Milchmann in „Peterchens Mondfahrt" wieder dasteht, wenn ich mich an einen kleinen Satz von Fritz Blum erinnere, wenn ich den bedeutenden Hans Siebert, der nie in die Kantine oder ins Konversationszimmer ging, sondern auch bei den Proben immer nur in seiner Garderobe anzutreffen war, vor mir sehe; und wenn einem Hermann Wawra heute noch als Gärtner im „Verschwender" in guter Erinnerung ist. Der liebenswürdige Ernst Pröckl, der natürlich-persönliche Wilhelm Schmidt, Wolfgang Hebenstreith – beide ausgezeichnete Chargenspieler und Präsidenten der Bühnengewerkschaft. Da waren noch der sympathische Paul Pranger, der gute alte Otto Schmöle, die Lily Karoly, da war Alfred Neugebauer, von Schülern, Kollegen und Publikum gleichermaßen geschätzt. Als Darsteller unzähliger Rollen fällt mir mein Freund Ulrich Bettac ein, der auch einmal provisorisch die Leitung des Burgtheaters innehatte. Felix Steinböck war ein stiller Burgschauspieler. Ich erinnere mich an sein Debüt als Mortimer, ich saß in der Künstlerloge, wie er zum erstenmal den großen Applaus des Burgtheaterpublikums vor dem Vorhang entgegennehmen konnte. Der Garderobenkollege meines Vaters, Wilhelm Heim, war ein ganz hervorragender Schauspieler. Ich war sehr befreundet mit ihm, habe oft Tränen über seine Rollendarstellung gelacht, oft genug bei Rollen, die nur durch seine persönliche Note Leben bekamen. Heinz Woester, durch viele Jahre hindurch der jugendliche Held des Burgtheaters, später der Erste Held des Hauses, an das er von Dresden gekommen war. Sein Albrecht in Hebbels „Agnes Bernauer", sein Gyges, sein Saladin im „Nathan" sind mir noch sehr gegenwärtig. Und der gute Walter Huber, der so glänzend kopierte, daß bei einer Probe ein Kollege zu Karl Schönherr, der sich in die Regie einmischte und Huber die Rolle vorsprach, sagte: „Herr Doktor, bei dem Huber dürfen S' das nicht versuchen, weil der macht's nach."

Das war alles gestern – aber ohne das Gestern gibt es ja das Heute nicht. Wenn man weitgehend das Alphabet zu Hilfe nimmt, aber auch hier dem Gerechtigkeitswunsch nicht ganz freien Lauf lassen kann und den Erinnerungsakzent setzt, geht es von dem köstlichen Ernst Anders bis zu dem anders köstlichen alten Zeska, der einmal der junge Zeska war.

In unzähligen Rollen Erich Auer; immer persönlich und hinter die Rolle zurücktretend Klaus Behrendt.

Joachim Bissmeier, der heute „Tasso" ist, war vor einigen Jahren ein glänzender Arnold Kramer.

Der ernst-heiter-schillernde Sebastian Fischer: unzähliger Aufführungen Gewicht und Schwergewicht. Der originell-komisch-großartige Hugo Gottschlich: eine seltene Mischung aus Original und Persönlichkeit. Der bedeutende Werner Hinz und Michael Heltau, der im Fach der guten Rollen in kurzer Zeit zu einem Liebling wurde.

Frank Hoffmann und Wolfgang Hübsch: interessant, farbig, unkonventionell; der stille, reizende und besondere Manfred Inger und so viele, viele andere.

Wie ein Gummiball sprang dieser Leon auf der Burgtheaterbühne herum: Peter Broglé, heute nicht mehr am Burgtheater, aber gerade in „Weh dem, der lügt" ist er lebendig gebliebene Erinnerung.

Bei Michael Janisch dachte ich mir oft, als er Lilioms

Erika Pluhar, *das* „Fräulein Else" in Ernst Lothars Dramatisierung der Schnitzler-Novelle

Ida Krottendorf als Weibsteufel, 5. März 1968

Kumpan Ficsur so hervorragend und hintergründig spielte: Was für ein guter Liliom müßte er doch sein! Die Rolle ist an ihm wie an vielen anderen vorbeigegangen.

Ich denke an Otto Kerry in „Florian Geyer".

Fritz Muliar soll die Maierhofer-Nachfolge antreten. Seine Vis Comica und sein komödiantisches Temperament sind Garanten dafür.

Ich denke an Theo Lingen, der mit seinem Entschluß, nicht mehr Theater spielen zu wollen, viel zu früh seinen Burgtheaterkreis schloß, der von Theophanes bis zum Jupiter in Sartres „Fliegen" ging.

Heinz Moog sagt von sich selbst, daß er nicht immer Brunnenvergifter spielen will. Aus Bochum von Saladin Schmitt kommend, war er einer der meistbeschäftigten und vielseitigsten Schauspieler des Burgtheaters. Die Spanne reichte vom Mephisto bis zum Sly in „Der Widerspenstigen Zähmung". Eine meiner liebsten Moog-Rollen war der Prof. Pflugfelder in Schnitzlers „Professor Bernhardi".

Ja, und Karl Paryla, ein Zerissener, ein allererster Schauspieler, eine große Persönlichkeit.

Wie viele kam Walther Reyer über Graz nach Wien. Die Josefstadt. Das Burgtheater. Zweimal hin und her – und dann wurde er der Walther Reyer des Burgtheaters. Max Piccolomini, Karl Moor, Coriolanus, Antonius, Gurmishki im „Wald", Helmer in „Nora" . . . Ein „Manns-Bild" – Betonung auf beiden Worten. Er macht es sich nicht leicht und ist auf dem Wege, der legitime Nachfolger Ewald Balsers und Attila Hörbigers zu werden.

Johannes Schauer, in kleinen und großen Rollen mit so persönlichem künstlerischen Einsatz, einer von denen, die durch Jahrhunderte immer wieder dem Burgtheaterbild Farbe gegeben haben.

Alexander Trojan kam ungefähr um dieselbe Zeit ans Burgtheater wie ich, und ich glaube, wir waren gute Freunde. Sein wirklicher künstlerischer Durchbruch war der Stawrogin in Camus' „Die Besessenen". Was viele Jahre nur liebenswürdig

Unten: „Fink und Fliederbusch" hatte im Sommer 1970 bei den Bregenzer Festspielen Premiere und wurde im Herbst ins Programm des Burgtheaters übernommen. Das Bild zeigt eine Szene mit Aglaja Schmidt und Ernst Anders
Rechte Seite außen: Ein fester Bestandteil des Burgtheater-Repertoires war stets das Werk Franz Grillparzers. Walter Reyer und Hilde Krahl in einer Szene aus „Das Goldene Vlies"
Rechte Seite innen: Eine große Schauspielerin, die mich immer wieder beeindruckt: Jane Tilden

und gefällig schien, bekam plötzlich Hintergrund und ganz persönliche Akzente.

Jürgen Wilke trifft oft das Los der Übernahme großer Rollen, und er stellt in solchen Fällen genauso seinen Mann, wie wenn er eine Rolle von Haus aus spielt.

Volters hat immer gesagt, Wussow sei der legitime Nachfolger von Paul Hartmann. Das hat sicherlich vieles für sich. Wussow ist ein hervorragender Schauspieler, der weit über den Beruf des Schauspielers hinaus mit dem Theater verbunden ist. Er ist ungeheuer musikalisch, und er ist literarisch interessiert. Er war der Ferdinand in „Kabale und Liebe", der Fedja im „Lebenden Leichnam", aber auch der Peter Peter in „Ingeborg" von Curt Goetz. Ein echter Schauspieler, dessen Traum, aus dem er manchmal aufschreckt, es war, ein Burgschauspieler zu sein.

Helene Thimig hat von ihr gesagt, sie sei eine großstädtische Schauspielerin: Blanche Aubry begann beim Trudi-Schoop-Ballett und kam über Basel nach Wien. Sie debütierte in „Donnerstag" von Fritz Hochwälder. Sie spielte Schnitzler, Molière und Ionesco und ist zweifellos eine der originellsten Persönlichkeiten des heutigen Burgtheater-Ensembles.

Ich erinnere mich an die große Leistung von Inge Brücklmeier in der „Grotte" von Anouilh, an Ebba Johannsen in unzähligen Rollen, an Lisl Kinast – vor allem in zwei Horváth-Stücken.

Die elementare und kraftvolle Ida Krottendorff hat einen wesentlichen Platz im Burgtheater. Vom „Weibsteufel" über die „Heilige Johanna" im Klassischen und im Modernen eine starke Persönlichkeit.

Hilde Krahl ist eine der bedeutendsten, weit über Österreich hinaus bekannten Schauspielerinnen. Ihr Engagement ans Burgtheater war und bleibt ein großer Gewinn. Sie kam zweimal, bevor sie blieb. Ich erinnere mich, daß ich sie gesehen habe, wie sie zum ersten Mal Theater spielte, in der Schauspielschule Lamberg-Offer im Theatersaal des „Hotel de France" in Wien. Sie war weit über den Schülerrahmen hinaus eine hinreißende Christine in „Liebelei". Es war ein weiter und großer Weg, den die Krahl ging, bis heute, wo sie die Mutter Courage des Burgtheaters ist.

Ich denke an Maria Kramer, eine zauberhafte Schauspielerin, mit der ich unzählige Lustspiele gespielt habe und die ihren entscheidenden Erfolg als Stella in „Endstation Sehnsucht" unter Viertels Regie hatte.

Lotte Ledl steht plötzlich wieder in O'Neill's „Alle Reichtümer dieser Welt" da und Else Ludwig mit ihrem großen Rollenbogen.

Ich höre das Lachen und das Weinen der Sylvia Lukan, weiß, daß Sigrid Marquardt eine echte Burgschauspielerin geworden und Lilly Stepanek eine geblieben ist.

Ich denke immer gern an einen Abend im Reinhardt-Seminar, wo eine Schülerin meiner Frau die Kate in „Kiss me Kate" spielte, und ich sie sofort ans Burgtheater engagierte. Sie war die Desdemona, die Isabel im „Richter von Zalamea". Unter

Otomar Krejca war sie die Marie in Topols „Fastnachtsende", in den „Besessenen" spielte sie überzeugend der Wallner nach, und sie hat gehalten, was ich ihr versprach. Sie ist die Erika Pluhar.

Salome Pockerl einer Schüleraufführung war Helma Gautier, die zur gleichen Zeit ans Burgtheater kam, und unter vielen Rollen sehe ich sie heute noch vor mir als Raimunds „Gefesselte Phantasie". Oskar Kokoschka, der die Bühnenbilder schuf, war begeistert.

Was immer man über Jane Tilden sagt, wird zu wenig sein. Ich glaube, ich habe sie in fast allen ihren Rollen gesehen, und ich kann mich kaum an eine erinnern, die man besser und persönlicher hätte spielen können. Sie war immer eine Lieblingsschauspielerin von mir.

Attraktiv und mit Einsatz: Lotte Tobisch und Angelika Hauff, intelligent, herb-profiliert: Paola Loew.

Und die Wagener: Mit ihr gemeinsam tat ich meine ersten Burgtheaterschritte. Sie war die Salondame des Burgtheaters par excellence und hat das Repertoire jahrzehntelang beherrscht. In dem Stück war damals Auguste Pünkösdy meine Mutter: eine glänzende Schauspielerin!

Zu dieser Zeit spielte Gusti Wolf Kinderrollen am Burgtheater. Später war sie Puck im „Sommernachtstraum", Blanche in „Gesang im Feuerofen", spielte unzählige Rollen und ist heute eine wichtige Charakterschauspielerin.

Und ich erinnere mich an viele Rollen der Eva Zilcher, nicht zuletzt an ihre „Orsina". Sie war immer eine moderne Schauspielerin, und sie ist es geblieben. – Noch eine Pauschalverbeugung für jene, die zwischen diesen Zeilen spielen.

Vier Pfeiler des heutigen Burgtheaterensembles sind – auch wieder nach dem Alphabet: Annemarie Düringer, Aglaja Schmid, Sonja Sutter und Martha Wallner.

Die Düringer, die vor Jahren, aus dem Reinhardtseminar kommend, in „Armut" von Wildgans im Akademietheater auffiel, hat eine steile Burgtheaterkarriere gemacht, die sie selbst einmal unterbrach, als sie vom Burgtheater wegging. Sie war die Alice in Albees „Winzige Alice", die Elisabeth in „Maria Stuart". Mit Peter Mosbacher führte sie als Eileen Carmody O'Neill's selten gespieltes Stück „Strohhalm" zum Erfolg.

Bestes Burgtheater ist Aglaja Schmid. Für unzählige Rollen steht die Helene im „Schwierigen" da. Ich glaube kaum, daß ich während meiner Direktionszeit eine Szene so oft gehört habe wie die Schlußszene der Helene mit Kari Bühl. Ich bin hinter der Bühne gestanden – immer angerührt von der Melodie der Aglaja Schmid. Aber sie kann auch ganz anders, zeigte es in „Fast ein Poet" als Sara Melody. Sie war die Leonore von Este im „Tasso", die Stella, die Maria Stuart.

Sonja Sutter sprach mir das Gretchen aus dem „Urfaust" auf der Bühne der Josefstadt vor, und ich engagierte sie fürs Burgtheater. Sie war u. a. die Drosdowa in den „Besessenen", die Leonore Sanvitale im „Tasso", die Schönheit im „Großen Welttheater", die Helena in „Faust II". Sie war Marilyn Monroe in Arthur Millers „Nach dem Sündenfall" – mit dem brillanten Richard Münch als Arthur Miller, sie war die Lady Milford in „Kabale und Liebe" und die Roxane im „Cyrano de Bergerac". So sehr ihr Aussehen besticht, so sehr beeindruckt ihre Wandlungsfähigkeit, ihre Charakterisierungskunst und ihr künstlerisches Gewissen.

Martha Wallner kam vom Volkstheater und ist zweifellos eine der vitalsten, kraftvollsten Bühnenpersönlichkeiten. Ihr Bogen reicht vom „Gretchen" bis zur „Elektra" des Sophokles.

Das schaut nun alles sehr nach einer Aufzählung, vielleicht nach ein bißchen Fleißaufgabe mit allzu vielen schmückenden Beiworten aus. Das soll es in keiner Weise sein. Es ist nur der Versuch, die Bedeutung einiger jener zu unterstreichen, ohne die das Burgtheater nicht das Burgtheater wäre. Und es ist – recht eigentlich – um nichts mehr als ein Dank an die Schauspieler.

Grillparzers „Medea" war in der Inszenierung des Jahres 1970 Martha Wallner, Gora war Liselotte Schreiner

EIN NEUER DIREKTOR

Neben vielen Regisseuren hat Klingenberg eine Menge neuer Darsteller engagiert: Norbert Kappen, Klaus Maria Brandauer, Michael Heltau, Kurt Beck, Herwig Seeböck, Fritz Muliar, Gertraud Jesserer, Andrea Jonasson und – neben einer Reihe weiterer – auch Karl Paryla.

Vom Theater in der Josefstadt kommend, stand Klaus Maria Brandauer über Nacht in der vordersten Reihe am Burgtheater. Bacchus, Carlos, Ferdinand waren die ersten Stationen. Er hat den Hamlet im Tornister und im Vertrag. Ich habe mit ihm auf Burg Forchtenstein „Weh dem, der lügt", die „Ahnfrau" und „Ein treuer Diener seines Herrn" inszeniert. An der Josefstadt haben wir an Schnitzlers nachgelassenem Werk „Das Wort" zusammengearbeitet. Er ist nicht nur ein ungeheuer persönlicher und brisanter Schauspieler, er ist ein brillanter Theatermann und sieht seine Zukunft auch als Regisseur und Theaterleiter. Die ersten Schritte hat er schon getan.

Michael Heltau begann liebenswürdig und persönlich, aber oft ist es mehr: Ich denke hier besonders an seinen Desmoulins in Büchners „Dantons Tod", aber auch an seinen Herrn von Lips in Nestroys „Zerrissenem".

Das ist selten geworden, ein schauspielerisches Talent, das immer wieder tiefe Menschlichkeit transparent werden läßt, das mit den einfachsten Mitteln unbewußt zu rühren weiß. In „Geschichten aus dem Wienerwald" debütierte Gertraud Jesserer am Burgtheater, und sie war für das große Haus nicht einen Augenblick lang zu klein. Das ist ganz wichtig. Es gibt Schauspieler, die vom Volumen der Stimme her und manchmal sogar der Persönlichkeit gerade das Burgtheater – trotz größter Begabung – nicht füllen.

Unter der Regie von Giorgio Strehler war sie die Vittoria in Goldonis „Trilogie der Sommerfrische", und mit Strehlers genialer Hilfe gelang ihr eine seltene Mischung von Stilisierung und Natürlichkeit. Bei der Jesserer bleibt alles echt und unverkrampft. Sie *ist* die Figur, die sie spielt, da ist keine Konstruktion, kein Manierismus. Wenn sie eine Liebesszene spielt, dann liebt sie, wenn sie lustig sein muß, dann ist es ihre eigene Heiterkeit, die sie mitbringt, und wenn sie auf der Bühne staunt, dann sieht man in der letzten Reihe ihre großen Augen. Sie hat einen schnellen Weg gemacht. Sie ist ein Glück für das Burgtheater, und wäre man mit dem Haus nicht so gut vertraut, dürfte man keine Sorgen um sie haben.

Paul Hoffmann hat von Andrea Jonasson immer schon gesprochen und ihr großes Talent frühzeitig erkannt. Er hat für die Qualität eines Schauspielers untrügliche Augen, und er wollte sie, so glaube ich, schon während seiner Direktionszeit ans Burgtheater bringen. Sie kam aber erst mit Giorgio Strehler und debütierte mit großem Erfolg am 9. November 1974 als Giacinta in der „Trilogie der Sommerfrische".

Da man zu diesem Zeitpunkt noch keinerlei Distanz zur Direktionszeit Gerhard Klingenbergs haben kann – sie läuft ja immerhin noch bis 1976 –, schien es mir unrichtig, diesem Bericht Tageskritisches oder Stimmungsmäßiges aus der Öffentlichkeit oder aus dem Hause beizufügen. Die endgültige Wertung einer Direktionszeit kann sicher erst mit dem notwendigen zeitlichen Abstand emotionsfrei vorgenommen werden.

Klingenberg hatte im dritten Jahr seiner Burgtheater-Direktionszeit ein Angebot nach Zürich angenommen und sagt in diesem Zusammenhang: „Ich habe einen Vertrag, der mich 1977 bis 1982 an das Züricher Schauspielhaus bindet und den ich sicher erfüllen werde. Ich bin der Meinung, daß ein Vertrag auch ein Konzept vorsehen muß, das in einer bestimmten Zeit realisiert werden sollte. Wenn ich mir vorgestellt habe, dieses Theater fünf Jahre lang zu leiten, konnte ich mir auch vorstellen, was ich in dieser Zeit für das Theater erreiche, und wenn ich 1976 weggehe, kann man das dokumentieren und beweisen."

Klingenberg war sich über die widersprüchliche Situation im Hause und in der Öffentlichkeit nicht im unklaren. Eine Sicherung, daß sein Vertrag über die vorgesehene Laufzeit bis 31. August 1977 zu diesem Zeitpunkt verlängert würde, war nicht realistisch. Gratz hatte das Unterrichtsministerium verlassen, und Dr. Fred Sinowatz – bis dahin Landesrat für Kultur im Burgenland – war sein Nachfolger geworden. Die Reaktion auf den Entschluß eines Burgtheaterdirektors, mitten in seiner

Ein bedeutender Schauspielerakzent des heutigen Burgtheaters: Norbert Kappen

Amtszeit bereits eine andere Direktion zu übernehmen, fand im Haus, in der Öffentlichkeit und bei den vorgesetzten Behörden geteilte Aufnahme.

Klingenberg aber vertrat den Standpunkt, daß wie jeder Schauspieler auch der Direktor selbstverständlich für seine eigene Zukunft vorzusorgen hätte. Eine Verlängerung seines Vertrages war ihm nicht angeboten worden, und er fühlte sich durchaus im Recht, über die Zeit nach seiner Tätigkeit am Burgtheater frei zu verfügen. Er würde dem Hause weiterhin als Regisseur verbunden bleiben und – wie er mir damals sagte – sei er ja noch jung genug, um vielleicht später ein zweitesmal Burgtheaterdirektor zu werden. Meine Gespräche mit Klingenberg schienen immer sehr offen zu sein, und seine Ansicht, seine Vorgänger so zu behandeln, wie er von seinen Nachfolgern behandelt zu werden wünsche, recht plausibel.

Mit dem Züricher Schritt hatte auch wieder einmal das Direktionsnachfolge-Ringelspiel begonnen, das in seiner Weitläufigkeit kaum ein Beispiel in der Geschichte des Burgtheaters hat. Man kolportierte kaum einen Namen nicht. Die Presse – erst begierig, jeden neuen zu publizieren – wurde lethargisch. Der Minister gab nun Auftrag, mit vier Kandidaten zu verhandeln: Boy Gobert, Dietrich Haugk, Michael Kehlmann und Achim Benning.

Gobert war der Favorit. Er führt sehr erfolgreich das Thalia-Theater in Hamburg, als Schauspieler und Regisseur des Burgtheaters kennt er Haus und Mitglieder, und es war auch für mich gar keine Frage, daß er der nächste Burgtheaterdirektor sein würde. Die Meinungen, warum er es nicht wurde, gehen auseinander. Gobert betonte, daß er kein offizielles Angebot hatte; der Generalsekretär des Bundestheaterverbandes (der Bundestheaterverband hatte die Bundestheaterverwaltung abgelöst), der sehr persönliche und dynamische Robert Jungbluth, der zum Burgtheater eine jahrzehntealte Beziehung hat, verhandelte mit Gobert zu einem, wie ihm schien, richtigen Zeitpunkt und nachdem er dazu von Unterrichtsminister Dr. Fred Sinowatz beauftragt war.

Gobert hatte seine Forderungen in Hamburg sehr hoch gestellt, er hatte praktisch eine Gleichstellung des Thalia-Theaters mit dem Hamburger Schauspielhaus verlangt. Es schien unwahrscheinlich, daß dies akzeptiert würde. Im Ensemble gab es Pro- und Kontra-Gobert-Stimmen und -Stimmungen. In Hamburg hatte der Opernintendant August Everding praktisch von einem Tag auf den anderen eine Berufung nach München akzeptiert, und der Intendant des Schauspielhauses, Ivan Nagel, verhandelte in Berlin wegen Übernahme der Berliner Oper. Der Hamburger Senat konnte und wollte sich einen Abgang Goberts nicht leisten. Er bewilligte alle Forderungen des Thalia-Theater-Chefs. Gobert, Sohn eines Hamburger Senators, konnte kaum einen Weg sehen, so viel Vertrauen und Entgegenkommen abzulehnen. Andererseits hatte Robert Jungbluth eine Vereinbarung mit Boy Gobert getroffen, wonach dieser prinzipiell einem Ruf an das Burgtheater folgen würde und alles dazu tun wollte, um Wien die notwendige Zeit für die endgültige Entscheidung zu geben. Die Zeit aber drängte.

In Wien wurde gleichzeitig kolportiert, daß Giorgio Strehler die Direktion übernehmen würde. Das sollte – so vernahm man – auch einem Wunsch von Bundeskanzler Dr. Bruno Kreisky entsprechen. Der Hamburger Senat drängte Gobert – und am Tag, an dem Boy Gobert in Hamburg seinen Vertrag unterschreiben sollte, teilte Dr. Sinowatz ihm telefonisch mit, daß er sein Mann wäre.

Großen Erfolg hatte das Burgtheaterdebüt von Andrea Jonasson in Giorgio Strehlers Inszenierung der „Trilogie der Sommerfrische"

Man spekulierte darüber, ob Gobert diesen Telefonanruf als verbindliches Angebot bewertet hatte und inwieweit er von einem Beschluß des Ensembles in seiner Entscheidung bestimmt war. Man hatte gewünscht, daß der Burgtheaterdirektor nur in beschränktem Maße spielen und inszenieren sollte.

Die Wiener Presse legte diesen Beschluß teilweise als gegen Gobert gerichtet aus. Und im Hause selbst war man auch nicht hundertprozentig für Gobert. Ebenso sicher ist es, daß ihn viele erste Schauspieler als die beste und einzige Lösung empfanden und das Scheitern der Verhandlungen tief bedauerten.

Jungbluth schaltete schnell und machte dem Staatsintendanten des Münchner Staatsschauspieles, Kurt Meisel, ein verbindliches Angebot, das er zweimal wiederholte. Meisel hatte seine schwere Zeit in Wien nicht vergessen. Man hatte ihn als Oberspielleiter – besonders im Zusammenhang mit der Vermutung, er sei der Kronprinz und als Nachfolger Paul Hoffmanns mehr oder weniger designiert – massiv angegriffen und seine Nerven auf eine harte Burgtheaterprobe gestellt. Meisel mag seine Berufung nach München als eine echte Erlösung empfunden haben, doch sein großer Erfolg dort hat die Erinnerung an die Zeit in Wien nicht ausgelöscht. Er lehnte bewegt und ohne Ressentiments, aber klar ab.

Es wurde weiter mit Michael Kehlmann und Dietrich Haugk gesprochen, aber es blieb nicht bei den ursprünglichen vier. Einzeln und in Gruppen sprachen sich Mitglieder des Burgtheaters für ihre Kandidaten aus – manchmal auch für sich selbst. Namen schwirrten durch den Blätterwald – einmal war es Zadek aus Bochum, einmal Wochinz aus Klagenfurt, einmal Lietzau aus Berlin. Die Namen Josef Meinrads und Thomas Bernhards wurden kolportiert. Strehler hatte inzwischen öffentlich eine Burgtheaterdirektion abgelehnt, aber seine Bereitschaft zur Mitarbeit erklärt. Und Otto Preminger hat mir erst kürzlich erzählt, daß man bei ihm angefragt hat, ob er die Nachfolge Klingenbergs als Burgtheaterdirektor übernehmen würde. Das konnte ihn, so sagte er, heute nicht mehr interessieren. Das war nicht immer so. 1934 verhandelte er über die Burgtheaterdirektion. Der damalige Leiter der Bundestheater, Minister Dr. Hans Pernter, hatte mit ihm bereits alles festgelegt und dann gemeint: „Noch eine Kleinigkeit: Sie werden mir doch sicher erlauben, Ihr Taufpate zu sein." Preminger verstand nicht gleich. „Es ist bei uns üblich, daß der Burgtheaterdirektor . . ." Preminger verstand. Er wollte nicht. Er hat es nicht bereut. Kurz nachher kam das Angebot aus Amerika, das sein und seiner Familie Leben veränderte und wahrscheinlich rettete.

Klingenberg ließ alles gelassen über sich ergehen und

betonte in der Öffentlichkeit, daß er seine Agenden, den täglichen Betrieb betreffend, delegieren werde und sich nur auf seine Regiearbeiten und auf die Planung für das Jubiläum – 200 Jahre Burgtheater –, also seine letzte Burgtheaterspielzeit, beschränken wolle.

Mehr und mehr verdichteten sich Mutmaßungen und Gerüchte, daß der neue Burgtheaterdirektor Achim Benning heißen würde. Seinerzeit in der Ensemblevertretung, war er aus dieser ausgeschieden und hatte sich mit einigen Regiearbeiten profiliert.

Bevor es noch zu ernsthaften Verhandlungen kam, wurde die Kandidatur bereits angegriffen. In dem Stadium, in dem sich nunmehr das Nachfolgespiel befand, war aber die Tagespresse nicht mehr ausschlaggebend. Hier und dort tauchten immer wieder neue und alte Kandidaten auf.

Ich hatte zu dieser Zeit viele Gespräche mit Robert Jungbluth. Er hatte echte Sorgen und wollte es sich nicht leicht machen. Ich hatte auch ein einstündiges Gespräch mit dem Minister. Wir sprachen sehr offen über die Nachfolge und die Kandidaten. Der Minister eröffnete mir, daß auch mein Name immer wieder genannt werde und wollte meine Reaktion kennenlernen. Ähnliches war in den Gesprächen mit Jungbluth zum Ausdruck gekommen. Tatsächlich war die Idee einer zweiten Direktion Haeusserman vor allem von Schauspielern des Hauses, selbst von jenen, die seinerzeit offen Gegner meiner Direktionsführung gewesen waren, an mich herangetragen worden. Ich sagte dem Minister, ich hielte es für den besten Ausweg, wenn wir uns darauf einigten, daß – da ich ungefähr zum Zeitpunkt des Amtsantrittes des neuen Burgtheaterdirektors die Alleindirektion des Theaters in der Josefstadt übernehmen werde – Verhandlungen oder Kombinationen in bezug auf meine Person nicht realistisch wären. Ich hatte das Gefühl, daß diese Formulierung Erleichterung schaffte.

Während dies geschrieben wird, erfahre ich, daß am 17. Januar 1975 eine entscheidende Unterredung zwischen Unterrichtsminister Dr. Sinowatz und Achim Benning stattfinden wird.

Der neue Direktor des Hauses, Achim Benning

DAS ENSEMBLE DES BURGTHEATERS

Ich habe bewußt eine Schreibpause gemacht, und heute, am 6. Februar, steht der Klingenberg-Nachfolger fest: Achim Benning. Ich schließe meine persönliche Anteilnahme an der Direktionsnachfolge Klingenberg mit einem Telegramm an Achim Benning, das heute diktiert und morgen abgesandt wird: „Lieber Achim Benning! In diesen Stunden sind meine Gedanken bei Dir. Sie werden es auch weiterhin sein. Wir wissen beide, wie schwer es ist, aber doch auch, was es bedeutet. Ein Vorgänger drückt Dir die Hand und hält Dir die Daumen. Dein Haeusserman."

Thomas Mann soll zu Beginn einer Rede einmal gesagt haben: „Ich eile zum Schluß." Ich habe eine solche Chance einige hundert Seiten lang versäumt. Wahrscheinlich versäumen müssen, weil der Anlaß ein so großer, ein so verpflichtender und auch belastender war. Den Versuch zu machen, das Ganze zu sehen, die Geschichte zu erzählen und – wo es geht – persönlich „einzusteigen", lag auf der Hand. Rücklesend kann ich nur feststellen, daß ich ohne den Regisseur dieses Buches diesen Versuch – wie immer er nun gewertet werden mag – wahrscheinlich nicht zu Ende hätte bringen können. Dieser Regisseur – hier muß ich mein Vorwort korrigieren – ist Leo Mazakarini, dem ich dafür dankbar die Hand drücke. Er hat geordnet, gesichtet. Es war ein Glücksfall. Daß ein Lektor ein eigenständiger Schriftsteller ist, daß dieser Schriftsteller ein Theaternarr und dieser Theaternarr ein Burgtheaterexperte ist, das kommt sicherlich nur alle zweihundert Jahre einmal vor. Das älteste und das alte Burgtheater war für uns beide eine kompilatorische Aufgabe, und es lag mir daran, aus gültigen Quellen Informationen zu sammeln und weiterzugeben. Da, wo ich einen persönlichen Report gegeben habe, gibt es keine Ausrede. Da habe ich mich bemüht, den Auftrag – auch den eigenen – auszuführen, das Burgtheater in seiner ganzen Weite zu schildern, um einen Ein- und Überblick in und über dieses Welttheater zu geben. Und Fritz Molden ist mehr als ein Verleger. Für das Mehr möchte ich ihm ganz besonderen Dank sagen.

Es ist nun gar nicht leicht und vielleicht auch von der Legitimation her, von der am Anfang die Rede war, eher problematisch, ein Schlußwort, eine Zusammenfassung anzubieten. Vielleicht ist es wie in einem Liebesbrief, dem man noch ein Postskriptum hinzufügt:

PS: Habe versucht, Burgtheater von Gründung an zu beleuchten. Danke allen jenen, die es vor mir so profund getan haben und deren Erfahrungen ich verwenden konnte, in der Hoffnung, daß später einmal schreibende Kollegen einiges aus diesem Buch verwenden können.

Wichtig: die Entwicklung des Hauses mit besonderem Hinblick auf Direktion und Schauspieler. Anekdotisches als Folie gedacht. Entscheidend, daß Kritisches die Lebenskraft des Burgtheaters bestätigt. Staunen darüber, wie krisenfest dieses Burgtheater ist. Man könnte ganzes Buch nur über die Krisen des Burgtheaters schreiben. Zwischen den Zeilen hat man es versucht.

Bleibendes: alle, die an diesem Haus und für dieses Haus in den zweihundert Jahren gearbeitet haben, haben es als Lebensaufgabe getan. Für das Theater leben und sterben ist in keinem Theater so gültig dokumentiert wie im Burgtheater. Das Burgtheater schickt sich an, in sein drittes Jahrhundert einzutreten. Es und man hat ihm diesen Eintritt zweihundert Jahre lang nicht leicht gemacht. Das Burgtheater wird auch sein drittes Jahrhundert überstehen, und in hundert Jahren werden andere schreiben und lesen, was das Burgtheater war, und werden prognostizieren, was es sein soll. Meine Prognose: das Burgtheater. Dies das vorletzte Wort. Das letzte soll ein Größerer haben.

„Ich glaube an die Unsterblichkeit des Theaters. Es ist der seligste Schlupfwinkel für diejenigen, die ihre Kindheit heimlich in die Tasche gesteckt und sich damit auf und davon gemacht haben, um bis an ihr Lebensende weiterzuspielen."

Max Reinhardt

Namenregister

Bildquellennachweis

Archiv des Burgtheaters, Wien: 10, 13, 14, 15, 19, 21 (2), 24, 25, 26, 27, 28, 29 (2), 31 (2), 34, 36, 39, 40, 41, 43, 45 (2), 46 (2), 47, 50 (1), 51, 52 (2), 53, 54, 55 (2), 56, 58, 59, 61 (2), 66, 67, 72 (2), 73, 74, 75, 76, 84, 86 (3), 88 (1), 94, 95, 105, 106, 107, 110, 111 (2), 118 (1), 121 (2), 123, 124 (1), 125 (2), 132, 135, 142, 143 (1), 162 (1), 183, 197 (1).
Österreichische Nationalbibliothek, Wien: 30, 38, 44, 50 (1), 57, 62, 63, 64, 68, 70, 71, 72 (1), 77, 79, 82 (2), 87, 88 (1), 91, 96, 99 (1), 101 (1), 103, 130.
Foto Hausmann, Wien: 137, 148, 154, 162 (1), 165, 167, 174 (1), 175 (2), 179, 180, 182, 184, 187 (2), 188 (2), 189, 190, 192, 194, 197 (1), 198 (1), 201, 202, 203 (2), 204, 207 (1), 208.
Atelier Dietrich, Wien: 89, 90, 109, 114 (2), 116, 117 (2), 119 (2), 126, 128 (2), 136 (3), 139, 141 (1), 145, 153, 164, 178.
Archiv Adrienne Gessner, Wien: 198 (1).
Museum der Stadt Wien (Foto: Erich Lessing, Magnum-Paris): 42.
Foto Ellinger, Salzburg: 199.
Rudolf Pittner, Wien: 117, 138, 140, 141 (1), 144, 150 (2), 152.
Foto Palffy, Wien: 166, 173.
Walter Wellek: 158.
Pressefoto Horowitz, Wien: 195.
Helmut Paar, Wien: 168, 171.
Atelier Franz Xaver Setzer, Wien: 92, 101 (1), 102 (1).
Barbara Pflaum, Wien: 136 (1), 143 (1), 159.
Pressefoto Bruno Völkel, Wien: 122, 157, 170, 172.
Pressefoto Votava, Wien: 149.
Pressefoto F. M. Kössler, Wien: 128 (1).
Archiv Gusti Wolf, Wien: 128 (1), 174 (1).
Lotte von Tobisch, Wien: 135 (1).
Foto Fayer, Wien: 135 (1).
Theater in der Josefstadt, Wien: 178 (1).
Luigi Ciminaghi, Milano: 207 (1).

Farbbilder:
Erich Lessing, Magnum-Paris, fotografierte die Farbbilder aus dem Besitz und mit freundlicher Genehmigung des Historischen Museums der Stadt Wien.